Виктор Суворов

ТЕНЬ
ПОБЕДЫ

2003

УДК 821.161.1
ББК 84 (2Рос=Рус)6-4
С89

Мнение редакции не обязательно совпадает
с мнением автора книги

Подписано в печать с готовых диапозитивов 24.03.03.
Формат 84×108$^1/_{32}$. Бумага типографская. Печать
высокая с ФПФ. Усл. печ. л. 20,16+0,42 вкл.
Доп. тираж 10 000 экз. Заказ 811.

ISBN 966-696-022-2

Посвяшаю большому человеку по имени Лев

ГЛАВА 1

ПРИЧИСЛИТЬ
К ЛИКУ СВЯТЫХ...

> Наши мертвые нас не оставят в беде...
>
> *В. Высоцкий*

1

Под самый закат своей истории Советский Союз остался без героев. Выяснилось, что вожди Советского Союза,
все без исключения, — это банда преступников и негодяев.

Если сойти с заоблачных кремлевских высот и при-
глядеться к скромным героям, на которых должен был
равняться народ, то и тут героизм блекнет. Вот легендарный бой 16 ноября 1941 года у разъезда Дубосеково. С
нашей стороны 28 солдат 4-й роты 1075-го стрелкового
полка 316-й стрелковой дивизии генерал-майора И.В.
Панфилова. Солдаты вооружены винтовками, гранатами
и бутылками с зажигательной смесью. У них — ни танков, ни артиллерии. А у немцев — 54 танка поддерживают два десятка минометных и артиллерийских батарей.

Перед боем политрук Диев произнес слова, которые
облетели всю страну: «Велика Россия, а отступать некуда — позади Москва!» Герои-панфиловцы уничтожили
множество танков, погибли все до одного, но врага к
Москве не пропустили... Командующий Западным фронтом генерал армии Г.К. Жуков возбудил ходатайство. Указом Президиума Верховного Совета СССР каждому из

двадцати восьми было посмертно присвоено звание Героя Советского Союза...

На этом подвиге мы все воспитаны.

Однако были неясности. Они возникли еще в 1941 году. 27 ноября 1941 года «Красная звезда» сообщила, что во главе 28 героев стоял политрук Диев. В той же газете 22 января 1942 года сообщалось, что группу героев возглавлял политрук Клочков. Попытки объединить двух героев в одном образе привели к обратному результату. Герой размножился. В советскую историографию он вошел в четырех вариантах: Диев, Клочков, Клочков-Диев и Диев-Клочков.

И если все погибли, то откуда известны слова героического политрука?

Были и другие накладки. Куда более удивительные.

После войны этим эпизодом занялась военная прокуратура. Всплыли подробности, воистину фантастические. Прежде всего: позади Москва, но отступать все еще было куда. 1075-й стрелковый полк в том бою был выбит со своего рубежа. За это командир и комиссар полка были сняты с должностей.

Еще момент. Если 4-я рота 2-го батальона полегла полностью, но врага не пропустила, если перед траншеями 2-го батальона горят десятками немецкие танки, то командир батальона майор Решетников был обязан об этом доложить. Но он почему-то этого не сделал — видимо, горящих немецких танков не заметил. Ничего о героическом свершении не докладывали ни командир 1075-го стрелкового полка полковник И.В. Копров, ни командир 316-й стрелковой дивизии генерал-майор И.В. Панфилов, ни командующий 16-й армией генерал-лейтенант К.К. Рокоссовский. Весьма интересно, что и немцы об этом бое тоже ничего не знали. Вот и возник вопрос: если никто из фронтовых командиров не докладывал о подвиге, как же о нем узнали в Москве?

Первой о нем сообщила центральная военная газета «Красная звезда». Литературный секретарь «Красной звезды» А.Ю. Кривицкий описал героический бой как очевидец. Но был ли он очевидцем? В военной прокуратуре ему вежливо задали вопрос: был ли он 16 ноября 1941 года в районе разъезда Дубосеково? Выяснилось: в районе боя означенный товарищ не был. Если бы был, то из этого ада живым не вышел. На допросе он признал, что в ноябре 1941 года из Москвы не выезжал. О подвиге ему стало известно со слов корреспондента В. Коротеева, который был в войсках. Правда, Коротеев в направлении переднего края дальше штаба 16-й армии двигаться не рискнул. Именно там, на задворках штаба, бравый военный корреспондент подхватил слух о совершенном подвиге и как сорока на хвосте принес новость в родную редакцию.

Следствием были выявлены источники цифр, которыми «Красная звезда» удивляла мир. Подвиг формировался следующим образом. Главный редактор газеты Д. Ортенберг спросил сочинителя Коротеева, сколько в героической роте было людей? Тот ответил: 30—40. Решили: их было 30. Но не могли же все быть героями. Не могли. Бывают у нас и отрицательные примеры. И Верховный Главнокомандующий товарищ Сталин в приказе № 308 от 18 сентября 1941 года требует «железной рукой обуздывать трусов и паникеров». Значит, так: перед боем двое подняли руки и побежали сдаваться. Наши их, понятно, тут же расстреляли. Так сказать, железной рукой обуздали. Сколько, следовательно, героев осталось? Правильно, 28. Потом Ортенберг, подумав, решил, что два предателя — много. Потому одного предателя зачеркнул. А героев так и осталось 28. Сколько же было немецких танков? Допустим, по два немецких танка на каждого героя... Значит, танков было 56. Главный редактор, еще подумав, два танка сбросил. Так ближе к правде. По прошествии десятилетий число уничтоженных танков сбавили до 18. Тут тоже — чистая математика. Просто 54 разделили на три. Если бы наши славные инженеры человеческих душ и дальше так же смело делили и отнима-

5

ли то в конечном итоге могли бы вплотную приблизиться к правде.

Во время следствия всплывало такое, о чем вспоминать неудобно. Потому военная прокуратура шума не поднимала. Сочинителей можно было бы покарать. Можно бы и главному редактору дать по шее. Но подвиг панфиловцев уже внесен в энциклопедии и буквари, уже вырублен в граните, уже чеканными буквами вписан в историю войны как один из самых ярких ее эпизодов. Кроме того, в этом деле замешан Маршал Советского Союза Г.К. Жуков. Сочинители перестарались? Ничего страшного. Вся история Советского Союза выдумана. Но если бы не Жуков, то подвиг 28 панфиловцев остался в разряде историй о деяниях казака Козьмы Крючкова, о котором во время Первой мировой войны ходили удивительные рассказы, по смыслу и духу близкие к историям о героических свершениях барона Мюнхгаузена. Говорили, что Козьма Крючков на одну пику по семь германцев насаживал. 28 панфиловцев могли бы оставаться побратимами Козьмы Крючкова. Ничего плохого в таких историях нет. Вот написал же Александр Твардовский поэму о том, как русский солдат Василий Теркин вышел утром в поле, видит: прет на него тысяча немецких танков! Русский солдат, понятное дело, не растерялся... За веселый треп любил фронтовой люд Твардовского и выдуманного им солдата Василия Теркина, который выходил победителем из любой переделки. Все понимали: это вымысел, шутка веселая. Но Жуков историю про 28 панфиловцев из фронтовой сплетни, из газетного вымысла возвел в степень реальных событий. Это он при каждом случае бахвалился: где я, там и победа! Любое немецкое наступление захлебывается там, где появился я! Под моим командованием умирают, но не сдаются! В декабре 1941 года кто-то из подчиненных прочитал в «Красной звезде» рассказ про фантастический подвиг 28 панфиловцев и доложил Жукову. Жуков потребовал составить список погибших, тех, *кто мог бы быть* в том легендарном бою, и представил их к награждению. Всем, кого вписали в список, были присвоены высокие звания посмертно. Жуков первым придал этой удивительной истории официальное звучание. После того как Верховный Совет издал указ, героический подвиг перестал быть плодом журналистского трепа, он стал реальным событием. Хотя не все из попавших в список погибли. В списке героев оказались и те, кто добровольно ушел к гитлеровцам и служил им верой и правдой.

История про 28 панфиловцев была настолько плохо состряпана, что постоянно вызывала интерес исследователей, которые хотели знать правду. Задолго до гласности и перестройки В. Кардин в «Новом мире» подверг эту несуразную историю беспощадному анализу. За ним последовали Б. Соколов, В. Люлечник и другие. Потом публикации пошли каскадом, и этот эпизод выпал из разряда героических деяний.

2

А в труде было велено равняться на шахтера Алексея Стаханова. План ему — вырубить за смену 7 тонн угля. А он в ночь на 31 августа 1935 года возьми да и выруби не 7, а 102 тонны! И развернулось в стране стахановское движение: бросились последователи Стаханова по десять норм за смену выполнять! По двадцать! Этих людей пропаганда называла стахановцами, народ — стакановцами. Народ знал — не все тут чисто. Через десятки лет выплыли подробности и этого «подвига». Стаханов действительно вырубил 102 тонны угля. Правда, на время рекордной смены всем остальным забойщикам шахты «Центральная-Ирмино» отключили сжатый воздух, чтобы в отбойном молотке Стаханова давление не падало. Чтобы не мешать трудовому порыву Стаханова, рабочий ритм шахты был полностью нарушен. Вырубленный Стахановым уголь надо было откатывать из забоя, потому вагонетки — Стаханову! Стахановским вагонеткам — «зеленую улицу»! Остальные бригады подождут.

Были и другие фокусы. Главный финт — статистический. Все зависит от методики подсчета. Забойщик работает не один. Вырубленный уголь надо отгребать, грузить в вагонетки, откатывать, таскать бревна и крепить забой. Если вырубленный забойщиком уголь разделить на всех, кто ему помогает и обеспечивает его работу, то и получится 7 тонн на брата. А на время рекордной смены Стаханова применили другую, более прогрессивную, методику расчета. Все, что он вырубил, ему и записали, посчитав все тонны его личной заслугой. А всех, кто отгребал, грузил и откатывал уголь, всех, кто крепил забой вслед за Стахановым, провели по другой графе. На всех помогающих и обеспечивающих добытые тонны не делили. Вот и получился всесоюзный рекорд.

Трудовой подвиг Стаханова — обычная наша советская туфта. И сам Стаханов — герой в роскошной мантии из той же туфты.

Другие наши герои, рангом ниже панфиловцев и стахановцев на поверку оказывались героями дутыми. Из множества героических деяний торчали острые углы, а то и ослиные уши. Народ смеялся, сочинял анекдоты и матерные частушки про картонных кумиров.

Теперь поставим точки над «ё». Я не говорил, что массового героизма на войне не было. Я — о другом. У нас героический народ. И порой совершал он такое, чем нужно восхищаться. Но те, которые из Агитпропа, почему-то стремились описывать подвиги воистину легендарные, т. е. выдуманные. Наших агитаторов и пропагандистов почему-то на туфту тянуло. Неизбежно со временем туфта раскрылась, и страна осталась без героев.

И перед идеологами встала проблема: на кого народу равняться?

Срочно требовался новый кумир, которого можно было бы на гранитный постамент вознести. Подумали вожди и решили: Жуков! Кто же еще? Жуков — спаситель Отечества, великий гений на белом коне!

Так родился новый культ личности.

3

Опыт раздувания культа у нас избыточный. Культ Жукова выстроили умело и быстро.

Вокруг Жукова возникли легенды одна другой краше.

Маршал Великой Победы!

Жуков в своей жизни не имел ни одного поражения!

Где Жуков, там и победа!

Ему было достаточно один раз взглянуть на карту, чтобы правильно оценить ситуацию, понять и разгадать замысел противника!

Зазвучало даже и такое: ах, если бы Жуков был жив! («Красная звезда», 4 февраля 1997 г.).

Товарищи в Кремле сомневаются: хоронить Ленина или держать в виде наглядного пособия? Зря сомневаетесь. Труп Ленина смело можно выносить из Мавзолея. Культ Жукова уже надежно заменил и вытеснил культ Ленина.

А по стране уже носится слух, что Маршал Советского Союза Жуков Георгий Константинович за свои героические деяния не был оценен по достоинству. Он был всего лишь четырежды Героем Советского Союза. Но таких полководцев в нашей истории было двое. Второй — Маршал Советского Союза Брежнев Леонид Ильич. Потому (дабы несколько возвысить Жукова над полководческим гением Брежнева) предлагают Брежнева так и оставить четырежды Героем Советского Союза, а Жукову посмертно присвоить пятую звезду, объявив героем пятикратным.

Этого, понятно, мало. Предлагают учредить звание Генералиссимуса России и посмертно присвоить его Жукову («Красная звезда», 3 августа 1996 г.). У нас так принято: не просто почитать мертвецов, но советоваться с ними, просить у них помощи и заступничества, включать их в состав трудовых коллективов и боевых подразделений, выписывать им партийные билеты с номером 00000001, награждать орденами и присваивать звания и даже просить их подтвердить правильность выбранного нами пути. Надеюсь, народ еще помнит времена, когда отставные стукачи и палачи всхлипывали после третьего стакана: «Ах, если бы был жив Ленин!» когда на каждой стене красовалось загробное одобрение вечно живого вождя: ВЕРНОЙ ДОРОГОЙ ИДЕТЕ, ТОВАРИЩИ! Выходило, что мертвый Ленин видит, куда мы идем, и с того света одобряет: так держать! Выходило, что нами мертвец правит.

Тут, правда, надо признать, что некоторые наши друзья в деле подчинения мертвецам обогнали нас, опередили. Вот пример. В Корейской Народно-Демократической Республике пост президента страны навечно оставлен за усопшим вождем товарищем Ким Ир Сеном. Мертвый президент во главе страны! Страной правит мертвец. С того света указания шлет. И вот мы, чтобы не отстать в этом деле, возводим Жукова в разряд вечно живых с посмертной выслугой лет и присвоением очередных воинских званий.

Но даже и такая высокая честь кажется его почитателям недостаточной. Потому поступают предложения вознести его выше. На самые небеса. Вот «убежденный, правоверный атеист», член Союза журналистов России В. Дебердеев предлагает причислить Жукова Георгия Константиновича к лику святых Русской православной церкви («Красная звезда, 3 августа 1996 г.).

Конфуз в том, что один святой Георгий уже есть. Потому предложение товарища Дебердеева сводится к тому, чтобы святого Георгия дублировать. Их будет два. Один — просто Георгий, а другой — не просто, а Константиныч. Иначе как же их отличать? Тот на белом коне, и этот тоже...

Жукову звание святого пока не присвоили, а его бывший охранник, на их языке — «прикрепленный», уже оглашает окрестности кличем: ДА СВЯТИТСЯ ИМЯ ЕГО! («Красная звезда», 30 ноября 1996 г.). И написаны эти слова большими буквами и жирным шрифтом. А «Красная звезда» (1 марта 1997 г.) все про то же — про «возвышенный ореол и даже некоторую святость» Жукова.

Смущает вот что: товарищ Дебердеев, который предлагает возвести Жукова в ранг святого, сам ни в чертей, ни в святых не верит. Об этом и заявляет. Ситуация знакомая. Мы на том уже ломали ноги и шеи: весь XX век проходимцы всех мастей призывали и заставляли нас верить в то, во что сами не верили.

И чтобы вновь не наломать дров, давайте вспомним, что думали, говорили и писали о кандидате в святые Георгии те, кто знал его лучше нас. Давайте послушаем не современных борзописцев, а жуковских современников, его командиров, сослуживцев и подчиненных.

4

Генералиссимус Советского Союза Сталин Иосиф Виссарионович: «Маршал Жуков, утеряв всякую скромность и будучи увлечен чувством личной амбиции, считал, что его заслуги недостаточно оценены, приписывая при этом себе в разговорах с подчиненными разработку и проведение всех основных операций Великой Отечественной войны, включая и те операции, к которым не имел никакого отношения» (Приказ Министра Вооруженных Сил Союза ССР № 009 от 9 июня 1946 г.).

Маршалы Советского Союза Булганин Николай Александрович и Василевский Александр Михайлович с этими словами Сталина были полностью согласны. Скажу больше: эти слова они написали и 8 июня 1946 года направили Сталину проект приказа о Жукове. Текст приказа и факсимильная копия письма Булганина и Василевского Сталину в «Военно-историческом журнале» (1993. № 5. С. 27).

Маршал Советского Союза Рокоссовский Константин Константинович лично знал Жукова полвека. Поначалу Рокоссовский был над Жуковым командиром. И выдвинул его на вышестоящую должность.

Было так. В 1930 году Рокоссовский — командир 7-й Самарской имени Английского пролетариата кавалерийской дивизии. А Жуков в этой дивизии командовал 2-й бригадой. Вот выдержка из аттестации, подписанной Рокоссовским 8 ноября 1930 года: «Обладает значительной долей упрямства. Болезненно самолюбив» (ВИЖ. 1990. № 5. С. 22).

Необузданное самолюбие Жукова сочеталось с пьянством, изрядной половой распущенностью и нечеловеческой жестокостью. Эти качества часто соседствуют: развратник почти всегда садист, а садист — развратник. В Красной Армии не принято жаловаться, но жуковская жестокость была выше тех стандартов, которые приняты в Красной Армии. Свидетельства Рокоссовского коммунисты прятали от народа в течение 25 лет. Теперь они опубликованы. И они подавляют. Рокоссовский описывает обстановку дикой нервозности в бригаде Жукова. Бригаду трясло и лихорадило. Порядок удалось навести, только убрав Жукова с бригады. Жукова отфутболили на повышение. Рокоссовский пишет: «Приходили жалобы в дивизию, и командованию приходилось с ними разбираться. Попытки воздействовать на комбрига успеха не имели. И мы вынуждены были, в целях оздоровления обстановки в бригаде, выдвинуть Г.К. Жукова на высшую должность» (ВИЖ. 1988. № 10. С. 17).

Жукова отправили в Москву на должность помощника инспектора кавалерии Красной Армии. Не оттого пошел Жуков на повышение, что уж очень хороший командир, а оттого пошел на повышение, что надо было обстановку разрядить, избавить бригаду от садиста любым способом, пусть даже и назначением на более высокую должность.

В Красной Армии жестокость ценится. Командир-садист — на вес бриллиантов. Но у Жукова жестокости было больше того, что требовалось.

Через год, 31 октября 1931 года, аттестацию на Жукова пишет член Реввоенсовета СССР, инспектор кавалерии РККА Семен Михайлович Буденный. Он считает, что Жуков — твердый член партии, однако добавляет: наблюдается излишняя жестокость (ВИЖ. 1990. № 5. С. 23).

Следующая ступень карьеры: Жуков — командир 4-й кавалерийской дивизии. «С.М. Буденный вспоминал, как Жуков вступал в командование кавдивизией и как излишне сурово обещал навести в ней порядок» (ВИЖ. 1992. № 1. С. 76). Сам Семен Михайлович Буденный весьма часто «подносил в морду». И не стеснялся. На этот счет есть достаточно свидетельств. И, понятное дело, бил он не солдат. Он бил командиров. Но стиль Жукова даже для Буденного был неприемлем.

В аттестацию Жукова командующий войсками Белорусского военного округа комкор* М.П. Ковалев вписывает привычные слова: «Имели место случаи грубости в обращении с подчиненными, за что по партийной линии т. Жуков имеет выговор» (Маршалы Советского Союза. М., 1996. С. 35).

Маршал Советского Союза Еременко Андрей Иванович в январе 1943 года — генерал-лейтенант, командующий Сталинградским фронтом. Запись в дневнике от 19 января 1943 года: «Жуков, этот узурпатор и грубиян, относился ко мне очень плохо, просто не по-человечески. Он всех топтал на своем пути... Я с товарищем Жуковым уже работал, знаю его как облупленного. Это человек страшный и недалекий. Высшей марки карьерист» (ВИЖ. № 5. 1994. С. 19).

Маршал Советского Союза М.В. Захаров: «Создалась довольно напряженная обстановка. В этих условиях координировавший действия 1-го и 2-го Украинских фронтов Маршал Советского Союза Жуков не сумел орга-

---

* До начала Второй мировой войны в Красной Армии не было генеральских званий. После звания полковник следовало звание комбриг, далее — комдив, комкор, командарм 2-го ранга, командарм 1-го ранга, Маршал Советского Союза. В 1940 году введена новая система воинских званий для высшего командного состава: после полковника — генерал-майор, генерал-лейтенант, генерал-полковник, генерал армии, Маршал Советского Союза.

низовать достаточно четкого взаимодействия войск, отражавших натиск врага и был отозван Ставкой в Москву» («Красная звезда», 11 февраля 1964 г.).

Эти слова маршала Захарова подтверждает телеграмма Сталина: «Должен указать Вам, что я возложил на Вас задачи координировать действия 1-го и 2-го Украинских фронтов, а между тем из сегодняшнего Вашего доклада видно, что, несмотря на всю остроту положения, Вы недостаточно осведомлены об обстановке: Вам неизвестно о занятии противником Хильки и Нова-Буда; Вы не знаете решения Конева об использовании 5 гв. кк и танкового корпуса Ротмистрова с целью уничтожения прорвавшегося противника...»

Тут речь не о каких-то деревнях, занятых немцами. Это один из самых драматичных моментов войны. В феврале 1944 года на правом берегу Днепра два советских фронта замкнули кольцо окружения вокруг мощной группировки германских войск. Задача германского командования — вырваться из окружения. Задача советского командования — противоположная — не позволить противнику вырваться. Но там, в районе сражения, два советских фронта, два штаба, два командующих — генерал армии И.С. Конев и генерал армии Н.Ф. Ватутин. Каждый видит ситуацию со своей колокольни, каждый принимает свое решение. Координировать действия двух фронтов из Москвы чрезвычайно трудно. Обстановка меняется стремительно. В штабах фронтов каждое сообщение надо подготовить, зашифровать, отправить в Москву, там его надо расшифровать, оценить, принять решение, зашифровать, отправить. Пока его расшифровывают, обстановка в корне меняется, и приказ Москвы уже не соответствует новой обстановке. Сталин не может покинуть Москву. У него не только на правом берегу Днепра проблемы. Поэтому в район сражения Сталин посылает своего заместителя Жукова. Два фронта подчинены Жукову и делают то, что он прикажет. И вот наступает самый важный момент сражения: противник начинает прорыв. Сталин в Москве об этом знает. Сталин знает, что прорыв германской окруженной группировки идет успешно. Сталин знает, на каком участке прорываются германские дивизии. А Жуков, который находится в районе боевых действий, ничего этого не знает и шлет Сталину сообщения о том, что ничего серьезного не происходит.

Обратим внимание на странность в сталинской телеграмме. 5-й гвардейский кавалерийский корпус Сталин называет по номеру, а танковый корпус Ротмистрова — не по номеру, а по фамилии командира. Почему? Потому, что даже в шифрованных телеграммах вещи не называли своими именами. Часто использовались обороты типа: «удерживать известный вам город», «выйти на рубеж известной вам реки» и т. д. Вместо фамилий высшего командного состава использовались псевдонимы. Например, «Васильев» — это маршал Василевский. Легко разгадать? Нет, не легко. Псевдонимы часто и бессистемно менялись. Сегодня «Васильев» — это маршал Василевский, а завтра «Васильев» — это Сталин. Вчера «Константинов» — это маршал Жуков. Сегодня «Константинов» — это маршал Рокоссовский. А завтра Жуков будет работать под псевдонимом «Юрьев», Рокоссовский — «Костин», а Сталин — «Иванов».

С этой же целью менялись и названия самых важных соединений. В феврале 1944 года Сталин говорит про «танковый корпус Ротмистрова». Но в Красной Армии уже ровно год как такого корпуса не было, а была 5-я гвардейская танковая армия Ротмистрова. Чтобы понизить звучание, Сталин говорит про «танковый корпус Ротмистрова». Кто знает, о чем речь, поймет.

Так вот, для того чтобы не позволить противнику вырваться из кольца, командующий 2-м Украинским фронтом генерал армии И. С. Конев ввел в сражение 5-ю гвардейскую танковую дивизию и 5-й гвардейский кавалерийский корпус. Сталин в Москве об этом знает. А Жуков, который находится в районе сражения и имеет приказ координировать действия двух фронтов, об этом не знает. И Верховный Главнокомандующий в телеграмме указывает своему заместителю Жукову, что тот понятия не имеет об обстановке и с возложенными на него обязанностями не справляется.

Краткости ради я привел только отрывок из сталинской телеграммы. Но она вся в том же духе. Была еще одна такая же телеграмма Сталина Жукову. После этого Сталин приказал Жукову возвращаться в Москву: все равно в районе сражения от Жукова нет толка. И когда коммунисты говорят, что Жуков не проиграл ни одного сражения, я рекомендую им вспомнить сражение 1944 года на правом берегу Днепра. Мощная группировка противника была окружена без Жукова. Ему оставалось только удержать окруженных в кольце. Жуков с возложенной на него задачей не справился и позорно провалил операцию. Бо́льшая часть окруженных германских войск вырвалась из мышеловки и беспрепятственно ушла.

Маршал Советского Союза Бирюзов Сергей Семенович: «С момента прихода товарища Жукова на пост министра обороны в министерстве создались невыносимые условия. У Жукова был метод — подавлять» (Октябрьский пленум ЦК КПСС. Стенографический отчет. М., 1957).

Маршал Советского Союза Тимошенко Семен Константинович знал Жукова с начала 30-х годов. В те годы Тимошенко был командиром корпуса, в котором Жуков командовал полком. Вот его мнение: «Я хорошо знаю Жукова по совместной продолжительной службе и должен откровенно сказать, что тенденция к неограниченной власти и чувство личной непогрешимости у него как бы в крови. Говоря откровенно, он не раз и не два зарывался, и его все время, начиная с командира полка и выше, в таком виде разбирали» (Октябрьский пленум ЦК КПСС. Стенографический отчет. М., 1957).

Главный маршал авиации Новиков Александр Александрович: «Касаясь Жукова, я прежде всего хочу сказать, что он человек исключительно властолюбивый и самовлюбленный, очень любит славу, почет и угодничество перед ним и не может терпеть возражений» (Н. Смирнов. Вплоть до высшей меры. М., 1997. С.139).

А вот позиция Маршала Советского Союза Голикова Филиппа Ивановича. Он высказал свое мнение еще в 1946 году. «Довольно резко против Жукова выступил Голиков. Он обвинял его в невыдержанности и грубости по отношению к офицерам и генералам» (ВИЖ. 1988. № 12. С. 32). В октябре 1961 года Маршал Советского Союза Голиков на весь мир заявил, что Жуков — это унтер Пришибеев. Эти слова Голикова прозвучали на XXII съезде КПСС, на котором присутствовали делегации почти ста коммунистических партий и журналисты всех ведущих информационных агентств мира.

Маршал Советского Союза Конев Иван Степанович рассказал о Жукове в газете «Правда» 3 ноября 1957 года. Страна как раз к очередному «великому юбилею» подходила, к сорокалетию коммунистического переворота, ордена-медали раздавали достойным и другим... Тут-то Иван Степанович Георгию Константиновичу и врезал! Почитателям Жукова рекомендую эту газету найти и почитать. Конев вспомнил Жукову и Курскую дугу, и Берлин, и тот самый эпизод на правом берегу Днепра, когда Сталин из Москвы видел ситуацию, а Жуков в районе боевых действий ничего не видел.

Маршал Советского Союза Конев описал Жукова тупым, ни на что не способным солдафоном и негодяем. Не знаю, заказали статью Коневу или сам старался, но о содеянном Конев не жалел и не каялся. Если и считать, что Конев хватил через край, то как относиться к другим свидетельствам? Все высшие военные руководители страны, все, кто носил на погонах звезды первой величины, — против Жукова: Генералиссимус Сталин, Маршалы Советского Союза Булганин, Василевский, Еременко, Конев, Захаров, Голиков, Рокоссовский, Тимошенко, Бирюзов. Любой желающий легко может найти свидетельства резко отрицательного отношения к Жукову и других Маршалов Советского Союза. Буденный, Ворошилов, Чуйков, Говоров, Соколовский, Гречко, Москаленко, Адмирал Флота Советского Союза Кузнецов — все против.

Спустимся на ступеньку ниже и послушаем мнение генерала с четырьмя звездами. Герой Советского Союза генерал армии Хетагуров Георгий Иванович о Жукове: «Непомерно груб, до оскорбления человеческих чувств» («Красная звезда», 30 ноября 1996 г.). В 1944 году Хетагуров был начальником штаба 1-й гвардейской армии. Жуков не смел его бить, но матом крыл изрядно. А Хетагуров ответил. Был бы Хетагуров пониже рангом, Жуков его пристрелил бы на месте. Но Хетагуров — начальник штаба лучшей армии. Понятное дело, с этой должности Хетагуров слетел и был назначен... командиром дивизии. Хетагуров практически всю войну прошел в должности начальника штаба армии, причем на самых главных направлениях: в 1941 году — под Москвой, в 1942—1943 гг. — под Сталинградом. И вот под закат войны генерала с таким опытом, минуя должности командира корпуса и начальника штаба корпуса, Жуков бросает на должность командира дивизии. А тех генералов, которые матюги и мордобой терпели, Жуков возвышал.

Можем опуститься и ниже. Генерал-лейтенант Вадис Александр Анатольевич, начальник Управления контрразведки СМЕРШ Группы советских оккупационных войск в Германии докладывал по команде в августе 1945 года: «Жуков груб и высокомерен, выпячивает свои заслуги, на дорогах плакаты «Слава маршалу Жукову» (Б. Соколов. Неизвестный Жуков: портрет без ретуши. Минск, 2000. С. 538).

Не кажется ли вам, что все, знавшие Жукова лично, повторяют одни и те же фразы?

Свидетельств я набрал много. Если их публиковать, то так до самого конца книги мы и будем читать только цитаты про бездарного унтера Пришибеева в маршальских погонах.

Если мы не верим генералиссимусу, маршалам, генералам и адмиралам, послушаем солдат. У солдат для Жукова одно определение: мясник.

5

Мордобой в генеральской среде и на всех нижестоящих уровнях Красной Армии был распространен так же широко, как воровство и пьянство. Вот секретарь ЦК ВКП(б) Белоруссии Гапенко осенью 1941 года назначен членом Военного совета 13-й армии Брянского фронта. Он направил Сталину телеграмму о том, как командующий Брянским фронтом генерал-лейтенант А. И. Еременко учил Военный совет 13-й армии. В телеграмме упомянут генерал-лейтенант М. Г. Ефремов — заместитель командующего Брянским фронтом. «Еременко, не спросив ни о чем, начал упрекать Военный совет в трусости и предательстве Родины. На мои замечания, что бросать такие тяжелые обвинения не следует, Еременко бросился на меня с кулаками и несколько раз ударил по лицу, угрожая расстрелом. Я заявил, что расстрелять он может, но унижать достоинство коммуниста, депутата Верховного Совета не имеет права. Тогда Еременко вынул маузер, но вмешательство Ефремова помешало ему произвести выстрел. После этого он стал угрожать Ефремову. На протяжении всей этой безобразной сцены Еременко истерически выкрикивал ругательства, несколько остыв, Еременко стал хвастать, что он якобы с одобрения Сталина избил несколько командиров, а одному разбил голову» (ВИЖ. 1993. № 3. С. 24; Ссылка на Архив Президента РФ, фонд 73, опись 1, дело 84, листы 30—31).

Если генерал-лейтенант, командующий фронтом, может набить морду секретарю Центрального Комитета Коммунистической партии Белоруссии, члену Военного совета 13-й армии, если может угрожать своему заместителю, который тоже генерал-лейтенант, то что он может сделать с каким-нибудь генерал-майором, который командует всего лишь дивизией или корпусом? Он может сделать все, что захочет. На нижестоящих звеньях происходило то же самое. Если командир корпуса набил морду командиру дивизии, то битый командир вызывал к себе командиров полков и срывал зло на них. С самого верха мордобой опускался до самых низов.

К этому надо добавить, что за избиение члена Военного совета 13-й армии, как и за множество подобных проделок, Еременко наказаний не понес. Он оставался командующим Брянским фронтом. После ранения он командовал 4-й ударной армией, после повторного ранения — Сталинградским фронтом. После первого ранения Еременко до конца жизни хромал. На фронте он ходил с палкой, на которую опирался и которой дробил головы неугодным. Однако по уровню зверства Еременко не мог соперничать с Жуковым. На фоне Жукова Еременко считался покладистым командиром, даже мягким.

Хорошо известно, что Жуков подчиненных офицеров бил весьма редко. Случалось иногда: кого перчаткой по физиономии, кого — кулаком в зубы. Но, повторяю, такое редко случалось. Зачем бить офицера? Жуков офицеров не бил, он их убивал. Жуковский мордобой распространялся не на офицеров, а в основном на генералов. Вот их он бил много и часто. С наслаждением. Иногда Жуков бросался и на маршалов.

Свидетельствует режиссер Григорий Чухрай: «Я на какое-то время отвлекся. Вдруг какой-то шум. Оглядываюсь и столбенею: Жуков и Конев вцепились друг в друга и трясут за грудки. Мы бросились их разнимать» («Красная звезда», 19 сентября 1995 г.).

Я бы не удивился, увидев двух советских генералов, которые в приличном обществе друг другу морды бьют. Дело привычное. Но вот чтобы маршалы... Берлин брали два фронта: 1-й Белорусский и 1-й Украинский. Жуков и Конев. После войны сцепились маршалы-освободители, да не в словесной перепалке, а как принято: за грудки. О маршальские нравы!

Нашим маршалам у шпаны учиться надо. Шпана себя так не ведет. Наша шпана этику блюдет. Двое — в драку, а третий крикнет: «Обнюхайтесь!» И если без мордобоя в общественном месте все равно не обойтись, то один другому предлагает: ну-ка выйдем! А маршалы, с Жукова начиная, чуть что — и по мордасам. Прямо в общественном месте, среди генералов, героев, академиков и народных артистов. Нет бы одному маршалу отозвать другого маршала в служебный кабинет, да там и вмазать в глаз! А потом — в челюсть! Завалить и топтать ногами!

Вот еще пример на ту же тему. В своем огромном кабинете восседает член Президиума ЦК КПСС, четырежды Герой Советского Союза Министр обороны СССР Маршал Советского Союза Жуков Георгий Константинович. Под непосредственным руководством Жукова работает первый заместитель Министра обороны, Главнокомандующий Сухопутными войсками член ЦК КПСС Герой Советского Союза Маршал Советского Союза Малиновский Родион Яковлевич. По долгу службы Малиновскому приходится почти каждый день бывать в кабинете Жукова. Вот как складываются отношения между двумя маршалами, министром и его первым заместителем. Слово Малиновскому: «Я как человек к человеку всегда относился очень хорошо к товарищу Жукову, но я всегда шел на работу с ним, откровенно вам скажу, с очень большими агрессивными намерениями. Зная его, что он из себя представляет, я шел с намерениями: будет мне хамить, я буду хамить; будет меня ругать, я буду ругать, если, не дай бог, меня *вдарит*, так я сдачи дам». (Георгий Жуков. Стенограмма октябрьского (1957 г.) пленума ЦК КПСС и другие документы. Москва. Фонд «Демократия». 2001. С. 363).

Так и ходил маршал Малиновский в кабинет к маршалу Жукову в готовности в любой момент нарваться на жуковские матюги или получить по мордасам. *Вдарит* — не мной сказано. Это так наши маршалы изъясняются.

Хорошо Малиновскому: если Жуков в морду даст, так я отвечу! А каково тем маршалам, которые занимали должности чуть пониже, которые не были первыми заместителями Жукова? А что делать, если вы вообще какой-нибудь мелкий генералишка с тремя-четырьмя звездами на погонах? Если у вас совсем ничтожная должность командующего округом или начальника Главного управления Генерального штаба, как тогда быть? И устав вам не поможет. В «Уставе внутренней службы» не расписано, как поступить в случае, если Маршал Победы вам зубы вышиб и морду расквасил. Задача на сообразительность: дать великому гению в морду, если он первым в драку полез, или скулить в углу, раны зализывая? Бить или не бить: вот в чем вопрос.

Современная армия России поражена садизмом, который официально именуется термином «неуставные отношения». За этим термином скрываются дикое унижение человеческого достоинства в запредельных масштабах, мордобой, пытки, истязания, зверские убийства. И ломают голову социологи: откуда напасть?

6

Жуковское хамство легендарно. И в военное, и в мирное время он тыкал всем, кто ниже рангом, начиная с тех, у кого по три и по четыре генеральских звезды на плечах. Даже не так: начиная с тех, у кого такие же маршальские звезды на плечах.

Свидетельствует Маршал Советского Союза К.К. Рокоссовский: «После разговора по ВЧ с Жуковым я вынужден был ему заявить, что если он не изменит тона, то я прерву разговор с ним. Допускаемая им в тот день грубость переходила всякие границы» (ВИЖ. 1989. № 6. С. 55).

Есть у историков такое понятие — ненамеренное свидетельство. Это ситуация, когда свидетель говорит и пишет одно, но между слов и строк, как шило из мешка, проступает нечто другое. И это другое — правда.

Разведчик Владимир Карпов прошел войну. Делал на фронте самую опасную работу — много раз ходил во вражеский тыл и брал языков. Разведка может достать и сопоставить тысячи данных. Звукометристы способны рассчитать положение любой артиллерийской батареи. Фотодешифровщики по одному снимку могут вскрыть изменения в группировке противника. Радиоразведчики могут перехватить и расшифровать сообщения особой важности. И все же у командира сомнение: стоит перед нами дивизия СС «Мертвая голова» или это только ее видимость? И тогда командир требует: дайте языка! Карпов давал языков. Давал таких, какие требовались. За то был удостоен Золотой Звезды Героя Советского Союза. После войны пошел в писатели. Поднялся до высшей писательской должности — стал секретарем Союза писателей СССР. Карпов много раз встречал Жукова и написал хвалебную книгу о нем: велик, могуч, непобедим. Но между строк проглядывает совсем другой Жуков. Вот разговор писателя с великим полководцем:

«Жуков посмотрел на меня, перевел взор на Золотую Звезду на моей груди и спросил:

— За что Звезду получил?

— За языками лазил...

Лицо Жукова явно посветлело, он всегда радушно относился к разведчикам.

— А где, у меня служил, подполковник?

— Все мы у вас служили, товарищ маршал» («Красная звезда», 1 марта 1997 г.).

Карпов к Жукову на вы, а Жуков Карпову тычет.

Жуков разговаривает с Карповым, как Брежнев разговаривал с польским диктатором Войцехом Ярузельским. В свое время Владимир Буковский вывез из архивов ЦК КПСС огромное количество документов. Вот кусочек из стенограммы:

Л. И. БРЕЖНЕВ. Здравствуй, Войцех.

В. ЯРУЗЕЛЬСКИЙ. Здравствуйте, глубокоуважаемый, дорогой Леонид Ильич.

Так и у Жукова с Карповым.

В Британской армии молодого лейтенанта учат относиться к подруге подчиненного солдата с таким же уважением, с каким он относится к генеральской жене. В нашей армии этому не учат. Во всяком случае, Жуков, прослужив более сорока лет в армии, основ культуры не освоил. Жуков — опальный маршал, которого с позором выгнали из армии и с вершин власти. Перед Жуковым — офицер-фронтовик Карпов. Уважай его, Жуков! Костями таких, как он, вымощена земля от Москвы до Берлина, от Питера до Вены, от Сталинграда до Кенигсберга и Праги. Не простой фронтовик перед тобой, а Герой. Сними, Жуков, шапку перед фронтовым разведчиком! Это на его горбу ты и в Киев, и в Варшаву, и в Берлин въехал!

Ан нет. Герой-фронтовик обращается к Жукову: что вы, Георгий Константинович, думаете по этому вопросу? А в ответ: да ты понимаешь...

И вот нам рассказывают, что Жуков любил солдат и уважал. Какое уважение? Встреча Карпова и Жукова — через два десятка лет после войны. Жуков давно не министр обороны. Карпов Жукову не подчинен. Но Жуков все равно тычет.

Можно на эту ситуацию и с другой стороны посмотреть. Карпов в момент встречи с Жуковым не просто бывший разведчик, а крупный номенклатурный чин, кандидат на высшие посты в писательской иерархии. Уважай, Жуков, его хоть в этом качестве. Но Жуков знает: Карпов над ним не начальник, потому Жуков ведет себя с номенклатурным чином, как барин с холопом.

Правда, и Карпов хорош. На фронте генералы боялись расстрела, потому терпели жуковское хамство. А чего боялся Карпов? Хлопнул бы дверью да ушел.

Но не хлопнул, не ушел, а написал книгу о жуковском величии. Хотел показать гения стратегического, но против своего желания показал невежественного унтера, наглеца и нахала.

Вот пример того, как сослуживцы любили Жукова.

В 1957 году Жуков был снят со всех должностей. Его дело обсуждается на Пленуме Центрального Комитета КПСС. Присутствуют маршалы, генералы и адмиралы. Против Жукова выступили все. В защиту — никто.

Так, может быть, наши генералы и маршалы — покорное стадо? Может быть, приказал им Хрущев выступать против Жукова, они и голосуют единогласно?

Нет. Маршалы и генералы не стадо. В 1946 году Сталин намеревался Жукова не только снять со всех постов, но и посадить, возможно, — и расстрелять. Надо сказать, что Жуков расстрел заслужил. По нашим родным советским законам он — уголовный преступник, которого судьи просто не имели права оставлять среди живых. Если бы Сталин Жукова расстрелял, то это было бы не только справедливой расплатой за дикие преступления, но и спасением страны от великих грядущих злодеяний. Но против Сталина выступили маршалы и генералы. Об этом рассказал генерал-лейтенант Н.Г. Павленко: «После всех выступлений, вспоминал Конев, снова заговорил Сталин, опять резко, но уже несколько по-другому. Видимо, поначалу у него был план ареста Жукова сразу после заседания. Но, почувствовав внутреннее, да не только внутреннее, сопротивление военачальников, известную солидарность военных с Жуковым, он, видимо, сориентировался и отступил от первоначального намерения. Нам представляется, что в своих предчувствиях Конев не ошибался. Сталин действительно на сей раз собирался расправиться с Жуковым, но солидарность военных помешала ему» (ВИЖ. 1988. № 12. С. 32).

Поведением генералов и маршалов Жуков был спасен. Как такое понимать? При позднем Сталине и при раннем Хрущеве на вершинах военной власти стояли те же генералы, адмиралы и маршалы. При Сталине они

Жукова спасли, а потом при Хрущеве они же утопили. Сталин в 1946 году уже 24 года у власти. Он уже официально признан гением всех времен и народов. Сталин — диктатор, каких до него на земле еще не бывало. Его авторитет непререкаем, а власть безгранична. Но против воли Сталина выступили маршалы и генералы и не позволили Жукова арестовать. За такие действия каждый мог поплатиться головой.

А Хрущев в 1957 году только прорвался на вершину. Авторитета у него нет. Власть его держится непонятно на чем. Практика уничтожения соперников отменена. Расстрелять непокорных генералов Хрущев не может. И вот Хрущеву те же самые маршалы и генералы позволяют снять Жукова и дружно Хрущева поддерживают.

В чем дело?

Дело в том, что в 1946 году маршалы и генералы выступали не за Жукова, а за себя. Они понимали: сегодня Сталин арестует, посадит, а может быть, и расстреляет Жукова, а завтра кого? Вот откуда их смелость и единодушие. Они помнили: именно так начинался 1937 год. Они не позволили Сталину его повторить.

Но и в 1957 году генералы и маршалы выступали не за Хрущева, а снова за себя. Летом 1957 года на вершине власти оказались двое — Хрущев и Жуков. Двоим там места нет. Это два паука в одной банке. Это две крысы в железной бочке. Или Жуков съест Хрущева. Или Хрущев Жукова. И высший командный состав Вооруженных Сил дружно взял сторону Хрущева.

Знали генералы, знали маршалы, что Жуков болезненно самолюбив. Знали, что он человек страшный и недалекий. Знали, что узурпатор и грубиян. Знали, что высшей марки карьерист. Знали, что он топтал всех на своем пути. Знали, что в его крови — тенденция к неограниченной власти и чувство личной непогрешимости. Именно этими словами они его описывали.

Они понимали, что их ждет, если Жуков возьмет власть.

ГЛАВА 2
ЗАГАДКИ ДЕБЮТА

Возможно, маршал Жуков по количеству пролитой крови и шлейфу самолично вынесенных смертных приговоров за спиной в определенные годы превосходит даже Сталина.

А. Бушков. Россия, которой не было. М., 1997

1

1939 год. Монголия. Халхин-Гол. Дебют Жукова-полководца.

В Монголии находился один советский стрелковый корпус — 57-й особый. Командир корпуса — комдив Н.В. Фекленко. Начальник штаба — комбриг А.М. Кущев. По ту сторону границы — противник, несколько японских дивизий и бригад. В начале мая на границе Монголии возник вооруженный конфликт. Столкновения советских и японских войск перерастали в бои с применением авиации, артиллерии и танков. Никто никому не объявлял войну, но интенсивность боевых действий нарастала. Не все для советских войск шло гладко. И вот туда, в Монголию, посылают комдива Г.К. Жукова с чрезвычайными полномочиями. Приказ Жукову: разобраться и доложить.

5 июня 1939 года Жуков прибыл в штаб 57-го корпуса и потребовал доложить обстановку. Сам Жуков события в Монголии описывает так: «Докладывая обстановку, А.М. Кущев сразу же оговорился, что она еще недостаточно изучена. Из доклада было ясно, что командование корпуса истинной обстановки не знает... Оказалось, что никто из командования корпусом, кроме полкового комиссара

М.С. Никишева, в районе событий не был. Я предложил командиру корпуса немедленно поехать на передовую и там тщательно разобраться в обстановке. Сославшись на то, что его могут в любую минуту вызвать к аппарату из Москвы, он предложил поехать со мной товарищу М. С. Никишеву» (Воспоминания и размышления. М., 1969. С. 154).

Итак, Жуков и комиссар Никишев поехали вдвоем на передний край. «Возвратившись на командный пункт и посоветовавшись с командованием корпуса, мы послали донесение наркому* обороны. В нем кратко излагался план действий советско-монгольских войск... На следующий день был получен ответ. Нарком был полностью согласен с нашей оценкой обстановки и намеченными действиями. В тот же день был получен приказ наркома об освобождении комдива Н.В. Фекленко от командования 57-м особым корпусом и назначении меня командиром этого корпуса».

Жуков потребовал срочно усилить группировку советских войск. Ее усилили. Жуков потребовал прислать лучших летчиков-истребителей, которые только были в Советском Союзе. Летчиков прислали. В распоряжение Жукова прибыла группа летчиков-истребителей, в составе которой был 21 Герой Советского Союза. В то время это было очень высокое звание. Это были лучшие асы страны, каждый уже имел не менее десятка побед в небе Испании и Китая, многие из них получили опыт в воздушных боях над озером Хасан.

15 июля 1939 года 57-й особый корпус Жукова был развернут в 1-ю армейскую группу. Армейская группа — это нечто среднее между корпусом и полнокровной общевойсковой армией. 31 июля 1939 года Жукову было присвоено воинское звание комкор.

----

* До 1946 года в Советском Союзе не было министров и министерств. Вместо них — народные комиссары (наркомы) и народные комиссариаты (наркоматы).

Противник тоже усиливал группировку своих войск. 10 августа японские войска, которые вели боевые действия на границе Монголии, были сведены в 6-ю армию.

В середине августа в составе 1-й армейской группы Жукова было 57 тысяч бойцов и командиров, 515 боевых самолетов, 542 орудия и миномета, 385 бронеавтомобилей, в основном с пушечным вооружением и 498 танков.

Весь июнь, июль, первая половина августа — жестокие бои советских и японских войск на земле и в воздухе. Бои идут с переменным успехом. Интенсивность боев нарастает. Конфликт принимает затяжной характер...

И вдруг ранним утром 20 августа советская артиллерия провела внезапный артиллерийский налет по командным пунктам и зенитным батареям противника. После первого огневого налета — массированный удар бомбардировщиков, затем — артиллерийская подготовка продолжительностью 2 часа 45 минут. В момент переноса огня с переднего края в глубину советские стрелковые дивизии, мотоброневые и танковые бригады нанесли удары по флангам японской группировки.

23 августа советские войска замкнули кольцо окружения вокруг 6-й японской армии (Советская военная энциклопедия. Т. 8. С. 358). В этот день в Кремле Молотов и Риббентроп поставили свои подписи под Московским пактом, который, по существу, был договором о разделе Европы и начале Второй мировой войны.

31 августа 1939 года был завершен полный разгром окруженной японской группировки в Монголии. На следующий день началась Вторая мировая война.

Разгром японских войск на Халхин-Голе имел стратегические последствия. У лидеров Японии был выбор: нападать на Советский Союз или на Соединенные Штаты и Британию. Руководители Японии решили нападать на Соединенные Штаты и Британию. Одна из причин такого выбора — урок, который Жуков преподал японским генералам на реке Халхин-Гол.

За разгром японских войск на Халхин-Голе Жуков 29 августа 1939 года был удостоен звания Героя Советского Союза. Ему были вручены медаль «Золотая Звезда» и высшая государственная награда — орден Ленина.

Кстати, «Золотая Звезда» была учреждена 1 августа 1939 года в разгар боев на Халхин-Голе. До этого звание Героя Советского Союза присваивалось, но никаких знаков отличия Герои не имели.

2

Жуков прибыл в Монголию с чрезвычайными полномочиями. Ресурс полномочий он исчерпал полностью и с перебором. Каждый знал: Жуков расстреливает беспощадно, по любому поводу и без повода. Письменных свидетельств тех расстрелов у меня хранится достаточно для любого трибунала.

Я знаю, что вы намерены возразить: да, Жуков — садист. Да, Жуков расстреливал своих солдат и офицеров на Халхин-Голе. Однако какую операцию провел!

Согласен. Операция действительно блистательная. Но обратим внимание на неприметную деталь. Давайте вспомним: кто был начальником штаба у Жукова на Халхин-Голе?

Прочитаем первое издание мемуаров Жукова, второе, третье... и так — до самого последнего. Я лично имени начальника штаба ни в одном издании не нашел. Между тем Жуков помнит и называет имена героев-летчиков и героев-танкистов, героев-разведчиков и героев-кавалеристов. Жуков помнит своих заместителей, командиров дивизий, бригад, полков и даже батальонов. Жуков помнит имя Д. Ортенберга — редактора газеты 1-й армейской группы. Правда, тут — особая причина. Жуков двигал Ортенберга, Ортенберг прославлял Жукова. Через два года Ортенберг был уже главным редактором «Красной звезды» — центральной газеты Красной Армии. Это он раструбил на весь мир о подвиге панфиловцев, которые, сражаясь под гениальным руководством непобедимого Жукова, истребили фантастическое количество немецких танков.

В своей книге Жуков вспоминал имена врачей, которые героически лечили раненых. Жуков назвал по именам целый табун политработников, вспомнил полдюжины московских писателей и фотокорреспондентов, которые были на Халхин-Голе: К. Симонова, Л. Славина, Вл. Ставского и прочих. Правда, и тут была особая причина. В преддверии Второй мировой войны молодые коммунистические агитаторы оттачивали на Халхин-Голе свои перья. Начинающий Константин Симонов, например, в то время строчил книгу о грядущем мировом господстве коммунистов. Жуков был горячим сторонником идеи захвата коммунистами мирового господства, потому всех, кто эту идею проповедовал, он проталкивал вперед и вверх к номенклатурным благам.

И все-таки странно: какого-то Константина Симонова Жуков помнит, а начальника своего штаба — нет. А ведь за этой забывчивостью что-то кроется.

3

Предыдущего начальника штаба Жуков назвал по имени — комбриг А.М. Кущев. Он обстановки не знал. Его сняли. Жуков это помнит. Назначили нового. Но Жуков не помнит, кого именно. Если новый начальник штаба не справлялся со своими обязанностями, его следовало снять, как и предыдущего, и назначить третьего. У Жукова были особые полномочия. Жуков потребовал прислать в Монголию лучших летчиков-истребителей Советского Союза — их прислали. Если бы Жуков потребовал нового начальника штаба, то никто бы ему не возразил. Лето

1939 года. Большой войны еще нет. Из всей Красной Армии воюет пока только один корпус. Этот корпус развернули в армейскую группу. Один корпус, а затем армейская группа — лицо Красной Армии. По действиям одного корпуса или одной группы враги и друзья будут судить обо всей Красной Армии. На карту поставлена военная репутация Советского Союза. В интересах руководства страны иметь на Халхин-Голе самого лучшего начальника штаба из всех...

А ведь перед нами загадка истории.

Если начальник штаба был плохим, почему Жуков не потребовал, чтобы прислали хорошего?

Если начальник штаба был хорошим, почему Жуков о нем не помнит? И хочется орать туда, в XX век: о чем молчишь, Георгий Константинович?

4

Вы знаете, и я знаю, что книгу «Воспоминания и размышления» писал не Жуков. Однако на обложке поставлено его имя, и книга написана от лица Жукова. Поэтому для удобства изложения давайте считать, что Жуков имел какое-то отношение к ее написанию.

Разгадка забывчивости авторов мемуаров Жукова совсем простая. В любых источниках о Халхин-Голе мы находим нужное имя: «Начальником штаба группы с 15 июля до сентября 1939 года был комбриг М.А. Богданов» (Маршал Советского Союза М.В. Захаров // «Новая и новейшая история». 1970. № 5. С. 23).

Маршал Захаров не зря заговорил про начальника штаба 1-й армейской группы и вовсе не случайно сделал это в 1970 году. За этим кроется вот что. В 1969 году вышли мемуары Жукова. Имя начальника штаба 1-й армейской группы Жуков называть почему-то не стал. И тогда другие маршалы, не только Захаров, стали напоминать Жукову: эй, не забывай, кто у тебя был начальником штаба! Твою операцию на Халхин-Голе планировал сам Богданов! Почему о нем забыл?

Жуков на Халхин-Голе не требовал для себя лучшего начальника штаба, ибо знал: Богданов — это тот, кто нужен, лучшего не бывает. А вот когда пришла пора славу делить, Жукова постигла катастрофическая потеря памяти.

Жуков помнит о многом: «Я уже касался организации партийно-политической работы в наших частях. Партийные организации внесли огромный вклад в решение боевых задач. В первых рядах были: начальник политического отдела армейской группы дивизионный комиссар Петр Иванович Горохов, полковой комиссар Роман Павлович Бабийчук, секретарь парткомиссии особого корпуса Алексей Михайлович Помогайло, комиссар Иван Васильевич Заковоротный» (Воспоминания и размышления. С. 172).

«Где бы я ни был — в юртах или домах, в учреждениях и воинских частях, — везде и всюду я видел на самом почетном месте портрет В.И. Ленина, о котором каждый монгол говорил с искренней теплотой и любовью» (Там же. С. 173).

Наши доблестные комиссары и политработники «везде и всюду» развесили портреты «вечно живого». Это очень даже здорово. И хорошо, что Жуков помнит об этом. А вот как план блистательной операции разрабатывался, Жуков припоминает смутно.

Я не зря цитировал Жукова в начале этой главы. Прочитаем еще раз его слова о том, как рождался план операции. Если верить Жукову, во главе 57-го особого стрелкового корпуса стояли придурки — командир корпуса Фекленко и его начальник штаба Кущев. В районе боевых действий они не бывали и обстановки не знали. Жуков взял с собой комиссара Никишева и поехал в район боевых действий. Потом Жуков и комиссар возвращаются и... «Посоветовавшись с командованием корпуса, мы послали донесение наркому обороны. В нем кратко излагался план действий советско-монгольских войск... В тот же день был получен приказ наркома об освобождении комдива Н.В. Фекленко от командования 57-м особым корпусом и назначении меня командиром этого корпуса».

Жуков рассказывает, что составление плана — работа вроде бы коллективная. Но в нашей памяти оседает совсем другое. Жуков не говорит: я решил, я послал... Однако именно так мы воспринимаем его рассказ. Жуков очертил круг лиц, которые были посвящены в план: он сам, комиссар Никишев, комдив Фекленко и начальник штаба Кущев.

Однако ясно каждому, что комиссар мог присутствовать при составлении плана, но не мог быть соавтором. Работа комиссара следить, чтобы командир регулярно читал «Манифест Коммунистической партии», чтобы пил в меру без перебора и чтобы в каждой монгольской юрте было минимум по два портрета Ленина: один над входом, другой — над очагом.

Предыдущий командир корпуса быть соавтором плана тоже не мог. Жуков его описал кретином, который обстановки не знал, в районе боевых действий не был, потому ничего умного гениальному Жукову подсказать не мог. Не зря его тут же и сняли. Начальник штаба был такой же.

Прочитав описание бестолковщины, которая царила в штабе 57-го корпуса до приезда Жукова, читатель автоматически выбрасывает недоумков из числа авторов гениального плана. Но кроме них и комиссара Никишева в числе посвященных Жуков назвал только себя. Если предыдущего командира корпуса, начальника его штаба и комиссара из числа авторов вычеркнуть — а наш мозг это делает автоматически, — то среди авторов остается только один Жуков.

В тексте книги использованы обороты: «мы пришли к выводу», «посоветовавшись с командованием корпуса» и т. д. Но книга написана так, что читатель остается в твердом убеждении: кроме Жукова, никто ничего умного предложить не мог и не предлагал.

5

План разгрома целой японской армии — дело не простое. Нужно собрать и обработать огромное количество данных, уяснить обстановку, принять решение и сформулировать замысел разгрома. Кроме того, надо спланировать действия всех частей и соединений, организовать разведку и охранение, организовать и обеспечить взаимодействие всех со всеми, разработать боевые приказы и четко поставить задачи всем, кто будет участвовать в операции. Нужно организовать систему связи, подготовить средства управления войсками. Нужно организовать систему огня и бесперебойное снабжение войск боеприпасами, топливом, саперным, медицинским и прочим имуществом, продовольствием и пр. и пр.

Если все это Жуков готовил сам, значит, он плохой командир. Разрабатывать планы должен штаб. Понятно, под руководством командира. Но командир не должен собою подменять начальника штаба. Если командир выполняет работу чужую, значит, у него нет ни сил, ни времени выполнять свою собственную.

Конкретно разработкой плана в любом штабе занимается оперативный отдел. Все остальные отделы штаба работают в его интересах. Если командир составляет планы сам, а начальник штаба и начальник оперативного отдела штаба бездельничают, значит, командир не смог организовать работу подчиненных.

Вот пример того, как не надо руководить войсками «Красная звезда» (27 января 2000 г.) сообщает о героическом подвиге генерал-майора М. Малофеева в Чечне. Его должность — заместитель командующего 58-й армией. Подвиг в том, что генерал-майор «первым поднимался в атаку». Понятное дело, в атаке был убит. «Красная звезда» восхищается мужеством: ух, какой смелый! Между тем этот случай свидетельствует не о мужестве, а о катастрофическом состоянии Российской армии и полной неспособности генералов управлять подчиненными. Если заместитель командующего армией сам вынужден бегать в атаку, значит, такую армию надо разгонять, а руководителей Министерства обороны судить.

Если командир полка сам красит заборы и чистит сортиры, а его солдаты пухнут от безделья, то это вовсе не значит, что командир — хороший. Это как раз и означает, что командир не достоин занимаемой должности и командовать не способен.

И если нам скажут, что Жуков все планы составлял сам, то это вовсе не комплимент.

Люди, которые писали мемуары Жукова, это понимали. Потому далее в книге коротко сказано: «Разработку плана генерального наступления в штабе армейской группы вели лично командующий, член Военного совета начальник политотдела, начальник штаба, начальник оперативного отдела» (Воспоминания и размышления. С. 163).

Член Военного совета и начальник политотдела — это комиссары. Их роль мы уже уяснили. Названы они тут для того, чтобы продемонстрировать любовь Жукова к политработникам и комиссарам. В 1957 году Жукова сбросили с вершин, в том числе и за то, что он пытался свернуть политработу в армии, политработников и комиссаров из армии изгнать или, в крайнем случае, оставить им роль организаторов художественной самодеятельности и воскресного отдыха солдат и офицеров. После падения Жукова власть в стране взяли люди, которые были на войне комиссарами: Хрущев,

Булганин, Брежнев, Епишев, Кириченко и пр. Побитый, скулящий Жуков всю оставшуюся жизнь пресмыкался перед комиссарами, просил прощения. Вся его книга — это гимн политработникам и комиссарам: партия наш рулевой.

Жуков, рассказывая о составлении плана наступления на Халхин-Голе, не мог не вспомнить комиссаров и их участия в боевом планировании. Как же без них? Названы комиссары и для того, чтобы за их спинами поставить начальника штаба с начальником оперативного отдела. Мол, и эти тоже присутствовали, что-то там тоже делали.

Начальник штаба 1-й армейской группы в книге упомянут только один раз, но его имя не названо. И начальник оперативного отдела тоже помянут один раз. И тоже без имени.

6

Память Жукова — дьявольская. Ее не измерить никакими гигабайтами. Жуком помнит не только имена советских солдат, но и монгольских тоже. И должности их помнит. Жуков называет рядового конника Херлоо, водителя бронемашины Хаянхирва, наводчика зенитных орудий Чултема и Гамбосурена и многих еще. 30 лет держал в памяти эти имена!

Читаю Жукова, а слезы ручейками катятся по щекам. Я плачу от восторга и зависти: какая память! Всех политработников по имени и отчеству помнит!

На фоне этой поистине невероятной способности помнить всех необъяснимой и подозрительной представляется неспособность вспомнить имя начальника штаба, который был или по крайней мере должен был быть мозгом 1-й армейской группы.

Но это не единственная загадка того сражения. Загадок в жуковском дебюте много. А главная из них вот какая: в начале нового тысячелетия все документы по Халхин-Голу все еще закрыты грифами «Секретно» и «Совершенно секретно». Когда эти документы будут рассекречены, не знает никто.

А мы зададим вопрос: ПОЧЕМУ?

Ключ к успеху историка — это умение удивляться. Как только он начинает удивляться, перед ним открываются двери, в которые никто до него не входил. Так давайте же поддержим науку, давайте издадим всероссийский вздох удивления: почему документы о боях на Халхин-Голе закрыты?

Что вообще можно прятать? Казалось бы, все известно об этом сражении: силы сторон, состав войск, вооружение, замыслы и планы сторон, ход боевых действий и даже фамилии комиссаров с именами и отчествами, даже имена монгольских наводчиков и водителей бронеавтомобилей. Что же можно засекретить? Да и зачем? Нет давно 1-й армейской группы. Еще 21 июля 1940 года 1-я армейская группа была развернута в 17-ю армию. Нет давно в Красной Армии мотоброневых бригад. Их не было уже в 1941 году. Нет давно и самой Красной Армии. И Советской Армии нет. Главная ударная сила Жукова на Халхин-Голе — пушечные бронеавтомобили БА-3, БА-6, БА-10. Эти машины вы не найдете ни в каких музеях. Их нет. Давно списаны и переплавлены танки БТ-5 и БТ-7. Из полученной стали сделали другие танки. Но и они списаны и переплавлены. Давно умерли участники тех сражений. Пошел СЕДЬМОЙ десяток после того, как отгремели бои на Халхин-Голе, а документы так и остаются секретными.

Мое первое предположение было таким: Георгий Константинович Жуков был так велик, что решил прятать от потомков доказательства своего величия.

Но тут возникает нестыковка. Чем-чем, а излишней скромностью Жуков не страдал. В нашей истории был 41 Маршал Советского Союза. Но только об одном из них было объявлено в приказе Верховного Главнокомандующего: хвастун! И это приказ о Жукове, приказ о том, что он приписывал себе чужие заслуги. Удивительный человек: чужие заслуги себе приписывает, а свои собственные от народа прячет!

Вспомним знаменитый портрет Жукова, который написал художник П.Д. Корин. Сидит величавый Жуков, весь в орденах. Только что завершилась Вторая мировая война, страна в развалинах. Мужики от 19 до 35 лет почти полностью выбиты или искалечены, в полях, лесах и болотах лежат миллионы скелетов, их некому хоронить. В военном ведомстве лежат тонны орденов, которые надо раздать уцелевшим фронтовикам или их матерям и вдовам, но никто этим не занимается. И вот Жуков не хоронит погибших и не отдает приказов подчиненным хоронить. Жуков не раздает ордена и не приказывает подчиненным этим заниматься. У Жукова нет на это времени. Нацепив все побрякушки, Жуков демонстрирует величие перед художником. Жуков — в позе. И книга Жукова — неудержимый поток хвастовства: слава КПСС и мне, великому!

Но зачем же самому себя прославлять, зачем содержать ораву создателей мемуаров, если можно опубликовать документы Халхин-Гола? Без комментариев. Но Жуков сделал все возможное, чтобы скрыть от народа доказательства собственного величия. Такого в истории человечества еще не бывало.

После смерти Сталина Жуков стремительно взобрался на самую вершину власти. На вершине стояли двое: Хрущев и Жуков. А над ними — никого. Все архивы в руках Жукова, вот и покажи народу доказательства своей гениальности. Скажи народу: жить вам, люди, негде, живете в бараках, в подвалах, коммуналках, одеты вы так, что за державу обидно, но у вас есть Я! У вас есть великий, могучий, несокрушимый, гениальный полководец! Вот, читайте документы о сражении на Халхин-Голе!

Но так Жуков почему-то не поступил.

И не понять наших вождей. При Брежневе, Суслове, Епишеве было сделано невероятно много для раздувания культа личности Жукова. Но почему-то без опоры на документы. И после Брежнева культ Жукова — стержень всей советской и российской пропаганды. Зачем же, товарищи дорогие, вы лепите Жукову памятник, зачем его сажаете на медного коня с задранным хвостом, зачем громоздите терриконы макулатуры о жуковских подвигах, если есть куда более простой, дешевый и куда более убедительный способ прославить вашего кумира: надо просто открыть архивы!

Интересно и поведение самого Жукова. Допустим, находясь на вершине славы, он забыл об архивах, и доказательств своего величия не представил. Не до того было. Но вот его вышибли с вершины, он сидит на даче, скучает, попивает водочку, а дружный коллектив черномазых литераторов строчит его мемуары. Почему бы не вспомнить об архивах? Почему не продемонстрировать народу документы? И если кто-то великого маршала к архивам не пускал, надо было об этом заявить, мол, рад бы вам правду про Халхин-Гол рассказать, да вот архивы недоступны.

Ах, сколько было воплей и стонов, что Жукову не позволяют говорить правду. Но ни сам Жуков, ни его соавторы, ни пропагандисты культа его личности не протестовали против того, что к архивам сражения на Халхин-Голе доступа нет.

Недоступность архивов, как ни странно, не мешает раздувать культ гениального полководца. Наоборот, недоступность архивов способствует и помогает лепить образ великого, мудрого и непобедимого.

Теперь позвольте высказать свое предположение.

Истинная роль Жукова в сражении на Халхин-Голе преувеличена. Это главная и, возможно, единственная причина, которая заставляет правителей прятать от народа подробности.

И это не мое мнение. Задолго до меня это мнение о роли Жукова высказал Адмирал Флота Советского Союза Н.Г. Кузнецов: «Позднее он все успехи в боях с японцами старался приписать себе» (ВИЖ. 1992. № 1. С. 76).

Не все, что творилось в монгольских степях, нашло отражение в документах. Не каждый документ попадал в архив. Жуков был большим знатоком архивов. Находясь на вершине власти, он истребил многое, что могло бросить тень на его величие. После Жукова все, кто раздувает культ его личности, продолжают очистительную работу. Но и то, что в архивах осталось, нельзя показывать никому. Слишком велика разница между тем, что вбивают в наши головы, и тем, что от нас прячут.

Если я не прав, товарищи поправят, но предполагаю, что планы разгрома 6-й японской армии на реке Халхин-Гол были разработаны без Жукова. А его роль сводилась к тому, чтобы беспощадными расстрелами гнать людей бой. В нашей истории такое уже было. Именно в тот же период, в том же десятилетии в Советском Союзе на удивление всему прогрессивному человечеству был сотворен великий трудовой подвиг — в рекордные сроки прорыт никому не нужный канал из Белого моря в Балтийское. Никто в мире каналов такой протяженности, тем более в субполярных широтах, никогда не рыл. За сооружение канала глава ГПУ Генрих Ягода получил высшую государственную награду — орден Ленина. Получил бы он и Золотую Звезду, но ее тогда еще не изобрели.

В чем заслуга Генриха? Он сам спланировал трассу канала? Нет, не планировал. Он сам вел изыскательские работы на местности? Нет, не вел. Он сам рассчитывал объемы работ? Нет, не рассчитывал. Он сам катал тачки с глиной? Нет, не катал. Он сам дробил гранитные валуны? Нет, не дробил. Он сам укладывал бетон? Нет, не укладывал.

Так за что ему высшая награда?

За расстрелы.

Он появлялся на канале. Ему докладывали: вот тут инженеры в расчетах ошиблись. Тут не туда трассу погнали. Тут нормы дневные не выполнены. А Генрих Григорьевич в ответ: Расстрелять! Расстрелять! Расстрелять!

Правда, и его потом тоже... того...

Ух, как можно мне возразить! Ух, как можно мне вмазать: Жуков — это тебе не Ягода!

А в чем, собственно, разница? И могла ли она быть? 30-е годы XX века. Империя Сталина. И Генрих Ягода, и Георгий Жуков — выдвиженцы Сталина. Их выбирал один человек — Сталин. При выборе он руководствовался теми же самыми понятиями — сталинскими. ГПУ и армия — два силовых ведомства, весьма похожих друг на друга и проникнутых взаимным влиянием. Строителей сталинских каналов пропаганда называла не заключенными ГПУ, а каналоармейцами. Строительство называлось армейским термином — штурм. Армия в свою очередь была проникнута чекистским духом и насыщена стукачами чекистского ведомства.

И армия, и лубянское ведомство были структурами антинародными. И военные, и чекисты одинаково повинны в истреблении народа. И армия, и лубянское ведомство были орудиями насилия и держались сами только на вооруженном насилии. Так почему же Сталин должен был выбирать для ГПУ руководителей по одним стандартам, а для армии — по другим?

И почему мы думаем, что Беломорканал был построен на костях народа, а победа на Халхин-Голе стояла на постаменте из другого материала? В мирное время на строительстве Беломорского канала агитаторы развесили множество плакатов и портретов, но главным двигателем прогресса был расстрел. Почему же мы верим Жукову, который рассказывает, что в боевой обстановке на Халхин-Голе хватило одних только портретов Ленина? Вот развесили комиссары портреты, бойцы воодушевились и тут же победили. Про расстрелы на Халхин-Голе Жуков не помнит, но мы-то уже знаем, что память его — с провалами.

И не надо мне возражать. И обзывать плохими словами не надо. Лучше откройте архивы и покажите всему миру, что мое осторожное предположение — это не что иное, как злобный вымысел врага. А если архивы сражения на Халхин-Голе открывать нельзя, то объясните почему.

Написал я эту главу и устыдился. Народы России до безумия любят Жукова, а я на любимца всенародного набросился. Так нельзя. Нужно смотреть на вещи с позиций позитивных.

Вот и давайте посмотрим на данную ситуацию доброжелательно. Давайте предположим, что в архивах хранятся секретные и совершенно секретные документы о сражении на Халхин-Голе, но в них ничего плохого о Жукове нет. В них — только свидетельства жуковской гениальности.

Если такое предположить, тогда мы попадаем в пренеприятнейшую ситуацию. Получается, что у нас был величайший полководец всех времен и народов, но народ о нем ничего не знает, доказательства его славных подвигов спрятаны. Наши президенты и премьеры, маршалы, генералы и министры для отвода глаз раздувают культ личности Жукова. Они пишут бездарные восхваления и громоздят уродливые памятники. Но никто никогда не представил доказательств жуковской гениальности. А в это время где-то в недоступных хранилищах лежат в пыли доказательства жуковского величия. Наши вожди скрывают эти доказательства. Почему?

ГЛАВА 3

ЗАЧЕМ СТАЛИНУ АЛАНДСКИЕ ОСТРОВА?

> Фюрер подчеркнул: задача овладения Финским заливом является первостепенной, так как только после ликвидации русского флота станет возможным свободное плавание по Балтийскому морю (подвоз железной руды из Лулео). Захват русских портов с суши потребует 3—4 недели. Лишь тогда подводные лодки противника будут парализованы. Четыре недели означает 2 миллиона тонн железной руды.
>
> Генерал-полковник *Ф. Гальдер.*
> Военный дневник.
> Запись 30 июня 1941 года

1

Война прожорлива, потому каждый стратег составляет карту путей, по которым стратегическое сырье попадает в его страну и в страну противника. Свои пути следует защитить, пути противника — резать.

Если составить карту с источниками стратегического сырья и путями, по которым оно идет, то каждому будет ясно: положение Германии в 1939 году было исключительно тяжелым. По большому счету в Германии нет сырья. Германия связана сотнями уязвимых нитей со всем миром. Захват Польши, Дании, Норвегии, Бельгии, Голландии, Люксембурга, Франции, Югославии, Греции, присоединение Австрии и Чехословакии проблем не решило. Господство над многомиллионными людскими массами и огромной территорией, на которой почти нет сырья для промышленности, вело к распылению сил, но не сулило никаких выгод.

Вот только один аспект проблемы. Германия, Франция, Бельгия имеют мощную сталелитейную промышленность, но не имеют железной руды. Известно, что победа куется в мастерских, катится по рельсам и кончается на фронте ударом штыка. Но кувалды в мастерских, рельсы на железных дорогах и сам штык — это сталь. Слишком многое на войне и в тылу, от линкоров до подков на солдатских сапогах, сделано из стали. Из-за нехватки стали в Германии в ходе войны на уровне Геринга поднимался вопрос о строительстве бетонных паровозов вместо стальных. Из-за нехватки стали поврежденные мосты приходилось восстанавливать с помощью бревен вместо стальных конструкций, а из-за этого — резко сокращать грузоподъемность железнодорожных составов. Из-за нехватки стали рельсы вторых путей использовались для восстановления поврежденных участков на первых путях. Железнодорожные пути с двусторонним движением превращались в одноколейные. Это замедляло весь ритм экономической жизни Германии и оккупированных ею стран.

В любом случае Гитлер не мог надеяться на скоротечную победу — у него было слишком много врагов. А затяжная война вела Гитлера к самоубийству в самом прямом смысле слова. Для того чтобы продержаться несколько лет, следовало обеспечить подвоз железной руды. А руда добывалась на севере Швеции и через Балтийское море шла в порты Германии.

2

Любой стратег ясно видел слабое звено всей германской экономики: погрузка железной руды в шведском порту Лулео, долгий путь Ботническим заливом вдоль берега Финляндии, мимо Аландских островов, мимо островов

Готланд, Эланд, Бронхольм, разгрузка в портах Германии. Железную руду грузили почти у самого Полярного круга и везли через все Балтийское море из самого северного порта в самые южные.

Ни британский, ни французский, ни любые другие флоты перевозкам железной руды на Балтике угрожать не могли. Прорыв чужих флотов в Балтийское море — это прорыв в мышеловку.

А советскому флоту никуда прорываться не надо. Он уже тут. Он мирно ждет на своих базах.

Для обороны Советского Союза иметь флот на Балтике вовсе не нужно. До 1940 года Советский Союз имел совсем небольшой участок морского побережья. Более двухсот лет Петербург был столицей империи, поэтому на этом куске берега все русские цари, начиная с Петра, возводили укрепления. Весь берег был превращен в сплошную цепь морских крепостей, фортов, укрепленных районов и береговых батарей.

Береговая батарея — это нечто более внушительное, чем батарея полевой артиллерии. Береговая батарея могла иметь орудийные башни с линкоров или крейсеров. Под этими башнями — лабиринт бетонных казематов. Хорошая корабельная башня крейсера или линкора весит несколько сот тонн. Иногда — и пару тысяч тонн. В отличие от корабля орудийную башню, установленную на берегу, можно защитить броневыми плитами любого веса, а под ней можно возвести казематы из фортификационного железобетона с перекрытиями любой толщины. И надо сказать, что в районе Питера русскими царями было уложено в землю достаточно бетона и стали. Большевики добавили.

Береговая оборона Балтийского флота на 21 июня 1941 года имела 124 береговые батареи, на вооружении которых было 253 орудия калибром от 100 до 406-мм и 60 орудий калибром 45 и 76-мм (Краснознаменный Балтийский флот в битве за Ленинград. М., 1973. С. 8).

Характеристики орудий береговой обороны потрясают. Пример: 305-мм трехорудийные башенные установки бросали снаряды весом 470 килограммов на дальность 43,9 километра. Огневая производительность одной орудийной башни — 6 выстрелов в минуту. Это почти три тонны металла. А 406-мм орудие одним выстрелом бросало снаряд весом 1108 килограммов на дальность 45,5 километра. Это орудие было способно производить следующий выстрел через 24 секунды после предыдущего (ВИЖ. 1973. № 3. С. 78).

Кроме береговых батарей и фортов в районе Ленинграда было сосредоточено весьма внушительное количество морских орудий на железнодорожных транспортерах. Эти орудия находились в бетонных укрытиях. Вокруг Ленинграда разветвленная сеть железных дорог. Орудия на железнодорожных транспортерах могли совершать маневр и вести огонь с заранее подготовленных и укрытых огневых позиций, затем быстро их покидать. Основное орудие железнодорожной артиллерии — 180-мм пушка: вес снаряда — 97,5 килограмма, скорострельность — 5 выстрелов в минуту, дальность — 37,8 километра. Однако были и гораздо более мощные пушки: 203, 254 и 356-мм. 356-мм пушки на железнодорожных транспортерах стреляли снарядами весом 747,8 килограмма на дальность 44,6 километра.

Непосредственные подступы к Ленинграду прикрывали три морских укрепленных района: Кронштадтский, Ижорский и Лужский. Подходы к городу простреливались перекрестным огнем орудий огромной мощи с разных направлений. Каждая батарея, каждый форт, укрепленный район и морская крепость имели запас снарядов и продовольствия, которых им хватило на всю войну. Никому не пришло бы в голову тут высаживать десант или штурмовать город.

Кроме этого, Балтийский флот имел 91 зенитную батарею, общее число зенитных орудий — 352.

Зачем ко всему этому иметь на Балтике еще и флот?

3

Если мы намерены обороняться, то боевые корабли в Балтийском море не нужны. В случае нужды, даже не имея боевых кораблей, можно было погрузить мины на баржи и быстро перекрыть ими устье Финского залива.

В оборонительной войне советскому Балтийскому флоту делать нечего. Так и случилось: всю войну он бездействовал. В случае нападения противника советский Балтийский флот предельно уязвим. Противник может просто блокировать советский флот, выставив на мелководных подступах к базам несколько сот мин. Именно это и случилось в июне 1941 года. Корабли, особенно крупные, в оборонительной войне вынуждены прижиматься бортом к борту в мелководном и узком заливе. В слепой кишке. В аппендиксе.

В 1939 году Гитлер вступил во Вторую мировую войну против всего мира, имея только 57 подводных лодок. Противниками гитлеровского флота были сверхмощные флоты Британии и Франции, потенциально — США. Гитлеровскому флоту пришлось вести неравную борьбу в Атлантике и на Средиземном море. На Балтике у Гитлера почти ничего не осталось. Летом 1941 года германский флот имел в Балтийском море 5 подводных лодок и 28 торпедных катеров. Все остальное — вспомогательные силы: минные заградители, тральщики, катера различного назначения (Ф. Руге. Война на море 1939—1945 гг. М., 1957. С. 209).

Миролюбивый товарищ Сталин взирал на схватку Германии, Франции и Британии и наращивал мощь своего Балтийского флота.

Зачем?

4

Еще в 1933 году Сталин сказал: «Балтийское море — бутылка, а пробка не у нас» (Свидетельство Адмирала Флота Советского Союза И.С. Исакова // «Знамя». 1988. № 5. С. 77).

И вот Сталин из трех своих линкоров почему-то два держал на Балтике. В закупоренной бутылке. В 1941 году только на Балтике Сталин имел 65 подводных лодок, включая крейсерские. Никто в мире не имел такого количества подводных лодок, собранных в одном месте.

Давайте же посмотрим на карту глазами германского стратега. Какую задачу может поставить Сталин своим линкорам и подводным лодкам в закрытой акватории Балтийского моря? Только одну: топить германские транспорты с рудой. Другой работы тут нет.

Кроме подводных лодок и линкоров, Сталин имел на Балтике 2 крейсера, 21 лидер и эсминец, 48 торпедных катеров и другие силы.

На Балтике германский флот своей авиации не имел (ВИЖ. 1962. № 4. С. 34). Советский Балтийский флот имел в своем составе 656 боевых самолетов, в основном бомбардировщиков и торпедоносцев (Боевой путь Советского Военно-Морского Флота. М., 1974. С. 537).

Снова спросим: зачем? Зачем такое количество торпедоносцев и бомбардировщиков, если крупных боевых кораблей у Гитлера на Балтике практически нет? А ответ тот же: это не против боевых кораблей. Это против транспортов с рудой.

В любой момент советский флот мог сняться с якорей, выйти в район германских и шведских портов, заблокировать их тысячами мин, а беззащитные транспорты утопить. Это было бы концом войны для Германии. И этого не могли не понимать в Берлине. Гитлер воевал против Британии и Франции, а за его спиной над Балтикой сверкал занесенный топор Сталина.

Жуков рассказывает, что Сталин не хотел дать Гитлеру повод к войне. А тут не повод, тут причина. Германские стратеги видели угрозу со стороны советского флота на Балтике и искали пути ее нейтрализации.

В конце ноября 1939 года Сталин совершил весьма крупную ошибку: начал войну против Финляндии. Война завершилась блистательной победой Красной Армии: никто в мире в таких снегах, на таком морозе, на практически непроходимой местности не штурмовал столь мощных укреплений. Такое было по силам только Красной Армии.

Однако победа Финляндии была вторым звонком Гитлеру: Сталин подбирается к шведской руде. Красная Армия по приказу Сталина прорвала финские укрепления и остановилась. Финляндия без укреплений беззащитна. В любой момент Сталин мог отдать приказ, и наступление Красной Армии могло возобновиться. С территории Финляндии можно было бомбить шведские рудники и железные дороги беспрепятственно. Помешать этому не смог бы никто. Один только захват Аландских островов, которые принадлежали Финляндии, позволял закрыть устье Ботнического залива, и это означало победоносное для Советского Союза завершение Второй мировой войны.

И это не все. В оккупированной Гитлером Европе нет леса. Лес — в Финляндии и Швеции. Возможное прекращение поставок леса через Балтику тянуло за собой множество следствий. И все — отрицательные. Лес — это шпалы. Нет леса — нет строительства и восстановления железных дорог. Лес в огромных количествах требуется угольным шахтам. Нет леса — нет угля. Уже в мирное время ежегодная нехватка древесины в Германии составляла 6 миллионов тонн. Вместо древесины приходилось использовать картофельную ботву. Об этом свидетельствует сам фюрер (Г. Пикер. Застольные разговоры Гитлера. Запись 5 июня 1942 г.).

И это в мирное время, когда поставкам леса через Балтику никто не мешал. Стоило сталинским подводным лодкам ударить по немецким лесовозам, и Германия осталась бы без древесины. Не думаю, что картофельной ботвы хватило бы, чтобы эту нехватку восполнить. Да и не в каждом деле картофельная ботва может служить полноценной заменой древесине. Из ботвы можно делать бумагу низкого качества, но нельзя делать шпалы, нельзя ботвой крепить угольные шахты.

Помимо прочего, Германия не имела никеля. Без никеля воевать нельзя. А никель — в Финляндии. В начале 1940 года в ходе войны против Финляндии Красная Армия захватила никелевые рудники в Петсамо, а потом, весной 1940 года, согласно мирному договору, вернула их обратно. Но теперь никель добывался совместным советско-финляндским акционерным обществом с участием советских инженеров и рабочих. Советское правительство настаивало на том, чтобы директором был советский человек. Никель из Петсамо поступал и в Германию, и в Советский Союз. Но в любой момент его поставки могли быть прекращены. 104-я стрелковая дивизия генерал-майора С.И. Морозова (42-й стрелковый корпус 14-й армии) стояла у самых никелевых рудников...

Представляю, какой зубовный скрежет стоял в подземных бункерах германских штабов.

6

Германские стратеги вовсе не зря опасались нового советского вторжения в Финляндию. 25 ноября 1940 года народный комиссар обороны СССР Маршал Советского Союза С.К. Тимошенко и начальник Генерального штаба Красной Армии генерал армии К.А. Мерецков направили в штаб Ленинградского военного округа директиву. Документ исполнен в одном экземпляре. Степень секретности — «ОВ», т.е. совершенно секретно особой важности.

Документ начинается так: «В условиях войны СССР только против Финляндии для удобства управления и материального обеспечения войск создаются два фронта:

Северный фронт — для действий на побережье Баренцева моря и на направлениях Рованиями, Кеми и Улеаборгском;

Северо-Западный фронт — для действий на направлениях Куопио, Микеенли и Гельсингфорс. Командование Северо-Западным фронтом возлагается на командование и штаб Ленинградского военного округа.

Приказываю приступить к разработке плана оперативного развертывания войск Северо-Западного фронта...

Основными задачами Северо-Западному фронту ставлю: Разгром вооруженных сил Финляндии, овладение ее территорией в пределах разграничений и выход к Ботническому заливу на 45-й день операции...

Справа Северный фронт (штаб Кандалакша) на 40-й день мобилизации переходит в наступление и на 30-й день операции овладевает районами Кеми, Улеаборг...

Краснознаменному Балтийскому флоту, подчиняющемуся в оперативном отношении Военному совету Северо-Западного фронта, поставить следующие задачи:

1. Совместно с авиацией уничтожить боевой флот Финляндии и Швеции (в случае выступления последней).

2. Содействовать сухопутным войскам, действующим на побережье Финского залива и с полуострова Ханко, обеспечивая их фланги и уничтожая береговую оборону финнов.

3. Обеспечить переброску двух стрелковых дивизий в первые же дни войны с северного побережья Эстонской ССР на полуостров Ханко, а также переброску и высадку крупного десанта на Аландские острова.

4. Крейсерскими операциями подводных лодок и авиацией прервать морские сообщения Финляндии и Шве-

ции (в случае ее выступления против СССР) в Ботническом заливе и Балтийском море...

Настоящему плану развертывания присвоить условное наименование «С.З-20».

План вводится в действие при получении шифрованной телеграммы за моей и начальника Генерального штаба подписями следующего содержания: «Приступить к выполнению "С.З-20"».

Полный текст этого плана опубликован в сборнике «1941 год» (М., 1998. Книга первая. С. 418—423).

Интересно отметить, что в этом плане не идет речь о том, что мы будем воевать ради «обеспечения безопасности города Ленина». И нет намеков на то, что боевые действия надо начинать в ответ на вражеское нападение. Нет привычных слов: «Если враги навяжут нам войну...» Тут проще: в любой момент из Москвы в штаб Ленинградского военного округа поступит шифровка, и советские войска пойдут вперед к Ботническому заливу, к границам Швеции, на Аландские острова! А пропагандистское обеспечение не входит в задачу командования Ленинградского военного округа и Балтийского флота. Этим займутся другие. Соответствующие товарищи в нужный момент устроят новую «провокацию финской военщины на наших границах», а те, кому положено, объяснят трудящимся всего мира смысл миролюбивой внешней политики СССР и необходимость наших контрударов по зарвавшимся финским агрессорам.

Сборник «1941 год» составлялся так, чтобы показать миролюбие Советского Союза и «неготовность» к нападению на Германию. Составители сборника пошли на признание малых грехов, чтобы не признавать больших. Вот, говорят они, план нападения на Финляндию мы нашли, а план нападения на Германию — нет.

Между тем план «С.З-20» мог быть как самостоятельным, так и частью более широкого замысла. План

53

«С.3-20» позволял войскам Ленинградского и Архангельского военных округов и силам Балтийского флота нанести удары по Финляндии до удара Красной Армии по Германии, одновременно с этим ударом или чуть позже. Но в любом случае удар по Финляндии был одновременно и ударом по Германии. В случае осуществления плана «С.3-20» советские войска захватывали никелевые рудники в Петсамо, Аландские острова и выходили к городу Кеми. (Не путать с нашим городом Кемь.)

Теперь на карте найдите финский город Кеми и шведский порт Лулео...

Вовсе не случайно в 1940 году на Балтике была сформирована 1-я бригада морской пехоты под командованием матерого советского диверсанта полковника Терентия Парафило. Работу для морской пехоты товарищ Сталин уже подыскал, а сталинские генералы ее спланировали. Оставалось только отправить в штаб Ленинградского военного округа шифровку: «Приступить к выполнению...»

И не надо искать план войны против Германии. Если бы план «С.3-20» был осуществлен, то это означало нанесение смертельного удара не только Финляндии, но и Германии.

7

Летом 1940 года Сталин совершает еще одну ошибку — присоединяет к Советскому Союзу Эстонию, Латвию и Литву, создает на их территории Прибалтийский особый военный округ и все силы этого округа сосредоточивает на границе с Восточной Пруссией.

Для оборонительной войны это вовсе не нужно и очень даже вредно. Говорят, что Сталин отодвинул свою границу на запад и тем укрепил безопасность СССР. Но дело обстояло как раз наоборот. До оккупации Прибалтики Красная Армия на этом направлении имела разделительный барьер. В случае агрессии войска Гитлера должны были последовательно сокрушать вооруженные силы трех государств перед тем, как встретиться с Красной Армией. Даже если бы на сокрушение армий Литвы, Латвии и Эстонии ушло всего несколько дней, все равно при таком раскладе внезапный удар по советским аэродромам на этом направлении исключался. Красная Армия получала возможность поднять по тревоге свои войска и занять укрепленные районы. После разгрома армий трех прибалтийских государств немецкие войска выходили к Чудскому озеру. Его невозможно форсировать. В случае обхода озера войска Гитлера упирались в советские укрепленные районы.

Но все пошло по другому сценарию. Красная Армия вышла из своих укреплений на передовые рубежи в Литве к самой германской границе, вынесла туда аэродромы, штабы, узлы связи и стратегические запасы. Для народов трех государств Прибалтики армия Сталина превратилась в агрессора и оккупанта, а Германия в случае нападения на СССР — в освободителя.

22 июня 1941 года войска Красной Армии на всем протяжении границы, в том числе и в Прибалтике, попали под внезапный удар германской армии, было нарушено управление войсками, советская авиация понесла значительные потери на приграничных аэродромах. Против Красной Армии в государствах Прибалтики стихийно вспыхнуло народное восстание. По нашим «освободителям» стреляли с каждого чердака. Войска Красной Армии остались в Прибалтике без укрепленных районов, а за их спиной, на территории России, остались пустые укрепленные районы без войск. Манштейн их захватил с ходу.

Возражение скептиков: если бы Сталин не оккупировал Прибалтику, то Гитлер мог ее захватить без войны, просто ввести туда войска, как в свое время в Чехословакию.

На такую возможность был ответ.

Надо было ясно и четко объяснить Гитлеру, что в ответ на попытки ввести германские войска в Прибалтику Советский Союз без предупреждения начинает топить на Балтике транспорты с рудой и лесом, минировать подходы к германским портам, бомбить Берлин. Кроме того, Советский Союз сформирует интернациональные бригады и бросит их на территорию государств Прибалтики вместе с миллионами советских добровольцев. А когда Гитлер истощится в войне против Советского Союза, Британия и Франция воспользуются ситуацией: в их интересах удушить Германию как опасного конкурента и снова наложить на нее контрибуции.

Такое заявление было бы правильно понято во всем мире. В этом случае народы государств Прибалтики были бы не нашими врагами, а нашими союзниками. В этом случае «лесные братья» стреляли бы в спины не советских, а германских солдат. В этом случае на стороне патриотов Прибалтики воевали бы интернациональные бригады. А добровольцев во всем мире хватало.

Имея такую перспективу, Гитлер вряд ли решился бы на ввод войск в Эстонию, Литву и Латвию. Но если бы и решился, то в этом случае война с нашей стороны стала бы справедливой, оборонительной, великой и отечественной. И нам бы теперь не пришлось стыдиться за «освободительные походы», массовые расстрелы, оккупацию. Нам не пришлось бы прятать архивы войны и выдумывать героические подвиги.

В августе 1939 года позиция Советского Союза была объявлена решительно и твердо: территорию Монголии мы будем защищать от японской агрессии как свою собственную. И защитили! Эта позиция была правильно понята во всем мире, в том числе и в Японии. В результате этой решительности и твердости нападение Японии на Советский Союз было предотвращено.

Почему Советский Союз в августе 1939 года не занял такую же позицию по отношению к государствам Прибалтики?

Оккупация Прибалтики Красной Армией имела смысл только в случае, если замышлялась наступательная война против Германии. Красная Армия вышла прямо на германскую границу и вынесла свои аэродромы на самый передний край. С аэродромов Литвы можно было поддерживать наступление советских войск до самого Берлина. Вдобавок советский флот получил военно-морские базы в Таллине, Риге, Лиепае. Туда немедленно были перемещены главные силы флота и запасы. От Лиепаи до путей, по которым идут караваны с рудой, никелем и лесом, рукой подать. Удар отсюда мог быть внезапным и сокрушительным.

А Гитлеру — третий звонок.

Но при чем тут Жуков?

А вот при чем. Нам рисуют Жукова чуть ли не стратегом: бросил взгляд на карту и понял всю стратегическую ситуацию. Так вот, если бы Жуков был стратегом, то он должен был видеть эти нити: в Германию из Швеции идут лес и железная руда, из Финляндии — лес и никель. Жуков должен был во время встреч со Сталиным указать на ненормальность ситуации. Если мы намерены перекрыть поставки леса, никеля и железной руды в Германию, то должны это делать немедленно. А если такого намерения нет, тогда надо отвести угрозу от рудников и портов вероятного противника. В 1939—1940 годах Жуков по своему служебному положению не должен был заниматься Финляндией, Швецией, Балтийским морем. Но шла мировая война, а Жуков — командир очень высокого ранга. Он был обязан следить за обстановкой в мире. У него было достаточно возможностей, чтобы указать руководству страны на пагубность сложившейся ситуации.

Жуков должен был знать военную историю. В начале XX века на Дальнем Востоке Россия стремительно и решительно прибирала к рукам сырьевые ресурсы Маньчжурии и Китая, тем самым задевая жизненные интересы Японии. В ответ на такие действия Япония нанесла внезапный сокрушительный удар по русскому флоту. Последовавшая за этим русско-японская война завершилась поражением России и революцией 1905 года. Царь Николай II уже в 1905 году чуть не лишился трона.

Через 35 лет после русско-японской войны, то есть в пределах жизни одного поколения, сложилась точно такая же ситуация, но теперь не в районе Желтого моря, а на Балтике. Преднамеренно или по недомыслию советские стратеги своими действиями в районе Балтийского моря угрожали самому существованию Германии. Раз так, следовало ожидать внезапного удара со стороны Германии, причем — в любой момент.

С января 1941 года Жуков — начальник Генерального штаба. Теперь он — не сторонний наблюдатель-профессионал, а глава всех стратегов. Самое главное в военном деле — умение посмотреть на ситуацию глазами противника. Жуков должен был понять: как чувствуют себя в Берлине, зная, что единственную тоненькую ниточку, которая связывает далекие шведские порты с металлургической базой Германии, советский флот может в любую минуту перерезать?

Жуков, был бы он стратегом, должен был ясно видеть сложившуюся ситуацию. Но Жуков за обстановкой у советских границ либо не следил, либо ее не понимал, либо побоялся высказать свое мнение.

ГЛАВА 4

ЖУКОВ И НЕФТЬ

> Если бы не удалось во время вторжения русских в Румынию заставить их ограничиться одной лишь Бессарабией и они забрали тогда себе румынские нефтяные месторождения, то самое позднее этой весной они бы задушили нас.
>
> *А. Гитлер.* 18 мая 1942 года (*Г. Пикер.* Застольные разговоры Гитлера. С.303)

1

Представьте, что мы с вами заняты неким бизнесом: торгуем, к примеру, нефтью, лесом, золотом, алмазами, иногда промышляем грабежом, шантажом, заказными убийствами. И есть у нас конкурент. С конкурентом мы обмениваемся любезностями, посылаем теплые поздравления в день его рождения, с представителями конкурента пьем шампанское. Но к жизненным ресурсам нашего конкурента мы последовательно и настойчиво подбираемся, руки тянем к его горлу... Если мы так поступаем, то надо быть готовым к тому, что однажды в баньку, в которой мы паримся, ворвутся добры молодцы с автоматами и патронов не пожалеют...

Именно так дружил Сталин с Гитлером. Были взаимные любезности. Были поздравления ко дню рождения. Были клятвы верности. И пил товарищ Сталин шампанское с господином Риббентропом, а Молотов — с Гитлером. Но к жизненным ресурсам Германии Сталин подбирался весьма нагло.

Жуков, будь он стратегом, должен был предупредить Сталина об опасности внезапных и сокрушительных ответных действий Германии.

Но Жуков молчал, когда Сталин наращивал мощь Балтийского флота, когда «освобождал» Финляндию, Эстонию, Литву и Латвию. Этого было мало, и Сталин решил подобраться поближе не только к лесу, никелю и руде, но еще и к нефти. И поручил это Жукову...

В апреле 1940 года Жуков прибыл из Монголии в Москву и два месяца находился в распоряжении наркома обороны. В это время Жуков не имел никакой должности, но из этого вовсе не следует, что он ничего не делал. Как раз наоборот. Это были месяцы напряженной работы. В это время Жуков имел как минимум четыре продолжительных встречи со Сталиным. Нужно помнить, что Сталин просто так никого продолжительными встречами не баловал.

2

Перед проведением любой грандиозной операции на самых верхах идет подспудная, невидимая со стороны работа. Два месяца работы Жукова в Москве — это нулевой цикл подготовки к войне за Бессарабию. Предстояло Бессарабию отбить у Румынии точно так же, как Гитлер отбил Судеты у Чехословакии. Если Румыния откажется Бессарабию вернуть, следовало Румынию сокрушить.

В апреле и мае 1940 года о подготовке войны за Бессарабию знали только в стенах сталинского кабинета и Генерального штаба. В штабы Киевского особого военного и Одесского военного округов из Генерального штаба поступали короткие распоряжения о том, что надо делать, без указаний зачем.

4 июня 1940 года Жуков получил звание генерала армии. В то время — пять звезд.

7 июня приказом НКО № 2469 генерал армии Жуков был назначен командующим войсками Киевского особого военного округа.

8 июня генерал армии Жуков садится в поезд на Киевском вокзале Москвы... и плачет.

Провожающих было достаточно. Жуковский плач видели, и многие потом пытались узнать причину слез. Тут надо заметить, что биографы Жукова уделяют совершенно недостаточно внимания этой черте характера величайшего полководца — его невероятной плаксивости. В трудные моменты Жуков облегчал душу плачем. И вот загадка психологам: с одной стороны — самый кровавый полководец мировой истории, с другой — заплаканная девица. Как сопоставить горькие слезы Жукова с феноменальной нахрапистостью и нечеловеческой жестокостью? Как увязать образ плачущего слюнтяя с легендами о твердом характере Жукова?

Плач Жукова на Киевском вокзале Москвы 8 июня 1940 года не был забыт и через много лет, потому что великий полководец после войны был вынужден объяснить причину своих горьких слез: «Меня назначили на ответственный пост — командовать одним из важнейших приграничных округов. В беседах со Сталиным, Калининым и другими членами Политбюро я окончательно укрепился в мысли, что война близка, она неотвратима... Но какая она будет, эта война? Готовы ли мы к ней? Успеем ли мы все сделать? И вот с ощущением надвигающейся трагедии я смотрел на беззаботно провожающих меня родных и товарищей, на Москву, на радостные лица москвичей и думал: что же будет с нами? Многие этого не понимали. Мне как-то стало не по себе, и я не мог сдержаться. Я полагал, что для меня война уже началась. Но, зайдя в вагон, тут же отбросил сентиментальные чувства. С той поры моя личная жизнь была подчинена предстоящей войне, хотя на земле нашей еще был мир...»

На перроне было много свидетелей, потому Жуков признает: не мог сдержаться. А в вагоне провожающих не было, потому можно смело сказать: вошел в вагон и больше не плакал.

Проницательность Жукова потрясает. В июне 1940 года многие, как говорит Жуков, еще не понимали, что через год будет война, а он уже понимал. Дедуктивные способности величайшего полководца просто поразительны, если не сказать больше. Жуков предчувствовал беду более чем за год до германского нападения! 8 июня 1940 года великий стратег уже льет слезы печали по грядущим жертвам. В июне 1940 года ни Гитлер, ни его генералы не имели ни намерений, ни планов нападения на Советский Союз. Ни ОКВ (Верховное Главнокомандование Вермахта), ни ОКХ (Главное командование Сухопутных войск) не имели ни черновиков, ни набросков плана войны против СССР, как не имели никаких указаний от Гитлера на этот счет. О войне против СССР не возникало даже речи. Июнь 1940 года — это момент, когда германские танковые клинья устремились к Атлантическому океану, огромным крюком обходя Париж. После разгрома Франции Гитлер приказал резко сократить германские вооруженные силы. И это сокращение проводилось широко и интенсивно, ибо война против Советского Союза не намечалась, не предусматривалась и не планировалась. А Жуков уже плачет...

21 июля 1940 года Гитлер впервые в самом узком кругу высказал мысль о «русской проблеме». 29 июля 1940 года генерал-полковник Ф. Гальдер поручил начальнику штаба 18-й армии генерал-майору Э. Марксу подготовить наброски плана войны против СССР. Это самые первые эскизы плана. Первоначально план имел даже другое кодовое название — не «Барбаросса», а «Фриц». И вырисовывается вот какая картинка: гениальный Жуков плакал о грядущих жертвах, ибо уже в начале июня 1940 года знал, какая идея придет в голову Гитлера через полтора месяца.

Удивительно и другое. В беседах со Сталиным, Калининым и другими членами Политбюро Жуков «окончательно укрепился в мысли, что война близка, она неотвратима...» Выходит: еще до бесед с товарищем Сталиным и другими товарищами, т. е. до прибытия в Москву в апреле 1940 года, Жуков уже знал, что будет война с Германией. Сталин и другие члены Политбюро не противоречили Жукову. Наоборот, в беседах с ними Жуков окончательно убедился... Следовательно, и товарищ Сталин, и другие товарищи стояли на той же точке зрения еще за год до германского вторжения. Они знали, что война с Германией неотвратима задолго до того, как в Германии до этого додумались.

Как в этом случае понимать поведение Сталина? Весной 1940 года он уверен, что войны с Германией не избежать, а через год, 22 июня 1941 года, тот же Сталин не верит, что война началась. Как понимать поведение Жукова? За год до войны он все уяснил, понял и даже поплакал о грядущих жертвах, а через год, роковым утром 22 июня 1941 года, шлет войскам директивы огня не открывать, самолеты не сбивать, на провокации не поддаваться.

Он плакал о грядущих жертвах в 1940 году, но запрещал отвечать на огонь противника в 1941 году, подставляя своих солдат, офицеров и генералов под смертельный огонь противника.

Мы — не стратеги, нам этой мудрости не понять.

4

Утром 9 июня 1940 года заплаканный генерал армии Жуков прибыл в Киев, и в тот же день нарком обороны Маршал Советского Союза С.К. Тимошенко направил командующим Киевским особым военным и Одесским военным округами директивы о создании Южного фронта. Командующим фронта был назначен генерал армии Г.К. Жуков. В состав Южного фронта вошли 5-я и 12-я армии из состава КОВО и 9-я армия из состава ОдВО.

Всего под командованием Жукова в составе фронта было 13 корпусов: 10 стрелковых, 3 кавалерийских.

Общее количество дивизий — 40: 32 стрелковые, 2 мотострелковые, 6 кавалерийских.

Количество бригад — 14: 11 танковых, 3 воздушно-десантные.

Усиление: 16 тяжелых артиллерийских полков РГК и 4 артиллерийских дивизиона РГК БМ (большой мощности).

Авиация Южного фронта — 45 авиационных полков, в том числе истребительных — 21, бомбардировочных — 24.

Общая численность войск — 460 тысяч бойцов и командиров, 12 тысяч орудий, 3 тысячи танков, 2 тысячи самолетов.

Сосредоточив такую мощь на границе Румынии, Сталин потребовал возвращения Бессарабии и Северной Буковины.

Южный фронт Жукова был готов сокрушить Румынию, но воевать летом 1940 года не пришлось. Правители Румынии были свидетелями блистательных побед Красной Армии в Финляндии и давали себе ясный отчет, что лучше Сталину уступить без боя. Стороны согласились на мирное разрешение конфликта. Румынские войска отошли, а войска Жукова вошли в Бессарабию и Северную Буковину.

Для Советского Союза последствия этой бескровной победы были катастрофическими. Прежде всего, у нейтральной Румынии был выбор: на чью сторону встать? Европу рвут на части два людоеда: Гитлер и Сталин. Сталин внезапно потребовал Бессарабию и Северную Буковину, их пришлось отдать. Что Сталин потребует завтра? А Гитлер не требует ничего. Выбор прост: Румыния пошла под защиту Гитлера.

Результат:

а) на своей границе Советский Союз получил еще одно враждебное государство;

б) фронт, который в случае войны надо будет защищать, увеличился почти на 800 километров;

в) Гитлер получил дополнительный плацдарм для нападения на Советский Союз;

г) Гитлер приобрел союзника, который располагал нефтью.

Без нефти Германия воевать не могла. Иными словами, получив Румынию в свои объятия, Гитлер мог напасть на Советский Союз. Без этого нападение было невозможно.

Но главное в другом: Сталин вспугнул Гитлера. Именно «освободительный поход» Жукова в Бессарабию и Северную Буковину стал последним предупреждением Гитлеру. Возникла прямая советская угроза нефтяным месторождениям Румынии, и именно из-за этой угрозы Гитлер приказал готовить упреждающий удар по Советскому Союзу.

Все это известно. С этим никто не спорит. Сталин совершил самоубийственный просчет. Прощения сталинскому легкомыслию нет. Но у нас разговор о Жукове. Рассмотрим его роль в этом деле.

5

Сталин приказывает Жукову силой или угрозой применения силы отбить у Румынии Бессарабию и Северную Буковину и выйти к незащищенным нефтяным полям Румынии на дистанцию вытянутой руки — 180 километров.

Это перебор.

Этого германские стратеги не вынесли. В Берлине наконец осознали: советская угроза Германии смертельна. С этого момента началась подготовка к сокрушению Советского Союза.

Наши официальные историки вынуждены признать, что летом 1940 года советским руководством была совершена ужасная ошибка. «Основным своим противником германское руководство тогда, после разгрома Франции в июне 1940 года, продолжало считать Англию. 16 июля 1940 года Гитлер подписал директиву № 16 о подготовке операции по высадке войск в Великобритании под кодовым названием «Морской лев» (Зеелёве). План операции предусматривалось закончить к 15 августа, а саму операцию провести в течение следующего месяца. Однако в июне — июле 1940 года Советский Союз провел ряд мероприятий на своих западных границах: были возвращены Бессарабия, а также Северная Буковина (26—29 июня 1940 г.), изменились политические режимы в Прибалтийских странах, что отодвинуло советские границы дальше на запад. И далеко не случайно, видимо, что именно 21 июля 1940 года Гитлер на совещании в Берлине поднял вопрос о «русской проблеме» (ВИЖ. 1992. № 6. С. 45).

Кстати, в этой же статье признается и еще один принципиальный аспект: «Сталин тоже хотел использовать Гитлера для развала Британской империи и мировой капиталистической системы» (Там же. С. 47). Если эту мысль выразить образно, то мы и получим Ледокол, который расчищает путь для Сталина и Мировой революции.

Итак, все шло чудесно. Гитлер уже подписал директиву о подготовке к высадке в Британии. Но присоединение Бессарабии, Северной Буковины, Эстонии, Литвы и Латвии к Советскому Союзу заставило Гитлера резко развернуться и посмотреть, что творится у него за спиной.

Летом 1940 года перед советским Южным фронтом, которым командовал Жуков, лежало три пути: два правильных и один гибельный.

Первый правильный путь — наносить удар по Бессарабии и идти дальше до нефтяных промыслов Плоешти. Гитлер победоносно сокрушал Францию и британские войска на континенте. Против Франции и Британии Гитлер бросил весь флот, всю авиацию, все танки, всю тяжелую артиллерию. Там воевали все лучшие генералы Германии. А в своем тылу, на границах с Советским Союзом, Гитлер оставил всего десять слабых пехотных дивизий, тут не было ни одного танка, ни одного самолета, ни одного тяжелого орудия. Самое главное, все эти десять дивизий — в Польше и Словакии. В Румынии не было никаких германских войск. Перебросить их туда не было никакой возможности. Трех тысяч советских танков и двух тысяч самолетов вполне хватило бы, чтобы дойти до нефтяных месторождений и устроить пожар. Это было бы концом Германии. Если бы Южный фронт Жукова в июне 1940 года нанес удар по Румынии, то Вторая мировая война завершилась в том же 1940 году победой Советского Союза и установлением коммунистического режима на всем Европейском континенте. Под контроль Сталина при таком раскладе отходили гигантские колониальные империи Франции, Бельгии и Голландии.

Второй путь был более рискованным, но сулил еще больший выигрыш. В июне 1940 года следовало просто ничего не делать. Надо было ждать. Ждать оставалось совсем недолго. После разгрома Франции Гитлер должен был нанести удар по Британии. Риск для Сталина заключался в том, что после разгрома Франции Британия и Германия могли заключить мир. В этом случае Сталин оставался один на один с Германией. Однако если бы Гитлер, как он и планировал, высадил свои войска в Британии, тогда задача «освобождения» Европы предельно упрощалась: Жуков наносит удар по нефтяным промыслам Румынии, после этого Красная Армия начинает свои «освободительные походы» в Европу, а лучших германских войск на континенте нет, они в Британии, и вернуть их оттуда невозможно.

А третий путь был гибельным. В июне 1940 года Южный фронт Жукова захватил Бессарабию, Северную Буковину и остановился на половине пути к нефтяным промыслам Плоешти.

Гитлер в 1942 году говорил, что он сумел заставить Сталина удовлетвориться в 1940 году одной лишь Бессарабией. Это не так.

Во-первых, Сталин не ставил задачу Жукову сокрушить Румынию летом 1940 года. Во-вторых, у Гитлера в 1940 году в разгар сражения за Францию не было никаких средств повлиять на Сталина.

Если бы Сталин приказал разгромить Румынию летом 1940 года, то остановить Южный фронт Жукова не смог бы никто. Вот это Жуков, будь он стратегом, и должен был подсказать Сталину.

6

Часто задают вопрос: не слишком ли большое значение я придаю фактору румынской нефти? Ведь немцы освоили производство синтетического бензина.

Такое производство действительно было налажено. Но проблема с топливом так и осталась неразрешенной. Прежде всего нужно помнить, что синтетическое горючее ни в коей мере не может сравниться по качеству с горючим из нефти. Использование синтетического топлива резко снижает тактико-технические характеристики боевой техники, прежде всего самолетов, танков, кораблей. Конструкторы могут создать великолепный самолет, технологическая культура заводов может быть самой высокой в мире, инженеры и рабочие могут вложить в постройку самолета весь свой талант и усердие, но из-за плохого горючего самолет все равно будет тихоходным, слабосильным и неуклюжим.

Вдобавок ко всему синтетическое топливо еще и дорогое. В случае с древесиной проблем почти не было. Если не хватало древесины, вместо нее в гитлеровской Германии использовалась картофельная ботва. Ботва хоть качеством и пониже древесины, зато дешевая. А производство синтетического горючего обходится в 7—12 раз дороже производства горючего из нефти. На использование синтетического бензина Гитлер решился не от хорошей жизни. Желающих повторить опыт Гитлера трудно найти. Судить о качестве и стоимости синтетического горючего позволяет такой факт. Во второй половине XX века мир не раз потрясали нефтяные кризисы. Химическая промышленность всего мира в начале третьего тысячелетия куда как мощнее, чем химическая промышленность Германии в 1941 году. Однако почему-то никто не спешит производить синтетическое горючее.

Теперь о количестве.

Минимальная потребность Германии в нефти на 1941 год определялась в 20 миллионов тонн (Я.Т. Эйдус. Жидкое топливо в войне. М., 1943. С. 74—75).

Не забудем, что у Гитлера были союзники, у которых были армии, флоты и воздушные силы. Но у них тоже не было нефти. Их тоже надо было снабжать германским топливом.

Производство синтетического горючего в Германии в 1941 году — 4,1 миллиона тонн, т. е. одна пятая от самого крайнего минимума. Если вспомнить союзников, с которыми надо было делиться, тогда доля синтетического горючего в общем балансе 1941 года совсем незначительна.

Кроме синтетического горючего, настоящая нефть поступала в Германию из Австрии, Чехословакии, Франции, Венгрии и Польши. Всего за 1941 год — 1,3 миллиона тонн.

Итого за 1941 год Германия произвела синтетического горючего и получила настоящей нефти из оккупированных ею стран — 5,4 миллиона тонн.

Если бы не было нефти Румынии, то при таком количестве горючего армии, авиации, флоту, транспорту и промышленности Германии пришлось бы работать и воевать три месяца в году, а девять месяцев в полном оцепенении ждать следующего года.

Гитлер считал, что если бы Красная Армия сокрушила Румынию в 1940-м или 1941 году, то без румынской нефти Германия могла продержаться до весны 1942 года.

Этот оптимизм не выдерживает проверки арифметикой. Без румынской нефти потребности экономики и вооруженных сил Германии удовлетворялись только на четверть очень плохим и очень дорогим топливом. Захват Румынии Красной Армией в 1940-м или 1941 году оборачивался катастрофой для Германии в течение двух-трех месяцев.

Сколько же нефти шло из Румынии? В 1941 году — 5 миллионов тонн.

Этого было совершенно недостаточно. Без этого жить и воевать было невозможно. Получая нефть Румынии, Германия балансировала на проволоке, кое-как обходилась количеством, вдвое меньшим минимальной потребности.

В ходе всей войны проблема с нефтью в Германии так и не была решена. 6 июня 1942 года ОКВ сложившуюся ситуацию оценивало так: «Снабжение горюче-смазочными материалами в текущем году будет одним из слабых мест нашего военного потенциала. Недостаток горюче-смазочных материалов всех видов настолько велик, что будет затруднена свобода операций всех трех видов вооруженных сил, и это в такой же мере отрицательно скажется на военной промышленности... Небольшого улучшения можно ожидать к концу года, когда будут пущены в производство новые заводы синтетического горючего, что, однако, не принесет с собой решительного улучшения в снабжении ГСМ» (Б. Мюллер-Гиллебранд. Сухопутная армия Германии 1933—1945 гг. М., 1956—1958. Т. 3. С. 67).

Чем дальше шла война, тем хуже становилось снабжение. К концу войны Германия первой в мире начала серийное производство реактивных самолетов. Истребитель Ме-262 превосходил все самолеты мира по скорости и вооружению. Их было произведено 1433. Но не хватало керосина. А без керосина лучший в мире истребитель летать не мог. Из почти полутора тысяч построенных самолетов этого типа в боях участвовало чуть больше двухсот. Остальные так и остались на земле.

До «освободительного похода» Жукова в Бессарабию Румыния была страной нейтральной. Поставки нефти из Румынии в Германию не были ничем гарантированы.

И тут Гитлеру помог Жуков. Своим «освободительным походом» он толкнул Румынию в объятия Гитлера. В октябре 1940 года власть над румынской нефтью была фактически захвачена Германией. До этого нефть Румынии не была ни советской, ни германской. Теперь она обрела берлинского хозяина.

7

Давайте же посмотрим правде в ее наглые глаза: Жуков не был военным мыслителем. Он не умел и не пытался смотреть на карту взглядом противника. Жуков был исполнителем. Сталин совершил роковую ошибку, а Жуков был не способен ее увидеть и Сталину на нее указать. Здравый смысл говорит: волка можно гнать в угол, но только для того, чтобы там немедленно его пристрелить. Если же мы загнали волка в угол, но не убиваем, он может броситься. Прыжок волка внезапен и страшен. Прямо в лицо.

Именно это случилось в 1941 году. Уже в 1939 году Гитлер попал в стратегический тупик, из которого не было выхода. В 1940 году Сталин занес над Гитлером топоры с двух сторон: на севере — над железной рудой, лесом и никелем, на юге — над нефтью. Сталин медлил, выжидал, когда Гитлер бросится на Британию. Но в 1941 году Британия была не опасна Гитлеру. Опасность исходила от Сталина. 21 июня 1941 года Гитлер написал письмо Муссолини: «Россия пытается разрушить румынские нефтяные источники... Задача наших армий состоит в том, чтобы как можно быстрее устранить эту угрозу».

Вот в чем причина нападения. Отнюдь не борьба за жизненное пространство.

Жуков не понял стратегической ситуации 1940 года и Сталина об опасности не предупредил. Скажу больше:

Жуков и потом до конца жизни так и не сообразил, какой просчет совершил, сосредоточив на границе с Румынией свой Южный фронт. Вы можете смеяться, но в мемуарах Жукова нет ни слова о том, как создавался Южный фронт, какие имел силы и задачи, как удалось избежать войны с Румынией в 1940 году и к чему это привело. Жуков пишет о трудовых подвигах рабочих и крестьян Советского Союза. Он рассказывает (Воспоминания и размышления. С. 197) о выполнении первого и второго пятилетних планов, о грандиозных замыслах на третью пятилетку. На следующей странице Жуков повествует о капиталовложениях в промышленность. Еще через страницу — о стоимости государственных материальных резервов, об организации руководства промышленностью, об укреплении дисциплины на предприятиях, о социалистическом соревновании, о мудрой политике Коммунистической партии. Все это добросовестно переписано из журнала «Блокнот агитатора». В книге Жукова вы найдете все что угодно, вплоть до описания переговоров военных миссий СССР, Великобритании и Франции, к которым он не имел вообще никакого отношения. Но не найдете ни слова о Южном фронте, которым Жуков командовал.

Особо подчеркиваю: я ссылаюсь только на первое издание мемуаров Жукова (М.: АПН, 1969). Это издание вышло при жизни Жукова, и он несет за него ответственность. Остальные издания выпускались после его смерти и, как мы увидим, постоянно претерпевали и претерпевают радикальные изменения. Между первым и десятым изданиями мало общего. Как видно, Георгий Константинович с того света, из урны с прахом, которая замурована в Кремлевской стене, посылает сигналы, и его мемуары чудесным образом непрестанно совершенствуются в соответствии с установками сегодняшнего дня.

Вывод: если Сталин замышлял блистательную операцию, Жуков мог ее осуществить. Но если Сталин ошибался, как ошибся в 1940 году в Румынии, то Жуков бездумно выполнял порученное ему задание, не размышляя о последствиях.

Возразят: летом 1940 года Жуков не вник в стратегическую ситуацию, ничего в ней не понял, но, может быть, в других ситуациях Жуков был мудрее и Сталину подсказывал правильные решения. Очень даже может быть. Однако стратегический просчет 1940 года был настолько грубым, глубоким и страшным, что его катастрофические последствия для судьбы Советского Союза было невозможно потом перекрыть никакими гениальными решениями и блистательными победами. Из-за просчета Сталина и Жукова Гитлер напал на Советский Союз, разгромил кадровую армию и сокрушил большую часть советской промышленности. В результате Советский Союз не смог покорить Европу. Сталин проиграл войну за Европу и мировое господство. Свободный мир выжил, а существовать рядом с ним Советский Союз не мог. Поэтому крушение Советского Союза стало неизбежным. Корни крушения — в победоносном походе Жукова в Бессарабию и Северную Буковину летом 1940 года.

Советский Союз победил во Второй мировой войне, но почему-то исчез с глобуса. И я спрашиваю: а где же это великое победоносное государство? Куда оно провалилось? Германия проиграла войну, но мы ее видим: вот она — величайшая сила современной Европы, у ворот которой мы попрошайничаем. А где же великий, могучий, несокрушимый Советский Союз?

Германия проиграла, но она есть. Советский Союз победил, но его нет. Кому нужна такая победа?

Красная пропаганда утверждает, что Советский Союз выиграл войну потому, что великий Жуков понимал стратегию.

Возражаю: война была проиграна потому, что Жуков не понимал простейших основ стратегии. Их можно выразить просто: замахнулся — бей!

Или не замахивайся.

ГЛАВА 5

РЕЦЕПТ ПРОВАЛА

> Был ли Жуков великим стратегом? А
> мог ли вообще безграмотный солдафон
> им быть?
>
> *А. Тонов.* «Независимая газета»,
> 5 марта 1994 г.

1

Летом 1940 года Сталин и Гитлер изменили лицо Европы Германия разгромила и оккупировала Францию, Бельгию, Голландию, Люксембург, а Советский Союз присоединил к себе Эстонию, Литву, Латвию, Бессарабию, Северную Буковину и кусок Финляндии. На Европейском континенте остались только два мощных государства, только две большие армии: германская и советская.

Сложившуюся ситуацию следовало осмыслить и обсудить. И вот в сентябре 1940 года все командующие советскими военными округами и армиями, начальники их штабов, некоторые командиры корпусов и дивизий получают сообщение о том, что в декабре в Москве состоится совещание высшего командного состава. Совещание собиралось весьма необычное. Было известно, что проводится оно по приказу Сталина. Ожидалось присутствие не только Сталина, но и всего состава Политбюро. На совещании предстояло заслушать и обсудить доклады. Центральный доклад — «Характер современной наступательной операции». Подготовить его было поручено командующему Киевским особым военным округом генералу армии Г.К. Жукову.

В «Ледоколе» я писал, что, получив такое задание, Жуков провел единственное в своей жизни георетическое исследование. Прошу прощения у своих читателей. Я ошибся. Никаких теоретических изысканий Жуков в своей жизни не проводил. Автором доклада был полковник И.Х. Баграмян.

Гениальный стратег Жуков любил поражать слушателей глубиной мысли. Но мысли — чужие. Жуков щедро рассыпал жемчужины военной мудрости, которые в изобилии готовили для него безвестные полковники.

Но в данном случае получился сбой. Безвестный полковник Баграмян в ходе войны и после нее догнал Жукова в воинском звании, сам стал Маршалом Советского Союза. Вот он и поведал миру, что в 1940 году служил источником жуковской мудрости. О том, как был сотворен доклад Жукова, Баграмян рассказывал подробно и многократно. Жукову не оставалось иного, и он откровения Баграмяна вынужден был подтвердить: да, занят я был ужасно, потому полковник Баграмян выполнял мою работу.

Давайте же издадим вопль изумления. Или несколько воплей, ибо причин для изумления много.

2

Защитники жуковской гениальности могут найти множество неотложных и срочных дел, которыми по самое горло был загружен командующий войсками Киевского особого военного округа. Однако, чтобы апологеты ни придумали, мы останемся при своем мнении: не могло быть ничего более важного, чем выступление на этом совещании. Согласимся: Киевский особый военный округ могуч и важен. Не будем спорить: у командующего много дел. Однако предстояло совещание наивысшего уровня, на котором должен был обсуждаться самый важный вопрос: как уберечь страну от разгрома и гибели. Что могло быть важнее? Проблемы Киевского особого военного округа меркнут в свете важности предстоящего события. Жукову дали возможность подняться над рутиной одного округа и окинуть взглядом стратегические дали. Делами округа на короткое время могли бы заниматься заместители Жукова. Во главе округа стоит Военный совет, который помогает командующему принимать решения. Военный совет способен управлять округом в отсутствие командующего. Есть у Жукова начальник штаба, есть первый заместитель и просто заместители, есть начальник артиллерии, командующий ВВС, начальник разведки и еще много генералов. Пусть они занимаются Киевским округом, а сам великий стратег пусть совсем немного времени уделит раздумьям о грядущей войне и безопасности страны. Советский Союз для Жукова должен быть превыше всего. Не так ли?

Если бы Сталин и члены Политбюро считали, что доклад может подготовить какой-то полковник, то ему бы и поручили сочинить трактат и его зачитать. Но в Москве считали, что этим делом чрезвычайной важности должен заниматься стратег первого ранга. Жукова, по недоразумению, тогда считали стратегом, потому из Москвы пришел приказ именно Жукову лично готовить доклад. Этот приказ как бы отодвигал на второй план дела Киевского округа, временно освобождал Жукова от ответственности за округ и требовал заниматься делом государственного значения. Да ведь и Жуков поставлен командовать округом не для того, чтобы все проблемы решать самому, а для того, чтобы подобрать хороших помощников и заместителей и заставить их работать. У хорошего командующего все работает как отлаженный механизм, а сам он погружен в мысль. Если Жуков хороший командующий, то его отсутствие на время подготовки доклада не должно быть замечено никем. Командующий должен поставить работу в округе так, чтобы все его подчиненные действовали слаженно и четко, независимо от того, присутствует шеф на командном пункте или отсутствует, сидит в кабинете или нет. Если бы Жуков поставил управление округом правильно, то ему хватило бы времени заниматься безопасностью страны.

Но у Жукова все наоборот. Сам он занимается делами Киевского округа, и десятки генералов из его окружения заняты тем же. А о грядущей войне и безопасности страны за Жукова думает полковник.

Да, полковник Баграмян, который написал доклад вместо Жукова, потом поднялся на большие высоты. Но в том-то и дело, что Жуков этого взлета не ожидал и не предвидел, Жуков заставил думать вместо себя заведомо малоизвестного человека, который в тот момент нигде ничем себя не проявил. Вот отношение Жукова к безопасности страны.

Защитники Жукова утверждают, что великий полководец был ужасно занят, что у него просто не было времени думать о грядущей войне. Согласимся. Но если о грядущей войне не думать, тогда вся остальная кипучая деятельность стратега — бестолковая суета.

3

Вспомним, как после войны Жуков объяснял свои слезы при отъезде в Киев. Он пишет, что, глядя на беззаботно провожавших его родных и товарищей, на Москву, на радостные лица москвичей, предчувствовал надвигающуюся трагедию. Но многие этого не понимали... Итак, за год до войны они, глупенькие, не чувствовали ее приближения и ничего не понимали, а гениальный Жуков все предвидел и все понимал. И вот ему, всевидящему, выпала уникальная возможность за полгода до войны высказать то, что наболело, прямо Сталину в глаза в присутствии всего состава Политбюро и высшего командного состава Красной Армии. Вот бы Жуков и рассказал Сталину, Молотову, Кагановичу, Маленкову и другим, что надвигается трагедия. Но о своем гениальном предвидении

77

надвигающейся беды Жуков поведал доверчивым слушателям после войны, а тогда, перед войной, со Сталиным, членами Политбюро и всем высшим руководящим составом Красной Армии своими тревожными предчувствиями почему-то делиться не стал.

А ведь не могла подготовка доклада быть трудной. Не надо мудрствовать. Не надо теории, не надо заумных рассуждений. Если ты знаешь, что война неотвратимо надвигается, если знаешь, что готовность к войне не соответствует современным требованиям, выскажи это. О чем думаешь, о чем плачешь, то и скажи. Ну хоть заплачь перед Сталиным, как плакал на вокзале 8 июня 1940 года!

И не могла подготовка доклада занять много времени.

В августе 1939 года Жуков провел блистательную операцию по окружению и разгрому 6-й японской армии в монгольских степях. Это был первый в ХХ веке сверкающий образец настоящего блицкрига. Немецкое вторжение в Польшу произошло позже — в сентябре. Да, немецкий блицкриг в Польше был шире по размаху. Однако советский блицкриг в Монголии было гораздо труднее организовать. В Европе был хотя и напряженный, но мир. Внезапный удар в мирное время подготовить проще. А в Монголии уже шла война. Достичь внезапности в ходе войны труднее — противник начеку. Кроме того, германская армия в войне против Польши использовала свои стационарные аэродромы, базы снабжения, командные пункты, узлы связи, госпитали, ремонтные заводы и базы, а в Монголии не было ни железных и никаких других дорог, ни лесов, ни аэродромов, ни телефонных линий, ни телеграфных. Каждое бревно для строительства блиндажа, каждый телеграфный столб, каждое полено для солдатской кухни приходилось везти за сотни километров. Оружие, боеприпасы, горюче-смазочные материалы приходилось доставлять по бездорожью иногда за тысячи километров. Японская армия — одна из сильнейших в мире. По уровню стойкости, дисциплины, отваги в бою и готовности к самопожертвованию японская армия не знает себе равных. И вот против этой армии была проведена молниеносная сокрушительная операция, в результате которой японские войска потерпели поражение, равного которому не было во всей предыдущей истории Страны восходящего солнца.

Во второй половине 1940 года из всех высших командиров Красной Армии один только Жуков имел опыт проведения внезапной, молниеносной наступательной операции с участием десятков тысяч солдат, сотен танков, самолетов и орудий. Вот он и должен был передать свой опыт остальным командирам, которые такого опыта не имели. И не надо помощи какого-то полковника Баграмяна. Надо просто и ясно рассказать: я готовил операцию так и так, а проводил ее вот эдак. Понятно, что будущие операции Красной Армии по захвату Европы будут отличаться от операций в пустынных степях. Жукову следовало показать разницу между операциями в Центральной Азии и грядущими операциями в Центральной Европе. Вот и все.

Представим, что Жуков сам готовил операцию по разгрому 6-й японской армии на Халхин-Голе. В этом случае ему не надо прилагать никаких умственных усилий для подготовки доклада. Ведь он уже давно все продумал еще там, в степях Монголии. Остается только продиктовать машинистке свои воспоминания.

Но Жуков не готовил сам операцию на Халхин-Голе, потому и не мог без чужой помощи внятно рассказать о ее подготовке и проведении. Вместо себя писать трактат о наступательной операции Жуков сажает полковника Баграмяна, который в тот момент опыта ведения современной войны не имел. Он тогда вообще никакого боевого опыта не имел. В Первой мировой войне Баграмян служил в запасных частях. В ходе Гражданской войны был командиром кавалерийского эскадрона. Но не в Красной Армии. Он воевал против нее. И не особенно успешно. В Армении, где командовал Баграмян, никаких достойных упоминания боев, операций и сражений не было. После Гражданской войны, в декабре 1920 года, Баграмян переметнулся на сторону победителей. Вот ему Жуков и поручил думать вместо себя о грядущей войне и готовить рецепты грандиозных побед.

4

Поражает тема доклада.

Нас учили, что Советский Союз готовился к отражению вражеского нашествия. Если так, то на совещании высшего командного состава надо было решить один только вопрос: как вражеское нашествие отразить. Почему же этот вопрос не обсуждался? Почему главной и единственной темой совещания была подготовка к вторжению в Центральную Европу?

Мы видели горестного Жукова, который еще в июне 1940 года, подобно плачущей Ярославне, скорбел о грядущих жертвах. Коли так, откажись от доклада! Если в тебе осталось сорок граммов совести, если тебе дорога судьба страны и ее народа, встань и скажи: не о наступлении надо думать, дорогие товарищи, а об отражении агрессии! Прежде чем планировать вторжение в Германию, давайте подумаем об обороне своей страны.

После войны Жуков объяснял свои слезы при отъезде в Киев в июне 1940 года весьма возвышенно: «Я окончательно укрепился в мысли, что война близка, она неотвратима... Но какая она будет, эта война? Готовы ли мы к ней? Успеем ли все сделать?» Это он рассказывал нам после драки. Почему эти красивые слова он не сказал там, на совещании высшего командного состава? Почему он не задал эти вопросы Сталину и другим товарищам из Политбюро? Вместо этого Жуков с высокой трибуны совещания говорил совсем другие слова: «Необходимо воспитывать нашу армию в духе величайшей активности, подготовлять ее к завершению задач революции путем энергичных, решительно и смело проводимых наступательных операций» (Накануне войны: Материалы совещания высшего руководящего состава РККА. 23—31 декабря 1940 г. М., 1993. С. 151).

Вот его цель: завершение Мировой революции. Вот его метод: внезапные сокрушительные наступательные операции.

5

Историки-коммунисты нашли объяснение, почему Жуков на совещании говорил не об отражении агрессии, а о завершении задач Мировой революции путем агрессивной войны. Объяснение вот какое: Жуков планировал быстренько отразить агрессию и тут же перейти в наступление. Хорошо придумано. Но придумано задним числом. И если Жуков планировал быстренько отразить агрессию, а потом бросить Красную Армию в решительное наступление на территорию противника, то следовало так и поступить. Следовало эту самую агрессию быстренько отразить. Отчего же не отразил?

Одно из двух: или никакое отражение агрессии вовсе не планировалось, или планы отражения агрессии в два счета оказались нереальными и невыполнимыми, то есть дурацкими.

Я склоняюсь к первому объяснению: об отражении агрессии никто не думал, агрессия Германии против СССР считалась невозможной, потому стратегическая оборона Красной Армии не предусматривалась и не планировалась. И об этом говорят стенограмма совещания и множество других документов: об отражении агрессии ни Жуков в своем докладе, ни другие докладчики и выступающие даже не вспомнили. Жуков говорил о внезапном нападении на противника: «Победу обеспечит за собой та сторона, которая более искусна в управлении и создании условий внезапности в использовании сил и средств. Внезапность современной операции является одним из решающих факторов победы. Придавая исключительное значение внезапности, все способы маскировки и обмана противника должны быть широко внедрены в Красную Армию. Маскировка и обман должны проходить красной нитью в обучении и воспитании войск, командиров и штабов» (Накануне войны. С. 151).

6

В своих мемуарах Жуков назвал тему доклада на совещании, но текст почему-то не опубликовал и подробностей не сообщил. Вот они, эти подробности: «Всего на площади 30 на 30 км будет сосредоточено 200 000 людей, 1500—2000 орудий, масса танков, громадное количество автотранспорта и других средств».

Это Жуков говорил о концентрации сил одной из советских армий вторжения перед наступлением, добавляя, что таких армий будет много. Все, что написал полковник Баграмян, Жуков предложил Сталину, членам Политбюро и высшему командному составу Красной Армии. Данные предложения были приняты и осуществлены. Смотрите немецкую хронику, листайте немецкие журналы 1941 года, вы увидите все то, о чем говорил Жуков: «масса танков, громадное количество автотранспорта и других средств». Все это было собрано у границ. И все сгорело. Немецким летчикам не надо было даже искать цели. Такую цель нельзя не заметить. Не надо было даже целиться. Тут не промахнешься.

Если двести тысяч солдат, полторы — две тысячи орудий, «массу танков, громадное количество автотранспорта и других средств» поставить в оборону, то можно создать непроходимый барьер на фронте в несколько сот километров. Если же поставить в оборону не одну армию, а все двадцать шесть советских армий, то фронт будет непробиваемым от Ледовитого океана до Черного моря. Но ни одна из двадцати шести советских армий в Европе не стояла в обороне, ни один корпус, ни одна дивизия, ни один полк. Все они были собраны в ударные группировки на предельно узких участках. Именно так, как рекомендовал великий стратег.

У Жукова много рекомендаций в докладе: раненых не надо вывозить далеко в тыл, стратегические запасы надо сосредоточить у самых границ, «надо создать базы на грунте в 15—20 км от переднего края». Все было осуществлено. У самых границ германская армия захватила сотни тысяч тонн боеприпасов, горюче-смазочных материалов, продовольствия и прочего, а Красная Армия осталась без снарядов, патронов, без бензина и хлеба.

Продолжим чтение доклада Жукова: «Господство в воздухе — основа успеха операции. Это господство достигается смелым и внезапным мощным ударом всех ВВС по авиации противника в районах ее базирования». Для этого: «Авиация располагается на аэродромах на удалении: истребительная — 30—50 км, бомбардировочная — 75—100 км от переднего края».

Но в этом случае наша авиация может попасть под внезапный удар. Как же уберечь свои самолеты от внезапного удара противника? Жуков дает простой ответ: «Особой заботой командира и командующего ВВС армии будет — не дать разбить свою авиацию на аэродромах. Лучшим средством для этого является внезапный удар нашей авиации по аэродромам противника... Внезапность является главным условием успеха».

Вот видите, Жуков думает и о сохранении своей авиации. Точнее — Баграмян об этом думает за Жукова. Но рецепт сохранения своей авиации все тот же: ударим внезапно по германским аэродромам и этим сохраним себя от внезапного удара. Других вариантов защиты наших аэродромов не предусматривалось.

7

Эти рекомендации тоже были приняты. Но потом, весной 1941 года, Жуков настоял на том, чтобы аэродромы придвинули к границе еще ближе: истребительной авиации — на 20—30 километров, бомбардировочной — на 50—70.

Не надо быть ни великим стратегом, ни ясновидящим, чтобы не понимать опасности такого расположения авиации. Давайте представим себе пост службы ВНОС (Воздушное наблюдение, оповещение, связь) и солдатика, который ранним воскресным июньским утром сидит на этом посту. Над его головой вдруг загрохотала армада германских бомбардировщиков. Наш солдатик поднял телефонную трубку и сообщил куда следует: «Слышу шум многих моторов, идут, высота... курс...» Прикинем, сколько потребуется времени, чтобы в соответствующем месте, куда стекаются сообщения от многих наблюдателей, информацию оценить, принять решение и отдать соответствующие распоряжения. Допустим, на это уйдет одна минута. А теперь представим себя в роли дежурного по авиационному полку или авиационной дивизии — звякнул телефон: боевая тревога! Дежурному надо разбудить командиров, летчиков, инженеров, техников, механиков, всех их надо собрать и из военного городка доставить на аэродром. Ведь не .под крыльями самолетов они спят. Потом надо снять маскировку с самолетов, снять чехлы, завести и прогреть двигатели, вывести самолеты из укрытий, вырулить на старт, подняться в воздух, набрать высоту...

А теперь задачи из элементарной математики для учеников третьего класса: скорость самого тихоходного германского бомбардировщика Ю-87 — 350 км/час, сколько минут ему потребуется для того, чтобы от государственной границы пролететь 20—30 километров и бросить бомбы на взлетную полосу советского приграничного аэродрома?

И еще одна задача для учеников начальных классов. Ситуация: все советские командиры, летчики и техники не спят никогда. Все самолеты всегда готовы к взлету, и их двигатели постоянно работают. Все решения принимаются мгновенно и также мгновенно передаются исполнителям. Если советский авиационный командир, получив сигнал тревоги, начнет немедленно поднимать в воздух самолеты с интервалом в 30 секунд, то сколько потребуется времени, чтобы с одной взлетной полосы поднять в воздух и вывести из-под удара 120 бомбардировщиков?

А если на аэродромах не по 120 боевых самолетов, а по 150—170, то сколько тогда потребуется времени?

Не надо быть гениальным стратегом, не надо звать на помощь группы высоколобых экспертов, не надо современной электронной техники, чтобы понять: при таком расположении авиации использовать ее для обороны государства невозможно. И давайте оставим разговоры об «устаревших» советских самолетах. Если бы все они были сверхсовременными, то все равно при таком их расположении отреагировать на внезапный удар противника невозможно. И давайте не будем рассказывать басни о том, что мало было самолетов. Было их много, чудовищно много. Но что толку, даже если бы их было вдвое, втрое или в десять раз больше? Представьте себя авиационным командиром: у вас на каждом приграничном аэродроме не по 120—150 самолетов, а по 300, вам от этого легче? Воздушные армады противника, перелетев границу, через 5—10 минут накрывают ваши аэродромы, а вам только на подъем в воздух 300 самолетов требуется два с половиной часа. Если они будет взлетать через 30 секунд. А если задержка на старте? А если они взлетают с интервалом в 40 секунд?

Кстати, 300 самолетов на одном аэродроме — не моя фантазия. Бывало и такое. Генерал-полковник авиации Л. Батехин приводит сведения: 60-я истребительная авиационная дивизия базировалась на одном аэродроме размером 800 на 900 метров (Воздушная мощь Родины. М., 1988. С. 160). Дивизия — это пять авиационных полков, как правило. Бывало и больше. А может, дивизии были не полностью укомплектованы? К этому вопросу мы еще вернемся и увидим, что советские авиационные полки и дивизии самолетами были укомплектованы полностью, кроме того, часто имели не по одному комплекту самолетов, а по два и более. И если бы все авиационные командиры, все летчики, техники, механики и прочая аэродромная братия каждую ночь спали под крыльями самолетов, то и тогда при внезапном нападении поднять авиацию в небо и вывести ее из-под удара было бы невозможно. Даже если бы вообще летчики никогда не спали, если бы они сидели, не вылезая, в кабинах самолетов, если бы двигатели работали не останавливаясь, то все равно при внезапном ударе противника наша авиация неизбежно бы погибла. А после этого гигантские скопления советских танков, пехоты и артиллерии превращались в циклопа с выбитым глазом.

И хорошо, если ваш аэродром далеко от границы, в 12—15 километрах, тогда у вас есть 2—3 минуты времени от момента перелета противником воздушной границы до падения первой бомбы на взлетную полосу. За 2—3 минуты можно что-то предпринять. Но не все же аэродромы находились так далеко от границ. Генерал-полковник Л.М. Сандалов свидетельствует: «Штурмовой полк перебазировался на полевой аэродром в 8 км от границы» (ВИЖ. 1971. № 7. С. 21). Это — 74-й штурмовой авиационный полк 10-й авиационной дивизии 4-й армии Западного фронта. Перебазирование — 20 июня 1941 года по приказу начальника Генерального штаба РККА генерала армии Г.К. Жукова.

Не позавидуем командиру этого полка. Если бы он, бедняга, все ночи напролет сидел с телефонной трубкой возле уха и если бы в момент нарушения воздушной границы сигнал боевой тревоги был немедленно передан на аэродром, то у командира полка было бы в запасе чуть больше минуты времени в случае, если летят тихоходные немецкие Ю-87. А если удар наносили скоростные Ю-88, то времени у командира оставалось меньше минуты. Если же ударит с той стороны немецкая артиллерия, то времени вообще никакого не остается: в один момент снаряды перепашут взлетную полосу, разнесут в клочья боевые самолеты, и будут долго рваться бомбы на складах и смрадом застилать небо горящий бензин. Именно это и случилось утром 22 июня.

Бывало и хуже: на советский аэродром в Оранах (Литва) 22 июня 1941 года ворвались немецкие танки. Тоже картина не для слабонервных: на аэродроме — летчики, их вооружение — пистолет «ТТ». Против танка это не лучшее оружие. У охраны — винтовки. У мотористов — гаечные ключи. Хорошо нашим железнодорожникам: у границ по приказу Жукова были сосредоточены десять железнодорожных бригад численностью в 70 тысяч человек для перешивки германской колеи на широкий советский стандарт. Так вот, бойцы железнодорожных бригад пробовали от немецких автоматчиков отбиваться кувалдами, лопатами, кирками и разводными ключами. А на аэродроме как от танков отбиваться?

И не один аэродром в Оранах в первый день войны попал под танковые гусеницы, много их было...

Говорят, Сталин во всем виноват. Однако в данном случае мнение о сталинской вине не подтверждается. Накануне войны Сталин решил заслушать своих стратегов. Стенограмма совещания высшего командного состава РККА свидетельствует: Сталин в работу совещания не вмешивался, своего мнения не навязывал и не высказывал. Каждый маршал и генерал говорил то, что считал нужным сказать, то, что думал.

Сталин намеревался заслушать мнение своих стратегов. Но у стратега Жукова не оказалось времени на подготовку к совещанию. Жуков не мог высказать того, что думал, не потому, что ему мешали говорить, а потому, что он ничего не думал.

Но я утверждаю: Жукова за разгром 1941 года ругать нельзя. Какой с Жукова спрос? За Жукова думал другой дядя. Вот он во всем и виноват.

ГЛАВА 6

СОВЕЩАНИЕ В ДЕКАБРЕ

> Огромное значение для успеха имеет применение новых средств борьбы и приемов нападения. Прежде чем противник найдет способ противодействия, наступающий может воспользоваться всеми выгодами, которые дает в этих случаях элемент внезапности.
>
> Генерал армии *Г.К. Жуков.* Доклад на совещании высшего командного состава РККА 26 декабря 1940 г.

1

23 декабря 1940 года в Москве открылось совещание высшего командного состава РККА. Оно продолжалось 9 дней без выходных и завершилось вечером 31 декабря.

На совещании присутствовали руководители Наркомата обороны и Генерального штаба, начальники центральных и главных управлений, командующие и начальники штабов военных округов и армий, генерал-инспекторы родов войск, начальники всех военных академий, командиры некоторых корпусов и дивизий. Всего 276 маршалов, генералов и адмиралов.

Как и предусматривалось, на совещании присутствовали Сталин и весь состав Политбюро.

Совещание было собрано в обстановке строгой секретности. Генералы прибывали в Москву в закрытых вагонах или на военных самолетах. Их встречали в укромных местах и в закрытых машинах доставляли во внутренний двор гостиницы «Москва». Генералам, которые прибыли в Москву из других мест, выход на улицы столицы был запрещен. Газеты Дальневосточного фронта и военных округов продолжали печатать портреты своих командующих и репортажи об их повседневной деятельности, создавая впечатление, что они находятся на своих боевых постах, а не в Москве. Перед началом заседания во внутреннем дворе гостиницы генералов сажали в закрытые автобусы и доставляли в Генеральный штаб. Таким же порядком после завершения заседаний возвращали в гостиницу. Понятно, сама гостиница была «очищена от постороннего элемента» и находилась под особой охраной и наблюдением.

Пока существовал Советский Союз, материалы совещания были закрыты грифом «Совершенно секретно». Если бы Советский Союз не рухнул, то сейчас об этом совещании мы бы знали только то, что рассказал Жуков.

Почему-то ни наших официальных историков, ни наших многочисленных прикормленных друзей за рубежом эта секретность не удивляет. А ведь ситуация невероятная! За шесть месяцев до германского вторжения состоялось совещание, на котором 9 дней заседали Сталин, весь состав Политбюро и все высшее руководство Красной Армии. Они о чем-то говорили, что-то обсуждали, о чем-то спорили. Они готовились к святой оборонительной войне, к отражению вражеского нашествия. И вот война началась, отгремела и завершилась. Прошло десять лет после ее начала, двадцать, тридцать и пятьдесят лет, но нельзя рассказывать о том, как руководство Советского Союза и Красной Армии готовилось к отражению агрессии!

Да почему же?

И еще: никому из участников совещания рассказывать о нем нельзя, ибо это военная тайна, а Жукову — можно.

Но тайна — это нечто вроде воздуха в резиновом шарике. Стоит шарик чуть иголочкой ткнуть, и все содержимое через дырочку вырвется наружу, а шарик лопнет. Стоит какому-нибудь Жукову болтнуть лишнее, и тайна перестанет быть тайной. Но в нашем чудесном государстве этого почему-то не происходило. Жуков открыто рассказывал о совещании высшего командного состава, которое состоялось в декабре 1940 года, но от его болтовни тайна не переставала быть тайной. Материалы совещания все так же оставались совершенно секретными, несмотря на то что Жуков эти секреты открыл всему свету.

Что же это за тайна такая, если ее можно выбалтывать?

2

3 января 1939 года Верховный Совет СССР пересмотрел и утвердил новый текст военной присяги, а также Положение о порядке ее принятия. 23 февраля 1939 года вся Красная Армия была приведена к присяге. Весь личный состав, от рядового до маршала, принимал присягу в индивидуальном порядке. Каждый подписывался под ее текстом. В тот день военную присягу принял и сам Сталин.

И вот через 30 лет, в 1969 году, вышли мемуары Жукова. И он рассказал, что на совещании высшего командного состава в декабре 1940 года обсуждались вопросы возможного нападения Германии на Советский Союз и отражения гитлеровской агрессии. Все это весьма интересно, но это разглашение секретов, ведь в момент выхода мемуаров Жукова материалы совещания хранились как величайшая государственная тайна, которую предполагалось никогда не раскрывать.

Жуков, принимая присягу, клялся «хранить военную и государственную тайну». А завершалась присяга так: «Если же по злому умыслу я нарушу эту мою торжественную присягу, то пусть меня постигнет суровая кара советского закона, всеобщая ненависть и презрение трудящихся».

Никто Жукова от военной присяги не освобождал. Он клялся быть верным присяге не до пенсии, а «до последнего дыхания». Я-то, простой советский офицерик, прочитав в 1969 году откровения Жукова про совещание высшего командного состава, решил: злой умысел налицо, вот сейчас Жукова Георгия Константиновича постигнет суровая кара советского закона, всеобщая ненависть и презрение трудящихся.

Не тут-то было! За нарушение присяги Жукова тут же постигла всеобщая безумная любовь, обожание и обожествление. Я еще тогда подумал: ах, вот где таится секрет успеха и всенародной любви!

3

Как же дошли мы до жизни такой? Жуков демонстративно, на виду всего мира, нарушил присягу, но почему-то никто не обвинил его в предательстве? Жуков по злому умыслу разглашал военные секреты страны, а его почему-то не объявили во всесоюзный розыск? Куда смотрели наши компетентные органы?

Как объяснить поведение Жукова и поведение руководителей страны, которые попустительствовали изменнику?

Неясности прояснились после крушения Советского Союза.

Оказалось, что Жуков нас обманул. Он только прикидывался предателем, но никаких военных тайн не раскрыл. В данном случае присяга Жуковым не была нарушена: о ходе совещания высшего командного состава Жуков просто врал. Он рассказывал в своей книге: «Все принявшие участие в прениях и выступивший с заключительным словом нарком обороны были единодушны в том, что, если война против Советского Союза будет развязана фашистской Германией...» (Воспоминания и размышления. С. 191).

Это не так. Ни о каком нападении Германии на Советский Союз речь не шла. Речь шла о нападении на Германию. Вот потому материалы совещания и оставались совершенно секретными до тех пор, пока не рухнул Советский Союз.

Сам Жуков говорил на том совещании о новых приемах *нападения*. Внезапного нападения. И все выступающие говорили только об этом. Например, начальник штаба Прибалтийского особого военного округа генерал-лейтенант П.С. Кленов, который выступал первым после Жукова, говорил не о простых наступательных операциях, а об операциях *особого рода*. «Это будут операции начального периода, когда армии противника не закончили еще сосредоточение и не готовы для развертывания. Это операции вторжения для решения целого ряда особых задач... Это воздействие крупными авиационными и, может быть, механизированными силами, пока противник не подготовился к решительным действиям... Механизированные части придется использовать самостоятельно, даже несмотря на наличие крупных инженерных сооружений, и они будут решать задачи вторжения на территорию противника» (Накануне войны. С. 153—154).

После распада Советского Союза стенограмма совещания была опубликована отдельным томом. Но в наши головы давно вбиты фантастические рассказы Жукова о том, что якобы накануне войны советские генералы обсуждали вопросы отражения германской агрессии. Потому мы не ищем новых материалов о начале войны: и так все ясно. Потому книгу о совещании высшего командного состава мало кто заметил.

А зря. Всю книгу мне не пересказать. В ней 407 страниц. Ее надо найти и прочитать три раза. Или четыре.

4

О характере этого совещания можно судить по короткому обмену репликами. Генерал-лейтенант Ф.Н. Ремизов, командующий войсками Орловского военного округа, начинает свое выступление обращением к народному комиссару обороны Маршалу Советского Союза С.К. Тимошенко:

«Товарищ народный комиссар обороны, современную оборону мы понимаем прежде всего...

С.К. Тимошенко: Мы говорим не об обороне». (Там же. С. 170).

После войны была выдумана теория: мы готовились остановить противника не обороной, а нанесением контрударов. Так вот, ни о каких контрударах на том совещании речь не шла. Наоборот, целесообразность нанесения контрударов активно отрицалась. Выступает командующий войсками Уральского военного округа генерал-лейтенант Ф.А. Ершаков: «Я не согласен с контратакой и с контрударом» (Там же. С. 334).

О контрударах говорили только тогда, когда речь заходила о противнике: мы наступаем, противник стоит в глухой обороне и наносит контрудары. Обсуждались вопросы, не как нам наносить контрудары, а как отбивать контрудары противника.

5

Первым и центральным докладом был доклад Жукова о способах внезапного нападения на противника. Тема второго доклада — «Военно-Воздушные Силы в наступательной операции и в борьбе за господство в воздухе». Докладчик — начальник Главного управления ВВС Красной Армии генерал-лейтенант авиации П.В. Рычагов. Жуков пишет: «Это было очень содержательное выступление» (Воспоминания и размышления. С. 191). Больше Жуков ничего не сказал. Пришлось ждать еще четверть века, пока не развалился Советский Союз и не была опубликована стенограмма совещания. Суть «очень содержательного выступления» Рычагова сводилась к тому, что «лучшим способом поражения авиации на земле является одновременный удар по большому количеству аэродромов возможного базирования авиации противника» (Накануне войны. С. 177).

Еще доклад: «Использование механизированных соединений в современной наступательной операции и ввод механизированного корпуса в прорыв». Докладчик — командующий войсками Западного особого военного округа генерал-полковник танковых войск Д.Г. Павлов. Вот только один пассаж из его доклада: «Польша перестала существовать через 17 суток. Операция в Бельгии и Голландии закончилась через 15 суток. Операция во Франции, до ее капитуляции, закончилась через 17 суток. Три очень характерные цифры, которые не могут меня не заставить принять их за некое возможное число при расчетах нашей наступательной операции» (Там же. С.255).

6

В те времена по советским уставам полоса обороны дивизии — 8—12 километров. Выступающие на совещании единогласно выступают за расширение полосы обороны. Уж слишком высокая плотность войск в обороне получается. Зачем так много войск ставить в оборону, обрекая их на бездеятельность? Дать дивизии полосу обороны в 30 километров! Дать ей 40! А высвободившиеся войска бросить в наступление!

Рассматривались другие возможности: концентрировать все силы на тех направлениях, где мы будем наносить внезапные удары по Германии, а на второстепенных направлениях не обороняться вообще — на тех направлениях надо просто оголять границу! Выступает начальник штаба Ленинградского военного округа генерал-майор П.Г. Понеделин и, ссылаясь на опыт Гражданской войны, призывает смело снимать войска там, где мы наступать не намерены, чтобы сконцентрировать огромные силы там, где будем наступать: «Вы помните, наши руководители не боялись, идя на оголение целых больших пространств, с тем, чтобы собрать нужные войска на нужном направлении фронта» (Там же. С. 321). Генерал-майор Понеделин не зря говорит о каких-то безымянных руководителях. В ходе Гражданской войны ради создания ударных группировок весьма смело оголял второстепенные участки фронта Тухачевский. За эту «смелость» Тухачевский поплатился величайшим разгромом. Под Варшавой пан Пилсудский внезапно ударил со стороны фланга, который Тухачевский так смело оголил. Но урок Тухачевского ничему не научил некоторых наших полководцев. Вот Понеделин и требует повторить опыт Тухачевского, не называя его по имени.

За несколько месяцев до этого совещания завершилась война против Финляндии. Главные силы Красной Армии штурмовали «Линию Маннергейма» на Карельском перешейке, а Понеделин был командиром 139-й стрелковой дивизии и обеспечивал второстепенное направление. И вот он делится своим опытом: «139 сд построила прочную оборону на фронте 30 километров, имея справа открытое пространство в 50 километров и слева 40 километров» (Там же. С. 323).

Не надо думать, что все высшие командиры Красной Армии слепо верили в ценность опыта Гражданской войны, когда ради создания наступательных группировок некоторые полуграмотные стратеги типа Тухачевского оголяли второстепенные участки фронта. Были и у нас толковые полководцы. Против широкого использования старого опыта весьма резко выступал Маршал Советского Союза Семен Михайлович Буденный.

Когда Понеделин сказал о том, что его дивизия доблестно удерживала 30 километров, имея справа и слева оголенные участки границы общей протяженностью 90 километров, Буденный не выдержал и бросил из президиума: «А противник перед вами был?»

На это зал ответил дружным хохотом.

Но не все смеялись. Для генерала армии Жукова опыт Гражданской войны был священным. Жуков держался за этот опыт, как слепой держится за стену. И продвигал наверх тех, кто этим опытом дорожил. Через месяц после совещания Жуков стал начальником Генерального штаба. Он не забыл Понеделина, который призывал смело оголять фронт. В своем докладе Жуков требовал собирать для удара гигантскую мощь на узких участках. Помните: «Всего на площади 30 на 30 км будет сосредоточено 200 000 людей, 1500—2000 орудий, масса танков, громадное количество автотранспорта и других средств». Для того чтобы это сделать, надо где-то фронт оголять. Молодец Понеделин!

Должность Понеделина очень высокая — начальник штаба Ленинградского военного округа. Ведь он еще только генерал-майор. Однако Ленинградский военный округ в предстоящем сокрушении Германии будет играть второстепенную роль. И Жуков предлагает Понеделину должность чуть пониже, зато на главном направлении войны, там, где есть возможность отличиться. Понеделин становится командующим 12-й армией во Львовско-Черновицком выступе.

Понеделин действует так, как требуют интересы нападения: силы — в ударный кулак, а границу оголить!

Результат: в июне 1941 года 12-я армия Понеделина была разбита, как все советские войска Первого стратегического эшелона. Сам Понеделин попал в плен. После войны его под конвоем привезли в Москву, судили и расстреляли.

А Жуков, который Понеделина поставил на границу и горячо поддержал идею смелого оголения фронта, остался в стороне. Жуков — герой и великий гений.

7

Доклад «Характер современной оборонительной операции» прочитал командующий войсками Московского военного округа генерал армии И.В. Тюленев.

Ага! Значит, все-таки рассматривали вопросы обороны!

Да. Рассматривали. Вот что Тюленев сказал в докладе: «Мы не имеем современной обоснованной теории обороны».

И это чистая правда. Советская военная мысль до декабря 1940 года вопросами обороны не занималась. И после декабря — тоже. Ибо Тюленев тут же и доложил, что такая теория нам не нужна. Будем обороняться, но только в редких случаях, только на отдельных второстепенных направлениях. Цель обороны не в том, чтобы защитить страну от агрессора. Цель другая: мы будем проводить грандиозные внезапные наступательные операции на территории противника, для этого требуется собирать огромные силы на узких участках. Чтобы такие силы собрать, мы будем снимать почти все со второстепенных направлений, и вот там, на оголенных направлениях, мы и будем иногда обороняться. Тюленев выразил мысль, с которой никто не спорил: «Оборона будет составной частью нашего наступления. Оборона является необходимой формой боевых действий на отдельных второстепенных направлениях в силу экономии общих сил для наступательных действий и изготовления для удара» (Там же. С. 210).

Советское наступление в Европу готовилось не корпусами, не армиями и даже не фронтами. Народный комиссар обороны Маршал Советского Союза С.К. Тимошенко в заключительном слове призвал присутствующих иметь в виду «возможность одновременного проведения на театре войны двух, а то и трех наступательных операций различных фронтов с намерением стратегически, как можно шире, потрясти всю обороноспособность противника» (Там же. С. 350).

А оборона на главных направлениях не предусматривалась даже теоретически. Только на второстепенных.

На совещании было подтверждено мнение, которое господствовало в Красной Армии с момента ее создания: главное — наступать целыми армиями, фронтами и группами фронтов, но на отдельных направлениях иногда будут переходить к обороне полк или дивизия. Ну, может быть, корпус. Договорились до того, что к обороне может перейти даже целая полевая армия...

В июне 1941 года на Европейской территории СССР в составе пяти фронтов и Группы резервных армий находились 26 полевых армий. Ситуация, когда две армии рядом могут перейти к обороне на одном направлении плечом к плечу, считалась совершенно невероятной и даже теоретически не рассматривалась.

Об этом говорил и Жуков в своих мемуарах: «Генерал армии И.В. Тюленев подготовил основной доклад «Характер современной оборонительной операции». Согласно заданию, он не выходил за рамки армейской обороны и не раскрывал специфику современной стратегической обороны» (Воспоминания и размышления. С. 190).

И вот наш великий стратег Жуков на такое положение вещей не реагировал никак. Ни в 1940 году, ни четверть века спустя. «Согласно заданию» стратегическая оборона не готовилась и даже теоретически не рассматривалась. Раз задание никто не поставил, значит, Жуков ничего в этом направлении делать не будет. Подход чисто солдафонский: делаем то, что приказывают. То, что не приказывают, то не делаем. Инициативу проявить — не в характере нашего героя. Мог бы Жуков инициативу открыто и не проявлять, а просто намекнуть Сталину о стратегической обороне. Или, на крайний случай, если Жуков боялся сам поднимать этот вопрос, он мог приказать кому-то из подчиненных невзначай об обороне государства заикнуться...

Но не заикнулся никто.

Вывод у меня вот какой: в июне 1940 года, уезжая в Киев, Жуков плакал не потому, что предчувствовал великие беды. Причина другая. После разгрома 6-й японской армии на Халхин-Голе он рассчитывал получить высокий пост в Москве, а его в Киев отправляют. Как не заплакать? Вот объяснение его горю.

Если же поверить объяснению, которое дал сам Жуков, тогда картина получается куда более мерзкой. Давайте на мгновение поверим Жукову. В июне 1940 года он «окончательно укрепился в мысли, что война близка, она неотвратима». Он уезжает в Киев «с ощущением надвигающейся трагедии». Он плакал потому, что понимал неизбежность войны и знал о неготовности страны к обороне. И вот в декабре 1940 года, когда Сталин предоставил возможность говорить, Жуков ни словом не обмолвился о необходимости стратегической обороны.

Я мог бы применить всякие эпитеты, но воздержусь. Вы уж сами решение выносите, исходя из следующих фактов.

Жуков заявляет, что знал о грядущей трагедии, но никого об этом не предупредил. Он знал, что нападение Германии обернется гибелью десятков миллионов граждан страны, которая доверила ему свою безопасность. Понимая это, он горько поплакал и... успокоился. Жуков знал, что в результате нападения Германии Советский Союз будет разорен и отброшен в «третий мир», но из трусости, из карьерных или еще каких-то соображений он не вспоминал о стратегической обороне, когда была предоставлена возможность о ней говорить. Жуков хвалился после войны, что все понял еще в июне 1940 года: «С той поры моя личная жизнь была подчинена предстоящей войне, хотя на земле нашей еще был мир». Но Жуков не готовил стратегическую оборону, он даже боялся о ней вспоминать на совещании в январе 1941 года. Свою трусость он оправдывал тем, что ни ему, ни другим генералам такую задачу не ставили.

Храбрость солдата в том, чтобы идти на вражьи штыки. Храбрость генерала в том, чтобы иметь свое мнение и отстаивать его перед кем угодно. Солдат идет на смерть. Но и генерал обязан проявлять солдатское мужество: убейте, но я останусь при своем — нам нужно готовиться к обороне страны!

Выбирайте одно из двух.

Либо Жуков не стратег, а хвастун. Он ничего не знал и ничего не предвидел. Все свои предвидения он придумал после войны.

Либо Жуков трус. Он все знал, все предвидел, но побоялся говорить.

Я склоняюсь к первому решению: хвастун. Ибо если предположить, что он трус, тогда получается очень нехорошо. Выходит, что трусость Жукова обернулась для нашего народа десятками миллионов ненужных жертв и распадом страны.

ГЛАВА 7

КАК ЖУКОВ ГРОМИЛ ПАВЛОВА

> «Священная» война СССР против Гитлера была всего-навсего душераздирающей борьбой за право сидеть не в чужеземном, а в собственном концлагере, питая надежды расширить именно его на весь мир.
>
> *А. Кузнецов.* Бабий яр

1

Совещание высшего командного состава Красной Армии завершилось в 18.00 31 декабря 1940 года. Большая часть генералов, участвовавших в совещании, была скрытно и срочно отправлена к местам службы. В Москве остались самые главные.

Еще до завершения совещания в 11.00 31 декабря группе в составе 49 высших командиров были вручены задания на оперативно-стратегическую игру. Предстояло сражение на картах между «Восточными» и «Западными». По своему размаху и важности эта игра была крупнейшей за все предвоенные годы (ВИЖ. 1986. № 12. С. 41).

Войска «Восточных», то есть советские войска, возглавлял командующий Западным особым военным округом Герой Советского Союза генерал-полковник танковых войск Д.Г. Павлов.

Во главе войск «Западных», то есть германских, стоял командующий Киевским особым военным округом Герой Советского Союза генерал армии Г.К. Жуков.

В группе Павлова 28 генералов: начальник штаба фронта «Восточных», начальник оперативного отдела, заместитель начальника штаба по тылу, командующий ВВС фронта с начальником своего штаба, начальник службы военных сообщений, командующие армиями со своими начальниками штабов, командующий Балтийским флотом, командиры мехкорпусов.

В группе Жукова 21 генерал, примерно с такими же функциями. Они изображали немцев.

На изучение обстановки давалось три часа. Затем состоялось заключительное заседание совещания. После этого, уже в сам новогодний вечер участникам игры давалось еще три часа на составление директивы в соответствии с занимаемой по игре должностью. После этого все совершенно секретные документы у участников игры были изъяты. На осмысление полученного задания отводилось две ночи, с 31 декабря на 1 января и с 1 на 2 января, и один день — 1 января 1941 года. Но во время осмысления никаких документов и записей иметь на руках не полагалось.

Игра началась утром 2 января 1941 года в Генеральном штабе РККА. Разыгрывался сценарий будущей войны.

Руководитель игры — народный комиссар обороны СССР Герой Советского Союза Маршал Советского Союза С.К. Тимошенко. В руководстве игры — 12 высших военачальников РККА, включая четырех Маршалов Советского Союза.

Наблюдатели: Сталин Иосиф Виссарионович и весь состав Политбюро.

2

На огромных картах развернулось колоссальное сражение. Пока еще на картах сшиблись две самые мощные армии нашей планеты. Несколько дней и ночей без сна и отдыха штабы двух противоборствующих сторон оценивали обстановку, принимали решения, отдавали приказы и распоряжения. Пока еще на бумаге в сражение вводились тысячи танков, самолетов, десятки тысяч орудий и минометов, миллионные массы войск, из тыловых районов перебрасывались сотни тысяч тонн боеприпасов, топлива, инженерного, медицинского и другого имущества, в прорыв шли дивизии, корпуса и целые армии.

Эту игру Жуков описал в своих мемуарах: «Игра изобиловала драматическими моментами для восточной стороны. Они оказались во многом схожими с теми, которые возникли после 22 июня 1941 года, когда на Советский Союз напала фашистская Германия...» (Воспоминания и размышления. С. 193). О данной игре Жуков рассказывал многократно. Вот один из вариантов его рассказа. Записал и опубликовал писатель Константин Симонов. Жуков рассказал следующее:

«В этой игре я командовал «синими», играл за немцев. А Павлов, командовавший Западным военным округом, играл за нас, командовал «красными», нашим Западным фронтом. На Юго-Западном фронте ему подыгрывал Штерн.

Взяв реальные исходные данные и силы противника — немцев, я, командуя «синими», развил операцию именно на тех направлениях, на которых потом развивали их немцы. Наносил свои главные удары там, где они их потом наносили. Группировки сложились так, как они потом сложились во время войны. Конфигурация наших границ, местность, обстановка — все подсказывало мне именно такие решения, которые они потом подсказали немцам. Игра длилась около восьми суток. Руководство игрой искусственно замедляло темп продвижения «синих», придерживало его. Но «синие» на восьмые сутки продвинулись до района Барановичей, причем, повторяю, при искусственно замедленном темпе продвижения».

Случилось вот что: в глубоком бетонном бункере в Цоссене под Берлином несколько особо проверенных германских генералов и фельдмаршалов планировали операцию «Барбаросса». 18 декабря 1940 года план операции был доложен Гитлеру и утвержден им. А через две недели, 2 января 1941 года, в Москве командующий войсками Киевского особого военного округа генерал армии Г.К. Жуков посмотрел на карту, поставил себя на место немецких военных мыслителей и весь немецкий план мысленно воспроизвел. В тот момент Жуков не мог знать планов Гитлера. Если советская разведка и добыла такие планы, то все равно командующий округом ни при каких обстоятельствах не мог быть допущен к секретам такой важности. И тем не менее Жуков весь германский план «Барбаросса» предвосхитил!

Ничего удивительного в этом нет. Немецкие генералы и фельдмаршалы искали оптимальный, самый лучший вариант разгрома Красной Армии. Жуков встал на их место, посмотрел на карту немецкими глазами и нашел то же самое решение.

Писатель Иван Стаднюк пишет о Жукове: «Талант его был настолько ярким, что одного взгляда на карту ему было достаточно для того, чтобы оценить ситуацию. Ставя себя на место немецкого командования, он почти безошибочно предугадывал решения, которые принимались немцами» (ВИЖ. 1989. № 6. С. 6). Именно это случилось в январе 1941 года. Гитлер и его генералы принимали решения, а Жуков практически в тот же момент все эти решения предугадал. Оценивая этот случай, Стаднюк делает неоспоримый вывод: гениальный полководец.

На этой стратегической игре Жуков в пух и прах разбил генерал-полковника танковых войск Павлова. В январе 1941 года он на картах гнал Павлова до Барановичей точно так же, как Гот и Гудериан полгода спустя, в июне 1941 года, гнали войска Павлова уже не в шутку, а всерьез. Войска Павлова сначала были разбиты Жуковым на картах, потом они были разбиты танковыми группами Гота и Гудериана уже на полях сражений.

4 июля 1941 года генерал армии Д.Г. Павлов по приказу Сталина был арестован, судим и 22 июля расстрелян.

Во времена Брежнева, когда все силы идеологического аппарата страны были брошены на раздувание культа личности Жукова, на экраны вышла многосерийная киноэпопея Ю. Озерова о войне. Среди прочего показана сцена ареста Павлова. Его упрекают: как же ты допустил такой разгром? А Павлов зло отвечает: «Кто же думал, что немцы будут действовать так, как предсказал Жуков?»

В уста арестованного Павлова создатели эпопеи вложили фразу, которой он со злостью признает гениальность Жукова.

3

Когда вышли мемуары Жукова, я был совсем молодым лейтенантом. Читаю и переполняюсь удивлением. И не надо быть генерал-лейтенантом, генерал-полковником или маршалом, не надо быть профессором или академиком, чтобы фальшь в жуковском описании уловить. А ведь фальшь скрипит и скрежещет.

Почему, во-первых, на стратегической игре наши войска возглавлял командующий военным округом генерал-полковник танковых войск Д.Г. Павлов? В тот момент в Советском Союзе было 16 военных округов и один фронт. Всем ясно сейчас, и ясно было тогда, что стратегическая игра была прямо связана с надвигающейся войной. Никогда таких игр в присутствии Сталина и Политбюро не проводилось, а тут прямо в январе 1941 года отрабатываются варианты обороны государства от страшного врага. Командующий округом — не тот уровень, чтобы решать государственную задачу подобной важности.

Если отрабатываются варианты отражения агрессии, то наши войска в игре должен возглавить начальник Генерального штаба генерал армии К.А. Мерецков. Он должен сам убедиться и продемонстрировать Сталину, что планы обороны, которые подготовил Генеральный штаб, реальны и могут быть выполнены в случае войны. А задача присутствующих генералов, адмиралов и маршалов — углядеть, подметить и вскрыть недостатки в планах Мерецкова и потом на разборе указать на промахи и просчеты.

Стратегическая игра на картах — это то место, где можно делать ошибки. Интерес начальника Генерального штаба в том, чтобы присутствующие нашли любую слабину в его планах и замыслах отражения грядущей агрессии. Пусть ошибки в планировании будут выявлены сейчас, в тиши кабинетов, чем потом, в грохоте сражений.

Почему, во-вторых, Сталин не снял Павлова с должности? Ведь на расправу товарищ Сталин был скор. Тех, кто работать не умел, Сталин смещал с должности немедленно. Со всеми вытекающими последствиями. Но вот загадка: Жуков наглядно показал Сталину, что Павлов командовать не способен, что в случае войны войска Павлова будут немедленно разгромлены, но Сталин никаких мер в отношении Павлова не принимает, Павлова с должности не снимает и другим генералом его не заменяет. Может быть, товарищ Сталин был добрым и мягким?

Почему, в-третьих, в феврале 1941 года генерал-полковник танковых войск Павлов получил следующее воинское звание? Сразу после той игры Павлов стал генералом армии. В то время — по пять звезд на петлицах. В Красной Армии генеральские и адмиральские звания введены в 1940 году. 4 июня 1940 года постановлением Совета Народных Комиссаров СССР новые звания были присвоены 966 генералам и 74 адмиралам. В этой тысяче высшее генеральское звание — генерал армии — получили только трое: Жуков, Мерецков и Тюленев. 23 февраля 1941 года генералами армии стали еще двое — Апанасенко Иосиф Родионович и Павлов Дмитрий Григорьевич. Что же получается? В январе 1941 года при всем честном народе, в присутствии Сталина, всего состава Политбюро и высшего командного состава Красной Армии великий Жуков разбил беспомощного придурковатого Павлова и гнал его без остановок в глубь страны. И вот в феврале Сталин возводит этого непутевого Павлова в первую пятерку из тысячи своих генералов, уравняв в воинском звании с Жуковым.

Почему, в-четвертых, в сражении на картах за немцев играет командующий Киевским особым военным округом генерал армии Г.К. Жуков? Что он о немцах знает? За противника должен был играть не кто иной, как начальник Главного разведывательного управления Генерального штаба РККА генерал-лейтенант Ф.И. Голиков. Ему по должности положено о противнике знать больше всех, знать, кто такие Гитлер, Геринг, Кейтель, Йодль и Клейст. Начальник ГРУ обязан знать их планы, он должен ясно представлять, на что они способны и на что не способны, какие у них силы и как они могут их использовать. Предвосхищать коварные планы супостата обязан не командующий округом, пусть и четырежды гениальный, а начальник ГРУ. И на стратегической игре должен был именно он продемонстрировать: Гитлер может действовать вот так и так, ну-ка, что вы этому можете противопоставить? А ежели враг вот так ударит, что тогда запоете?

Интерес начальника ГРУ на этой игре в том, чтобы поставить советские войска в самую тяжелую из всех возможных ситуаций. Если потом на войне возникнет кризис, начальник ГРУ может сказать: а ведь я вас всех еще в январе предупреждал...

Но почему-то на этой игре начальник Генерального штаба генерал армии К.А. Мерецков и начальник ГРУ генерал-лейтенант Ф.И. Голиков выступали не в роли самых заинтересованных игроков. Они сидели в руководстве и взирали на сражение Жукова и Павлова как судьи.

Странно все это.

4

Удивительные рассказы Жукова о том, как он предугадывал планы Гитлера, вошли не только в наши учебники. Многие историки Великобритании и США, Франции и Израиля, Италии и Германии тоже рассказывают своим читателям, как великий стратег Жуков предсказал все, что намеревались делать Гитлер и его генералы. Слова Жукова переведены на многие языки: «...я... развил операцию именно на тех направлениях... Наносил свои главные удары... все подсказывало мне...»

Слова Жукова красиво звучат не только на русском языке, но и в переводе на любой другой язык.

Однако...

Однако Жуков предугадывал планы Гитлера и громил Павлова на стратегической игре не сам. Кроме Жукова, в группе, которая играла роль германского командования, было еще двадцать советских генералов, адмиралов и офицеров. Вот некоторые из них.

Генерал-полковник Г.М. Штерн — командующий единственным в тот момент Дальневосточным фронтом.

Генерал-лейтенанты Я.Т. Черевиченко и М.П. Кирпонос. Оба в ближайшем будущем — генерал-полковники, оба — командующие фронтами.

Генерал-майор Ф.И. Толбухин — через три года, пройдя на войне все ступени служебной лестницы, он станет Маршалом Советского Союза, одним из выдающихся сталинских полководцев.

Генерал-лейтенант авиации П.Ф. Жигарев и генерал-майор авиации А.А. Новиков. Оба в ближайшем будущем — главные маршалы авиации, оба — один за другим — будущие главнокомандующие ВВС Красной Армии.

Генерал-лейтенанты М.А. Пуркаев и П.А. Курочкин — оба будущие генералы армии, оба в ходе войны успешно командовали армиями и фронтами.

Генерал-лейтенант В.Ф. Герасименко — легендарный командарм, будущий герой Сталинграда, после войны — министр обороны Украины.

Контр-адмирал А.Г. Головко, будущий полный адмирал. Он бессменно командовал Северным флотом с первого до последнего дня войны. После войны — первый заместитель главнокомандующего ВМФ.

Вот такие люди составляли группу Жукова на стратегической игре. Но Жуков ни об одном из них не упомянул ни единым словом. Но Жуков бахвалится: я наносил удары, я развивал операцию...

Предлагаю на выбор два варианта.

Первый. Жуков все делал сам, а Жигарев, Штерн, Кирпонос, Пуркаев, Курочкин, Новиков, Головко, Герасименко, Толбухин и прочие к работе гения никакого отношения не имели. Если так, значит, Жуков не стратег. Повторю в сотый раз: роль руководителя не в том, чтобы самому вкалывать, а в том, чтобы организовать работу подчиненных и заставить их работать. А ведь команда подобрана такая, что грех ею не любоваться.

Второй. На стратегической игре войска непутевого Павлова громила вся дружная команда Жукова, но великий гений потом про команду забыл, а запомнил и рассказал благодарным потомкам только про свой личный вклад. Если так, то возникают проблемы этического порядка. И уже не первый раз великий стратегический гений почему-то забывает о соавторах своих блистательных побед.

5

И Павлов был не один. Павлов — всего только капитан мощной команды. Разгромив Павлова, Жуков опозорил перед Сталиным всех, кто был в группе Павлова. Но удивительное дело: сразу после стратегической игры не только на самого Павлова, но и на всю его группу посыпался золотой дождь генеральских звезд и новых назначений.

В группе Павлова был командующий Среднеазиатским военным округом генерал-полковник И. Р. Апанасенко. После стратегической игры ему, как и Павлову, было присвоено звание генерала армии. Повторяю: генералов армии было три, теперь их стало пять. В воинском звании Сталин уравнял с Жуковым не только Павлова, но и Апанасенко. Кроме звания, Апанасенко получил должность исключительной важности. Со Среднеазиатского военного округа, которому явно не угрожала война, в составе которого не было полевых армий, Апанасенко переводят командовать Дальневосточным фронтом, в составе которого было три армии. Война на два фронта, одновременно против Германии и против Японии, не исключалась.

В случае возникновения войны на два фронта генералу армии Апанасенко предстояло решать особо ответственную задачу — отражать агрессию Японии на Дальнем Востоке. Если Апанасенко в ходе стратегической игры показал полное неумение обороняться, то пусть бы и сидел в своей Средней Азии, которой никто не угрожал.

В группе Павлова был командующий Северо-Кавказским военным округом генерал-лейтенант Ф.И. Кузнецов. Немедленно после игры он стал генерал-полковником и получил новое назначение: с внутреннего военного округа, в составе которого полевых армий не было, его перевели командовать Прибалтийским особым военным округом, в котором было три армии. Только что Жуков бил Павлова и Кузнецова в Белоруссии и Прибалтике, и вот этого самого Павлова Сталин оставляет командовать войсками в Белоруссии, а в Прибалтику правым соседом Павлову Сталин ставит такого же битого Кузнецова. С чего бы это?

В группе Павлова был командующий Забайкальским военным округом генерал-лейтенант И.С. Конев. В Забайкалье война пока не планировалась. Она планировалась в Европе. И вот сразу после игры Конева назначают командующим Северо-Кавказским округом на место Ф.И. Кузнецова с приказом тайно формировать 19-ю армию и готовить ее к переброске (опять же тайной) в район Черкасс. Казалось бы, Конев бит вместе с Павловым, так пусть он и возвращается в свое Забайкалье и там сидит как сверчок за печкой, а на западных границах пусть командуют люди умные.

В группе Павлова был генерал-лейтенант авиации П.В. Рычагов. Немедленно после игры он был повышен в должности, стал заместителем наркома обороны СССР. Он взлетел выше самого Павлова. Если Рычагова Жуков позорно разбил и унизил на стратегической игре, зачем Рычагову такое повышение?

Ответ на все загадки только один: никто Павлова и его группу на той игре не разбил. В рассказы Жукова, видимо, вкрались неточности.

6

Теперь обратим нашу обостренную пролетарскую бдительность на факты вопиющего нарушения законности.

Пока существовал Советский Союз, материалы стратегической игры были закрыты грифом «Совершенно секретно». Поэтому все участники той игры унесли с собой ее тайны в мир иной. В мемуарах других участников глухо говорится: да, была такая игра, мы готовились к отражению агрессии. Но подробностей о том, как именно готовились, не ищите.

А Жуков выболтал замысел игры и ее ход, тем самым он совершил преступление. Константин Симонов слушал, записывал, публиковал рассказы Жукова. В разглашении военной тайны он виноват в такой же степени, что и Жуков.

В момент, когда Жуков и Симонов творили свое черное дело, действовал Уголовный кодекс СССР 1961 года. Для подобных деяний в нем содержался специальный раздел «Особо опасные государственные преступления». Раздел открывался статьей 64 «Измена Родине». Среди прочих преступлений, которые квалифицировались как измена Родине, было и такое: разглашение государственной тайны.

Если бы материалы стратегической игры были просто секретными, то Жукову и Симонову следовало впаять по 15 лет тюремного заключения с лишением всех званий и наград, с конфискацией трудовых сбережений, Золотых Звезд и орденов, Ленинской и Сталинских премий, дворцов, дач, квартир, катеров и яхт, бассейнов, оранжерей, конюшен и псарен, гаражей с набором машин, картинных галерей, коллекций бриллиантов и прочего. Однако речь шла не о секретных сведениях, а о совершенно секретных. Поэтому суд должен был отмерить обоим изменникам, и Жукову, и Симонову, наказание по высшей мере.

Нашим вождям надо было делать одно из двух: или материалы стратегической игры рассекретить, и пусть тогда Жуков и Симонов болтают, сколько им угодно, или материалы игры считать совершенно секретными, но тогда предателям Жукову и Симонову заткнуть болтливые рты расстрелом.

Удивительное у нас правосудие. На глазах всей страны, на глазах Правительства и Генерального прокурора изменники Родины Жуков и Симонов творили преступления, но их никто не останавливал. Понятное дело, такая страна не могла выжить. Она рухнула, ибо при таких порядках устоять не могла.

Кто же позволил Жукову и Симонову выдавать государственные секреты Советского Союза? И зачем?

7

Чтобы это понять, перенесемся в светлые залы Третьяковской галереи и остановим взор на картине Василия Перова «Охотники на привале». Старый охотник, выпучив глаза, вдохновенно врет. Молодой охотник, разинув рот, ошарашенно внимает. Старый мужик-егерь, ехидно улыбаясь, чешет затылок.

Распределим роли. Вдохновенный, мягко говоря, рассказчик — это Жуков Георгий Константинович. Разинувший рот слушатель — это Герой Социалистического Труда, кавалер трех орденов Ленина и других государственных наград, лауреат Ленинской и шести Сталинских премий Симонов Константин Михайлович. А мы с вами выберем себе скромную роль мужичка в лапотках, мы послушаем захватывающий рассказ Жукова, почешем затылок и ехидно улыбнемся: мели, Емеля!

Старому охотнику можно было бы и не рассказывать про то, как он хватал за холку волков и медведей и бросал в свою сумку. Было бы проще молча показать шкуры убитых зверей.

Жукову Георгию Константиновичу можно было бы не рассказывать, выпучив глаза, о том, как он в гениаль

111

ном озарении предугадал германский план «Барбаросса». Достаточно было опубликовать материалы той игры. Такая возможность у Жукова была, и была острая государственная необходимость материалы игры публиковать. В 1956 году состоялся XX съезд КПСС. До него мы еще дойдем. Главные виновники — Хрущев и Жуков, без них никакого XX съезда партии вовсе не было бы. Смысл происходящего на том историческом съезде: банда людоедов на своей сходке списала общие грехи на мертвого пахана. После ритуальной очистительной церемонии людоеды с новыми силами занялись любимым делом — людоедством.

На веселом сборище под названием XX съезд КПСС сталинские палачи, залитые по уши народной кровью, уверяли друг друга, что они ничего не знали. Сталинские лизоблюды вдруг осмелели, переполнились чувством собственного достоинства и дружно взвалили на Сталина все свои преступления, обвинили усопшего вождя во всех грехах. Вот это и был для Жукова момент обнародовать материалы стратегической игры и блеснуть величием: я, великий и гениальный, еще в январе 1941 года предугадал германский план «Барбаросса», а глупый Сталин не внял моим мудрейшим предостережениям.

Но почему-то скромнейший наш охотник тем моментом не воспользовался и материалов стратегической игры так никому и не показал.

Давайте же допустим, что товарищ Жуков предугадал планы Гитлера и в январе 1941 года на стратегической игре действовал именно так, как через пять месяцев действовали германские войска. Почему же в этом случае не опубликовать материалы этой самой игры? В чем загвоздка? Какую тайну Жуков прятал? И зачем материалы игры прятать, если война давно кончилась? И почему бы нашей пропаганде не объявить всему миру: да, мы дураки, мы к войне были совершенно не готовы, и все у нас было не так, как надо, но был у нас великий гений, он все предвидел, все понимал, мол, и у нас не все идиоты. Ан нет. Материалы игры были заперты грифом совершенной секретности. Не проломиться любопытствующим.

А ведь это уже не первый случай, когда скромнейший Жуков Георгий Константинович прячет доказательства собственной гениальности.

13 августа 1961 года поняли все — Советский Союз обречен. Все люди планеты вдруг увидели совершенно ясно: Советский Союз еще стоит, но он уже умер. Он может еще долго стоять, как мертвый баобаб, но это только видимость несокрушимой мощи.

13 августа 1961 года Берлин был разрезан пополам бетонной стеной. Назначение стены: удержать жителей Восточной социалистической Германии от бегства в нормальный мир.

Стена постоянно совершенствовалась и укреплялась, превращаясь из стены в систему непреодолимых инженерных заграждений с ловушками, сложнейшей системой сигнализации, с бетонными огневыми точками, наблюдательными вышками, противотанковыми тетраэдрами и ежами, с хитроумными автоматами-самострелами, которые убивали беглецов даже без участия пограничников.

Но чем больше труда, изобретательности, денег, бетона и стали коммунисты вкладывали в дальнейшее развитие стены, тем яснее становилось: удержать людей в коммунистическом обществе можно только неприступными заграждениями, колючей проволокой, собаками, стрельбой в спину. Стена означала: система, которую построили коммунисты, не привлекает никого. Она отталкивает. А это означало конец Советского Союза в обозримой исторической перспективе.

А если рухнет Советский Союз, то некоторые архивы приоткроются. Жуков должен был понимать: архивы откроют, его рассказы сопоставят с документами и люди будут смеяться над его выдумками.

Понимал ли это Жуков?

ГЛАВА 8

ПРО ПЕРВЫЙ ШТУРМ КЕНИГСБЕРГА

Ни в первой, ни во второй игре перед «Восточными» вообще не ставилась в качестве основной задачи оборона западных рубежей страны. Главным в играх было наступление.

П. Бобылев. «Известия», 22 июня 1993 г.

1

Прошел 51 год с момента стратегической игры и 23 года после выхода мемуаров Жукова. Кроме того, эпоха сменилась. Коммунистов хоть и слегка, но потеснили. Материалы стратегической игры рассекречены. Большая статья в «Военно-историческом журнале» (1992, № 2). Затем — разворот в «Известиях» от 22 июня 1993 года. Название завораживает: В ЯНВАРЕ СОРОК ПЕРВОГО КРАСНАЯ АРМИЯ НАСТУПАЛА НА КЕНИГСБЕРГ.

Речь в статьях идет о той самой стратегической игре 1941 года. Оказалось: не отрабатывали наши стратеги никаких оборонительных планов и над вопросами отражения возможной германской агрессии не задумывались. Наши генералы были заняты совсем другими проблемами. Они думали над тем, как захватить Кенигсберг, Варшаву, Прагу, Бухарест, Краков, Будапешт и еще кое-что.

Тут самое время повторить слова генерала армии А.М. Майорова: «Но и тогда все понимали, что предстоящая игра будет иметь не столько теоретическое, сколько сугубо практическое значение» (ВИЖ. 1986. № 12. С. 41). Не ради академического интереса наши генералы отрабатывали на картах штурм европейских городов, а потому что подготовка к вторжению в Европу находилась в завершающей фазе.

Нас приучили к мысли о том, что Жуков мысленно предугадал германский план «Барбаросса» и на стратегической игре действовал именно так, как полгода спустя действовали немцы. Этот интеллектуальный подвиг — высшее достижение Жукова как стратега. Это сверкающая вершина его мудрости. И вот вдруг выясняется, что не было никакой вершины. Жуков врал про сияющую вершину, ибо она была скрыта туманом государственной тайны. Но мрак рассеялся. Документы рассекречены, и перед нами — голый хвастливый король. Рассказы Жукова о том, что он предвосхищал германские планы, что действовал так, как потом действовали немцы, — это треп. Никаких государственных секретов о стратегической игре Жуков не выдавал. Он врал. А ротозеи, такие как Константин Симонов, генерал армии Майоров, Маршал Советского Союза Куликов, писатель Карпов и многие другие, слушали и повторяли безответственную маршальскую болтовню.

2

Жуков описывает подготовку к игре, передает прямую речь Сталина:

«После совещания на другой же день должна была состояться большая военная игра...

— Когда начнется у вас военная игра? — спросил И.В. Сталин.

— Завтра утром, — ответил Тимошенко.

— Хорошо, проводите ее, но не распускайте командующих. Кто играет за «синюю» сторону, кто за «красную»?

— За «синюю» (западную) играет генерал армии Жуков, за «красную» (восточную) — генерал-полковник Павлов» (Воспоминания и размышления. С. 192).

В этом коротком диалоге выдумано все. Совещание высшего командного состава завершилось 31 декабря. Не мог маршал Тимошенко сказать Сталину, что игра начинается завтра утром, ибо она началась 2 января. При всем сталинском зверстве и безумии он все же понимал, что начинать серьезную работу рано утром 1 января не стоит. Некоторые генеральские головы могут с перепою плохо работать.

Но велика ли разница: 1 января началась игра или 2-го? Разница не велика. Но она указывает на то, что красочные диалоги со Сталиным выдуманы Жуковым или его соавторами. И это видно из данного примера. А пример до конца не исчерпан. Не мог маршал С.К. Тимошенко сказать Сталину, что за «синюю» сторону играет Жуков, а за «красную» Павлов, ибо игра была не одна, их было две. Сначала Жуков и Павлов выступали в одних ролях, а потом ролями поменялись. И это уже принципиальный момент. Если Жуков почему-то хорошо помнит первую игру во всех деталях, а о второй игре начисто забыл, то у нас появляются серьезные основания не верить ему ни в чем.

Еще момент. Официально тема игры именовалась: «Наступательная операция фронта с прорывом УР». Жуков этого названия почему-то не вспомнил. А ведь тема отрабатывалась не просто наступательная. УР — это укрепленный район, это линия железобетонных и броневых фортификационных сооружений противника, которые прикрыты противотанковыми рвами, минными полями и другими заграждениями. На строительство УР требуются огромные расходы и много лет. На нашей территории укрепленных районов противника нет и быть не может. Укрепленный район противника может быть только на его территории. Если тема игры «Прорыв УР», значит, наши войска действуют на территории противника. Уже сама тема игры указывала на то, что отрабатывалось не просто наступление, но наступление на Германию. Точнее — на Восточную Пруссию, которая была защищена линией укрепленных районов.

3

Рассказы Жукова о том, как он наступал до Барановичей, — это хлестаковщина в чистом виде. В ходе игры германская армия под командованием Жукова вообще не наступала. Наступающей стороной был советский Западный фронт под командованием Павлова. Павлов наносил удар в Восточную Пруссию, на Кенигсберг, а Жуков оборонялся.

Кстати, после войны Кенигсберг был превращен в советский город Калининград. Причина: немцы на нас напали, и вот в качестве платы за агрессию мы забрали себе немецкий город. Но если бы Гитлер не напал, то все равно высшее руководство СССР под личным контролем Сталина уже в январе 1941 года отрабатывало способы захвата этого города. А идеологи коммунистической партии задолго до 1941 года обкатывали простую идею: Кенигсберг скоро будет нашим. Приятель Жукова Константин Симонов еще в 1938 году написал стихотворение «Однополчане». Смысл: вот иду я по Москве, навстречу — толпа незнакомых людей. А ведь скоро мы встанем в солдатский строй в одном полку. И война нас породнит. А далее:

> Под Кенигсбергом на рассвете
> Мы будем ранены вдвоем,
> Отбудем месяц в лазарете,
> И выживем, и в бой пойдем.
>
> Святая ярость наступления,
> Боев жестокая страда...

и т.д. в том же духе.

Мотив «ярости благородной» звучал в наших стихах и песнях задолго до того, как Молотов и Риббентроп подписали Московский пакт о разделе Европы и начале Второй мировой войны.

Этот самый Симонов был не просто поэтом, но сталинским любимцем, ибо говорил только то, что нужно вождю и именно в данный момент. А последствия вот какие: в 5-м воздушно-десантном корпусе генерал-майора И.С. Безуглого в Даугавпилсе и в 1-й бригаде морской пехоты полковника Терентия Парафило в Лиепае в мае 1941 года вдруг появилось особенно много поклонников творчества Константина Симонова: в бараках десантных батальонов стихотворением «Однополчане» были обклеены все стены.

4

Но вернемся к стратегической игре.

Была одна тонкость...

У нас так было принято: выходит постановление ЦК КПСС о состоянии, скажем, животноводства в Рязанской области. Начинается постановление с ритуальных похвал: достигнуты большие успехи там, там и вон там. За похвалами следует страшное слово «ОДНАКО». Далее — разгром. Все знали, что вступительная часть постановления — это преамбула, которая никакого отношения к основному содержанию не имеет. Наоборот: чем больше похвал в преамбуле, тем ужаснее обвинения в основной разгромной части, тем более страшные кары обрушатся на виновных.

Именно эта традиция была вложена и в отечественную военную науку. Наши вожди совершенно открыто говорили, что будем вести войну только на территории противника: «И на вражьей земле мы врага разгромим малой кровью, могучим ударом». Имелась в виду «глубокая операция», т. е. блицкриг. Но этим откровениям всегда предшествовала присказка: если враг нам навяжет войну. Полевой устав трактовал четко: если враг нападет, то Красная Армия превратится в самую нападающую из всех когда-либо нападавших армий.

Присказка никого не обманывала. Всегда выходило так, что враг нападал именно в тот момент, когда у нас было все подготовлено к захвату его страны. В ноябре 1939 года мы сосредоточили пять армий на границе с Финляндией, изготовились, и тут финны, как по заказу, якобы один раз стрельнули из пушки... И тут же наши газеты взорвались той самой яростью благородной: «Отразим нападение Финляндии!», «Дать отпор зарвавшимся налетчикам!», «Ответим тройным ударом на удар агрессоров!», «Уничтожим гнусную банду!». И потом в 1940 году на декабрьском совещании высшего командного состава постоянно звучала мысль: Финляндия на нас напала, а мы, бедные, отбивались. Эта мысль была врезана во всю нашу историографию, идеологию и литературу. Образец: сборник рассказов о создателе советских танков «Конструктор боевых машин» (Л.: Лениздат, 1988). В такой книге, тем более спустя полвека, можно было бы ограничиться рассказом о трудовом подвиге новатора, о смелых технических решениях, а об остальном помолчать. Но нет: «30 ноября 1939 года Красная Армия приступила к ответным действиям, началась советско-финляндская война» (С. 91).

Подготовка к нападению на Германию шла с соблюдением тех же правил. Наши стратеги, загадочно улыбаясь, говорили: если враг навяжет нам войну, мы будем вынуждены отбиваться на его территории.

Именно так и были составлены задания на стратегическую игру: 15 июля 1941 года Германия нападает на Советский Союз, германские войска прорвались на 70—120 км в глубь советской территории, но к 1 августа 1941 года были отброшены на исходное положение (РГВА, фонд 37977, опись 5, дело 564, листы 32—34). Это такой зачин. Это присказка, которая с самой игрой ничего общего не имела. Как именно «Западные» нападали, как удалось их остановить и выбить с нашей территории, об этом в задании не сказано ни единого слова. Это и не важно. Главное в том, что напали они, а мы их вышибли к государственной границе на исходное положение. Вот именно с этого момента, т. е. с нашей государственной границы и начиналась стратегическая игра. С этого момента развернулись «ответные действия» Красной Армии в Восточной Пруссии.

Вторжение германской армии на нашу территорию и отражение агрессии совершенно не интересовали Сталина, Жукова и всех остальных. Их интерес в другом: как вести боевые действия с рубежа государственной границы. Вот это и было темой первой игры.

И если в преамбуле условий игры записано, что германские войска напали и продвинулись вперед, то в этом заслуги Жукова нет. Таковы условия. Их писал не Жуков. Для того чтобы напасть и продвинуться на советскую территорию, Жукову, который играл роль германского стратега, не надо было ни размышлять, ни принимать решений. Если бы на место Жукова назначили другого гения, то все равно действовала бы все та же преамбула: враги напали и продвинулись на несколько десятков километров в глубь нашей страны. Точно так же и Павлову, который играл роль советского полководца, не надо было размышлять, как отбить вторжение. Обо всем этом было скороговоркой сказано во вводной части и к делу отношения не имело.

Но даже если и считать, что в ходе стратегической игры гениальный Жуков продвинулся вперед на территорию Советского Союза, то следует помнить, что его тут же быстро и без труда вышибли на исходное положение.

5

В рассказ Жукова о стратегической игре вкрались следующие неточности.

Жуков рассказывал: «Павлов, командовавший Западным военным округом, играл за нас, командовал «красными», нашим Западным фронтом. На Юго-Западном фронте ему подыгрывал Штерн». Тут двойное искажение. Во-первых, Павлов, как и Жуков, сначала командовал одной стороной, затем другой. Во-вторых, Штерн Павлову не подыгрывал и в команде Павлова его не было. В первой игре Штерн был в команде Жукова, командовал 8-й германской армией, а во второй игре Штерн участия не принимал.

Жуков повествует: «Взяв реальные исходные данные и силы противника — немцев...» Жуков ошибся. По условиям игры германские войска, руководимые Жуковым, имели в Восточной Пруссии 3512 танков и 3336 боевых самолетов. На самом деле армия Гитлера не имела такого количества танков и самолетов ни в Восточной Пруссии, ни на всем советско-германском фронте от Ледовитого океана до Черного моря. В ходе игры количество немецких дивизий у Жукова в Восточной Пруссии и оккупированных областях Польши было вдвое больше того, что было у немцев на самом деле.

«Я, командуя «синими», развил операцию именно на тех направлениях, на которых потом развивали их немцы. Наносил свои главные удары там, где они их потом наносили». Тут опять наш рассказчик увлекся. В 1993 году группа российских военных историков составила официальную справку о тех играх. Группой руководил главный военный историк Российской армии генерал-майор В.А. Золотарев, профессор, доктор наук. Вот официальное заключение двадцати трех ведущих экспертов: «В январе 1941 года оперативно-стратегическое звено командного состава РККА разыгрывало на картах такой вариант военных действий, который реальными «Западными», т.е. Германией, не намечался» (Накануне войны. С. 389).

А Жуков не унимается. Вспомним его слова: «Группировки сложились так, как они потом сложились во время войны. Конфигурация наших границ, местность, обстановка — все подсказывало мне именно такие решения, которые они потом подсказали немцам. Игра длилась около восьми суток. Руководство игрой искусственно замедляло темп продвижения «синих», придерживало его. Но «синие» на восьмые сутки продвинулись до района Барановичей, причем, повторяю, при искусственно замедленном темпе продвижения».

Я с этим спорить не буду. Слово экспертам: «В обоих играх действия сторон на направлении Брест, Барановичи (Восточный фронт «Западных») и Брест, Варшава (Западный фронт «Восточных») не разыгрывались» (Там же.).

6

Жуков с жаром рассказывает, как руководство игрой искусственно замедляло его победный марш на Барановичи, а оказывается, что не рвался вовсе Жуков на Барановичи и никто его лихой удар не замедлял, ибо вообще действия германских войск на советской территории не отрабатывались.

Результат первой игры: сражение шло только на территории Восточной Пруссии и на территории Польши, оккупированной Германией. Павлов наступал, Жуков отбивался. «В ряде книг и статей утверждается следующее: в этой игре Г.К. Жуков якобы все спланировал и осуществил так, как это через полгода сделали немцы, и на восьмые сутки Северо-Восточный фронт «Западных» вышел-де уже к Барановичам. Но все было далеко не так: Северо-Западный фронт «Восточных» (Д. Павлов), выполняя задачу выйти к 3 сентября 1941 года на нижнее течение реки Висла, 1 августа перешел в наступление, и в первые дни его войска форсировали р. Неман, овладев Сувалкинским выступом (окружив в нем крупную группировку «Западных»), а на левом крыле прорвали фронт, возглавляемый Г. Жуковым. В про-

122

рыв была введена конно-механизированная армия, которая к 13 августа вышла в район, расположенный в 110—120 километрах западнее Государственной границы СССР» («Известия», 22 июня 1993 г.).

Так что не Жуков гнал Павлова, а Павлов Жукова. Правда, далее Жуков за счет резервов собрал сильную группировку и нанес контрудар.

На этом первая игра завершилась. Руководство игры склонялось к ничейному результату с оговоркой, что положение Жукова предпочтительнее.

Так было решено не потому, что Жуков находил какие-то гениальные решения, а по причинам, которые не зависели от талантов Жукова.

Во-первых, Жуков оборонялся, а это всегда легче, чем наступать.

Во-вторых, нанося удар в Восточную Пруссию, Павлов вынужден был форсировать ряд полноводных рек в их нижнем течении. Для Павлова реки — преграды, для Жукова — удобные оборонительные рубежи. Кроме того, Восточная Пруссия перерезана множеством каналов и глубоких рвов, которые являются препятствием для действий наступающих танков.

В-третьих, Восточная Пруссия укреплялась веками. Каждый хутор — это крепкие каменные дома с подвалами, каменными конюшнями, амбарами, каждый двор обнесен высокой мощной стеной. Все это выгодно обороняющемуся и невыгодно наступающему. В Восточной Пруссии множество крепостей и замков. Кенигсберг — одна из самых мощных крепостей мира, под этим городом-крепостью расположен еще один город — подземный. Восточная Пруссия защищена цепью почти неприступных укрепленных районов, которые были возведены накануне Второй мировой войны.

Принимая все это во внимание, руководство игры пришло к выводу, что: «Развертывание главных сил Красной Армии на Западе с группировкой главных сил против Восточной Пруссии и на Варшавском направлении вызывает серьезные опасения в том, что борьба на этом фронте может привести к затяжным боям» (ВИЖ. 1992. № 2. С. 22).

Кроме всего прочего, Жуков в ходе игры имел в своем подчинении неоправданно большое количество германских войск, которых в реальной жизни там не было. В завершение игры Жуков собрал для контрудара войска, которых на самом деле не существовало. Только это и спасло Жукова от полного и позорного разгрома. В реальной обстановке Павлов сбросил бы Жукова в Балтийское море.

7

Удивительное — рядом.

Фантастические рассказы Жукова о том, как он предвосхитил германский план и как громил Павлова, повторены нашей пропагандой тысячи раз и на самом высоком уровне. О совещании высшего командного состава и стратегических играх писали множество раз наши маршалы и генералы. Вот типичный образец. Выступает генерал армии А.М. Майоров: «Целью планировавшейся оперативно-стратегической игры являлось проверить возможность Красной Армии по отражению надвигавшейся фашистской агрессии... В разработанном генералом армии Г.К. Жуковым плане «наступления» были учтены все слагаемые военного потенциала фашистской Германии, полученный Вермахтом опыт ведения «молниеносной войны» на Западе. И надо сказать, что «красным», обороняющейся стороне, представлявшей в ходе игры наши Вооруженные Силы, потребовалось немало усилий, чтобы остановить натиск «синих» (ВИЖ. 1986. № 12. С. 41).

Нет, товарищ Майоров, не разрабатывал Жуков никаких планов немецкого наступления и не учитывал никаких слагаемых военного потенциала Германии. И «красной» стороне вообще не потребовалось никаких усилий, чтобы наступление Жукова остановить и вышвырнуть его на исходные рубежи, а затем — и гораздо дальше на Запад.

Жуков врал о своих победах, а наши маршалы и генералы, такие как генерал армии Майоров, проявили совершенно невероятное ротозейство. Они слушали хвастуна, повторяли и разносили по миру его удивительные рассказы.

У меня вопрос: читал генерал армии Майоров материалы этой игры или нет? А другие маршалы и генералы читали?

Представим себе современного нашего полководца с четырьмя звездами на погонах или даже со звездами первой величины. Вот пишет такой стратег о том, как Жуков предвосхитил германские планы. Неужели не интересно вникнуть в детали? Неужели не интересно потребовать из архива документ и самому его прочитать? А если документы засекречены, тогда надо требовать от руководства страны объяснений: великий гений все предсказал и все предвидел, почему мы прячем предсказания?

Если предположить, что наши маршалы и генералы не читали материалов стратегической игры, тогда стратег Майоров и целая ватага полководцев подобного пошиба предстают перед нами в весьма странном свете. Высшие военные руководители страны верят в то, что великий Жуков предвосхитил германский план, все они об этом знают, все повторяют, но никто сам в руках документ не держал, никто в подробности не вникал, никто не интересовался, как же Жукову все это удалось.

Но если предположить, что генерал армии Майоров и такие же стратеги, как он, знакомы с содержанием

125

документов об игре, но рассказывают нечто противоположное тому, что в документах содержится, значит, все они — не генералы и не маршалы, а беспринципные агитаторы-горлопаны, которые за соответствующую мзду рассказывают все, что им заказывают.

Но самое смешное впереди. Генерал армии Майоров писал статью (или за него писали), когда материалы совещания и стратегических игр были закрыты соответствующими грифами. Но вот в 1992 году материалы открыты, гриф секретности снят и официальными военными историками сделан четкий вывод: «Ни на совещании, ни на играх их участники даже не пытались рассмотреть ситуацию, которая может сложиться в первых операциях в случае нападения противника. Поэтому утверждение, что игры проводились для «отработки некоторых вопросов, связанных с действиями войск в начальный период войны», лишены основания. Эти вопросы не значились в учебных целях игр и потому не рассматривались» (Накануне войны. С. 389).

Однако легенда о том, что Жуков предвосхитил план «Барбаросса», живет.

В 1996 году выступает генерал-майор А. Борщов, кандидат исторических наук, заместитель начальника кафедры истории войн и военного искусства Военной академии Генерального штаба, и рассказывает поразительные вещи: «Еще одним событием предвоенной поры, подтвердившим высокий интеллектуальный потенциал Жукова, стали военные игры, проведенные в январе 1941 года. На первой игре, преследовавшей цель проверить реальность плана прикрытия госграницы и предполагаемых действий войск в начальном периоде войны, он выступал на стороне «Западных». В принятом решении Георгий Константинович, по сути дела, предвосхитил агрессивные планы немецко-фашистского командования на северо-западном направлении, грамотно используя имеющиеся силы и средства, одержал убедительную победу над «красными» («Красная звезда», 15 июня 1996 г.).

Меня призывают писать книги, опираясь не на открытые источники, а на архивы. Спасибо, учту. Но вот перед нами генерал-майор, профессиональный историк. Ему по должности доступны все архивы. Но он почему-то пишет без опоры на архивы. Он почему-то и на открытые источники не опирается. Генералу Борщову по должности положено читать газеты и журналы, в частности «Военно-исторический журнал». Этот журнал издается Генеральным штабом России. И вот в Военной академии Генерального штаба его не читают. А ведь «Военно-исторический журнал» еще в 1992 году разоблачил хвастливые выдумки Жукова.

Генералу Борщову по должности положено читать книги о войне, которые выходят под общей редакцией главного военного историка России генерала В.А. Золотарева. Вышла такая книга. И в ней разоблачен сочинитель небывалых историй Жуков.

Но на кафедре истории войн и военного искусства не читают даже трудов официальных военных историков России. Там изучают историю войны с опорой на выдумки стратегического хвастуна.

А вот выступает генерал-полковник В. Барынькин и рассказывает о трагедии Жукова: «Как непосредственный участник событий, Г.К. Жуков весьма болезненно воспринимал тот факт, что за послевоенное десятилетие нашей военной науке не удалось создать оригинальных трудов, правдиво освещающих события Великой Отечественной войны» («Красная звезда», 31 мая 1996 г.).

От таких болезненных переживаний бедный Жуков и решил правдиво рассказать о том, как накануне войны он предвосхитил германский план «Барбаросса».

ГЛАВА 9

НА БУДАПЕШТ!

> По смыслу обеих игр высшее коман-
> дование Красной Армии совершенствовало
> в них свое умение наступать, а не оборо-
> няться.
>
> *П. Бобылев.*
> «Известия», 22 июня 1993 г.

1

Действия германских и советских генералов — почти зеркальное отражение. В Германии играли в те же игры. Правда, с опережением в один месяц. Но разрыв во времени в действиях советского и германского командования медленно сокращался.

29 ноября 1940 года в Берлине началась большая стратегическая игра на картах. Руководитель игры — первый обер-квартирмейстер генерального штаба сухопутных войск генерал-майор Фридрих Паулюс. Отличие состояло в том, что в Москве проводились две игры, а в Берлине — одна, но она была разделена на три этапа.

Первый этап — вторжение германских войск на территорию СССР и приграничные сражения.

Второй этап — наступление германских войск до линии Минск — Киев.

Третий этап — завершение войны и разгром последних резервов Красной Армии, если таковые окажутся восточнее линии Минск — Киев.

После каждого этапа игры следовал разбор. Общий разбор всех этапов игры завершился 13 декабря 1940 года. Через 19 дней начались стратегические игры в Москве, вторая из которых, как мы теперь знаем, была успешно завершена 11 января 1941 года.

Историю пишет победитель. Архивы Вермахта были захвачены Красной Армией, и наши историки продемонстрировали всему миру агрессивную сущность германского империализма: вот какие у них были замыслы! А наши архивы были крепко заперты. Это давало возможность пропагандистам и агитаторам говорить, что советские генералы, адмиралы, маршалы и сам товарищ Сталин страдали тяжелым хроническим миролюбием. Это состояние «Военно-исторический журнал (1990. № 1. С. 58) описывал так: «Советский Союз — мирный, еще не проснувшийся от своего пацифизма, несмотря на только что закончившуюся войну с Финляндией».

Миролюбие и пацифизм товарища Сталина и других товарищей вызывают сожаление и сочувствие, но при внимательном рассмотрении любой читатель мог обнаружить в рассказах ученых товарищей и великих героев почти неприметные шероховатости и нестыковки. Вот они-то и указывали на то, что не все было так, как нам сегодня рассказывают.

Пример. Выходит официальный труд «История советской военной мысли». Он подготовлен Академией наук СССР и Институтом военной истории Министерства обороны СССР (М.: Наука, 1980). В этом труде (С. 142) сообщается: «В начале 1941 года были проведены две оперативно-стратегических игры на картах (с 2 по 6 января и с 8 по 11 января). Разыгрывался начальный период войны: вариант нападения «Западных» и оборона «Восточных».

Начиная с середины 50-х годов звучало множество заявлений о том, что в январе 1941 года «Восточные» отрабатывали вопросы отражения агрессии «Западных». Рассказам о нашем врожденном миролюбии мы привыкли верить на слово. Но следовало обратить внимание на совсем неприметный пустячок. Во всех официальных исследованиях речь идет о двух играх, а в мемуарах Жукова сообщается, что была всего только одна игра. Наши официальные историки должны были указать Жукову на неточность или искать ошибку в своих исследованиях. Но они этого почему-то не делали. Вот академик Анфилов сообщает, что якобы имел несколько продолжительных бесед с Жуковым и что якобы Жуков ему сообщил множество интересных вещей о предвоенном периоде и о начале войны. Допустим. Сам Анфилов пишет про две оперативно-стратегических игры. (Бессмертный подвиг. М., 1971. С. 137). Разница во времени между выходом книги Жукова и книги Анфилова — два года. Получается, что почти одновременно маршал и академик сообщили миру разные версии событий. По Анфилову — две игры, по Жукову — одна. Тут же маршал и академик встречаются, вместе пьют чай и беседуют о высоких материях. Вот бы академику Анфилову и воспользоваться моментом: Георгий Константинович, по моим сведениям, было две игры, а вы пишете про одну. Кто из нас не прав? Давайте разберемся.

Да и Жукову не мешало бы сделать встречный шаг. Положение обязывало. Он — величайший полководец XX века, перед ним академик Анфилов — величайший эксперт в вопросах начального периода войны. Жукову следовало просто ради интереса прочитать книги Анфилова, а прочитав, следовало выразить изумление: я помню только одну игру, а вы, уважаемый, пишете про две. Один из нас заблуждается. Давайте вместе искать истину.

Но истину не искали. Ни вместе, ни раздельно. Нестыковок в своих бессмертных творениях они не замечали и устранять их не спешили.

Да почему же?

Потому, что расхождения были только в мелочах, а в главном оба врали об оборонительной направленности игры (или двух игр). И ни тому, ни другому, ни целой ватаге номенклатурных вралей не было резона вникать в детали и ворошить подробности.

130

И вот прошли годы, и выплыли подробности тех игр, и оба, величайший полководец и величайший исследователь начального периода, оказались в числе, мягко говоря, источников ложной информации.

Но архивным документам, при всей их пробивной силе, не проломить устоявшихся оценок и мнений. Через семь лет после того, как материалы стратегических игр были рассекречены, выступает мой давний оппонент, заместитель главного редактора «Красной звезды» полковник Мороз Виталий Иванович. Он привычно срамит меня и рассказывает изумленным читателям, что в Генеральном штабе РККА надо было бы на всякий случай проводить игры с наступательной направленностью, но их не проводили. Вместо этого на стратегических играх отрабатывались только варианты отражения агрессии («Красная звезда», 13 января 2000 г.). Такое простительно было писать, когда архивы были недоступны. Но сведения о стратегических играх давно из разряда секретных выпали, мы давно знаем, что об обороне на тех играх никто даже и не заикался. Отрабатывались только вопросы сокрушения Европы и установления кровавой коммунистической диктатуры на всем континенте. Но в «Красной звезде» об этом не знают. И никто из читателей «Красной звезды» не возмущается неосведомленностью центрального органа Министерства обороны России.

Прочитав заявления полковника Мороза, я ринулся писать ему письмо. Я хотел объяснить заместителю главного редактора, что он занимается промыванием мозгов своих читателей, да и сам является жертвой такого промывания. А потом сообразил, что тут имело место не долголетнее промывание мозгов, а как раз обратный процесс.

Виталий Иванович, специально для вас рассказываю о второй стратегической игре, а вы сами судите, в какие игры играли наши полководцы в январе 1941 года.

2

Из двух игр первая была решающей. «Разбор первой из них осуществлён на уровне высшего политического руководства страны» (Генерал-майор В. Золотарев. «Красная звезда», 27 декабря 1990 г.).

«Высшее политическое руководство страны» — это Сталин. Он внимательно следил за ходом первой игры и убедился в том, что в Восточной Пруссии может увязнуть. Потому сразу после первой игры Сталин сделал свой выбор: удар в Европу наносим не севернее Полесья, а южнее, т. е. не из Белоруссии и Прибалтики, а с территории Украины и Молдавии.

Интересно, как Жуков описывает разбор первой игры: «Ход игры докладывал начальник Генерального штаба генерал армии К.А. Мерецков. Когда он привёл данные о соотношении сил сторон и преимуществе «синих» в начале игры, особенно в танках и авиации, И.В. Сталин, будучи раздосадован неудачей «красных», остановил его заявив:

— Не забывайте, что на войне важно не только арифметическое большинство, но и искусство командиров и войск» (Воспоминания и размышления. С. 193).

Рассказ Жукова можно понимать только так: Мерецков якобы докладывал Сталину, что у немцев и на игре, и в реальной жизни больше танков и самолётов. А Сталин якобы на это с досадой отвечал: сам знаю, но не это главное, не арифметическое большинство, а искусство командиров и войск.

Но не мог Мерецков такого говорить, как не мог Сталин так отвечать, ибо оба знали, что Красная Армия по количеству танков, самолётов, артиллерии превосходит армию Гитлера в несколько раз. И в реальной жизни, и на стратегической игре преимущество было на стороне Красной Армии. По условиям игры «синие» («Западные») имели 3512 танков и 3336 самолётов, а «красные» («Восточные») — 8811 танков и 5652 самолета. Потому не мог Мерецков докладывать Сталину о преимуществе «синих» в начале игры. И не был Сталин раздосадован неудачей «красных», ибо «красные» под руководством Павлова прорвали фронт «синего» Жукова в двух местах, окружили крупную группировку войск Жукова в районе Сувалки и на двенадцатый день операции вели боевые действия на территории Восточной Пруссии в 110—120 километрах западнее Государственной границы СССР.

Жуков продолжает:

«— В чем кроются причины неудачных действий войск «красной» стороны? — спросил Сталин.

Д.Г. Павлов пытался отделаться шуткой, сказав, что в военных играх так бывает. Эта шутка И.В. Сталину явно не понравилась» (Воспоминания и размышления. С. 193).

Оставим на совести Жукова все эти диалоги.

3

8—11 января состоялась вторая стратегическая игра, о которой Жуков забыл. Преамбула была вполне схожей: Советский Союз живет мирной жизнью и о войне не помышляет, коварные враги напали на миролюбивый Советский Союз, но теперь не из Восточной Пруссии, а с территории Венгрии и Румынии. Согласно заданию второй игры, 1 августа 1941 года войска Германии и ее союзников вторглись на советскую территорию. Однако они были быстро выбиты на исходные рубежи. Мало того, к 8 августа «Восточные» не только вышибли «Западных» со своей территории, но и перенесли боевые действия на территорию противника на глубину 90—180 километров и вышли армиями правого крыла на рубеж рек Висла и Дунаец.

Расклад по времени такой: озверевшие враги внезапно напали на нашу страну и два дня успешно наступали.

На третий день наши войска под руководством Жукова противника остановили, еще два дня потребовалось на то, чтобы врагов со своей территории выбросить. Потом за два дня, к исходу 7 августа, наши войска по вражьей земле прошли 90—180 километров. Темп наступления — 45—90 километров в сутки. Все это — предисловие. Собственно игра началась уже на территории противника в 90—180 километрах западнее Государственной границы Советского Союза. Содержание игры — «ответные действия» Красной Армии в Германии, Чехословакии, Венгрии и Румынии.

В каждой группе играющих произошли незначительные изменения. Некоторые генералы были переброшены из группы Павлова в группу Жукова и наоборот. Ряд генералов не принимали участия во второй игре. Вместо них играли другие. Но главные противники остались те же. Только теперь Жуков, командуя советскими войсками, наносил «ответный удар» на вражеской территории, а Павлов, командуя германскими и венгерскими войсками, советское наступление пытался отразить.

В этой игре было новшество. «Ответные действия» Красной Армии отражал на этот раз не один фронт противника, а два. Войсками Германии и Венгрии командовал генерал-полковник танковых войск Д.Г. Павлов, войсками Румынии — генерал-лейтенант Ф.И. Кузнецов.

Ф.И. Кузнецов прибыл на совещание в Москву как командующий войсками Северо-Кавказского военного округа. Сразу после первой игры его назначили командующим Прибалтийским особым военным округом. Он еще не принял должность, он еще не был на новом месте службы, а ему приказывают играть роль во второй игре — командовать войсками Румынии...

Как такое понимать? Если Кузнецова в реальной жизни только что назначили командовать советскими войсками в Прибалтике, то зачем ему поручают на игре командовать войсками Румынии? Это совсем другой географический район, другое стратегическое направление. Кузнецов тут никогда не служил, и в обозримом будущем ему предстоит служить в Прибалтике. Почему бы на стратегической игре не назначить на роль румынского генерала одного из наших генералов, который служит на границе с Румынией и знает этот район и армию Румынии? Странно все это. Но только на самый первый взгляд. Именно данное назначение Кузнецова вдруг открывает нам глаза, и мы видим ослепительную красоту сталинского замысла.

4

Перед нами стояло несколько вопросов. Зачем надо было проводить не одну игру, а две? Почему советскими войсками на этих играх командовал не начальник Генерального штаба? Почему войсками противника командовал не начальник ГРУ? Почему эти роли играли командующие военными округами? Почему Жуков и Павлов менялись ролями?

Роль, которую играл командующий Прибалтийским особым военным округом во второй игре, — это ключ к пониманию всего происходящего.

Все просто и запредельно логично.

Логика вот в чем. В пространстве между Балтикой и Черным морем лежит Полесье. Это сплошные непроходимые болота. Полесье — самый большой район болот в Европе, а возможно, и во всем мире. Полесье непригодно для массового передвижения войск и ведения боевых действий. Полесье делит Западный театр военных действий на два стратегических направления. Главный принцип стратегии — концентрация. Стремление быть сильным везде ведет к распылению сил и общей слабости. Если мы будем стараться быть одинаково сильными и севернее Полесья и южнее, то просто раздробим свои силы надвое. Этого делать нельзя. Потому на одном стратегическом направлении мы должны сосредоточить главные силы и нанести решающий удар, а на другом — удар вспомогательный.

И вот вопрос: какое направление считать главным, какое — второстепенным? Споры об этом не утихали никогда. Оба варианта имели как свои плюсы, так и минусы.

Вторжение севернее Полесья — это прямой удар на Берлин, однако... впереди — Восточная Пруссия, сверхмощные укрепления, Кенигсберг. И вся германская армия.

А удар южнее Полесья — это отклонение в сторону, это обходной путь. Но это удар в нефтяное сердце Германии, которое практически ничем не защищено. На одном синтетическом горючем далеко не уедешь.

Потому было решено провести две игры, сопоставить результаты и сделать выбор. На первой игре основной удар в Европу наносится севернее Полесья, с территории Белоруссии и Прибалтики. На второй игре вторжение в Европу происходит с территории Украины и Молдавии.

Советские стратеги готовили сокрушительный удар в Европу. Для Германии этот удар мог быть смертельным. Это осознавал и Гитлер, и его генералы. Я приводил немало высказываний самого Гитлера и его генералов на этот счет. Каждый желающий может найти в изобилии как подобные высказывания, так и факты, которые подтверждают данную оценку ситуации. Если сокрушить Германию, то вся остальная континентальная Европа будет засыпать сталинские танки цветами. Если сокрушить Германию, дорога сталинским танкам будет открыта до Атлантики.

Если наносить главный удар севернее Полесья, из Белоруссии и Прибалтики, тогда командующий Западным особым военным округом (ЗапОВО) генерал-полковник танковых войск Д.Г. Павлов соберет все лавры и имя его будет прославлено в веках. Подобная слава ждет и командующего Прибалтийским особым военным округом (ПрибОВО) генерал-лейтенанта Ф.И. Кузнецова. Но в этом случае роль командующего Киевским особым военным округом (КОВО) генерала армии Г.К. Жукова будет второстепенной. Еще более скромной будет роль командующего Одесским военным округом (ОдВО) генерал-полковника Я.Т. Черевиченко.

Если же удар наносить южнее Полесья, с территории Украины и Молдавии, тогда все лавры достанутся командующему Киевским особым военным округом Жукову и частично — командующему Одесским военным округом Черевиченко. Но тогда командующие округами в Белоруссии и Прибалтике останутся в тени.

И Сталин решает столкнуть лбами тех, кто больше всего заинтересован, чтобы направление севернее Полесья стало главным, с теми, кто заинтересован в обратном.

5

В том, чтобы наносить главный удар из Белоруссии и Прибалтики, больше всего заинтересован командующий войсками Западного особого военного округа генерал-полковник Д.Г. Павлов. Раз так — ему главная роль в первой игре. Задача: прорываться севернее Полесья в Восточную Пруссию.

Команда Павлова сформирована в основном из генералов ПрибОВО и ЗапОВО. В этой команде начальники штабов ЗапОВО и ПрибОВО, их заместители, четыре командующих армиями, которые находятся в Прибалтике и Белоруссии, командующие ВВС, ПрибОВО и ЗапОВО.

Все они имеют единый интерес: чтобы Сталин выбрал направление севернее Полесья главным направлением войны.

Кому же этот вариант больше всего не подходит? Тем, чьи войска находятся южнее Полесья, — командующим КОВО и ОдВО. Вот им-то Сталин и поручает отбивать вторжение Павлова в Восточную Пруссию. Во главе этой команды командующий Киевским особым военным округом генерал армии Жуков. В его команде — командующий Одесским военным округом, начальник штаба КОВО и другие генералы.

Обе команды разбавлены генералами других военных округов и центрального аппарата НКО, однако основное ядро первой команды составляют генералы, чей интерес в том, чтобы направление севернее Полесья стало главным, а вторая команда укомплектована теми, кому такой выбор крайне не нравится.

Во второй игре все наоборот. Теперь Сталин дает Жукову и его команде показать, что направление южнее Полесья более перспективно. Потому вновь в команде Жукова мы видим командующего Одесским военным округом, начальника штаба КОВО, командующих двух армий, которые находятся на территории Украины, начальника штаба Харьковского военного округа и других.

Ясно, что генералам, которые служат в Белоруссии и Прибалтике, очень не хочется, чтобы был выбран вариант вторжения в Европу с территории Украины и Молдавии в качестве главного. Вот им-то и ставят задачу: остановите вторжение Жукова в Венгрию, Румынию, Чехословакию и Южную Германию. Вот почему командовать войсками Венгрии и Румынии Сталин приказывает командующим ЗапОВО и ПрибОВО и в их команды приказывает включить начальников штабов ПрибОВО и ЗапОВО, командующих армиями, которые расположены в Белоруссии и Прибалтике.

6

На второй игре Жуков, командуя советскими войсками, наносил удар в Румынию и Венгрию. Наступать ему тут было легко.

Прежде всего здесь нет современных укрепленных районов, подобных тем, которые были в Восточной Пруссии. У Жукова имелось подавляющее превосходство в авиации, танках и десантных войсках. В первой игре Жуков оборонялся в Восточной Пруссии, имея в подчинении только германские войска. А во второй игре Павлов и Кузнецов оборонялись, имея в подчинении войска, половина которых — румынские и венгерские. Их боеспособность, выучка и вооружение уступали германским.

Наконец, руководство игры пошло на весьма странный шаг. У Жукова много войск, и он командует ими единолично. А у Павлова мало войск, кроме того, половину войск у Павлова забрали и поставили Кузнецова командовать ими и по условиям игры Павлову не подчинили. Одной мощной группировке советских войск Жукова противостояли две слабые группировки, которыми раздельно командовали Павлов и Кузнецов. По условиям игры эти группировки не имели общего командования. Руководители игры в лице маршалов Тимошенко, Буденного, Кулика и Шапошникова поставили Павлова и Кузнецова в заведомо проигрышную ситуацию. Все четыре руководящие игрой маршала склонялись к варианту вторжения в Европу на направлении южнее Полесья. К этому же решению после первой игры пришел и Сталин. Потому на второй игре, чтобы окончательно убедить Сталина в правильности выбора южного варианта, четыре маршала преднамеренно создали для Жукова ситуацию, в которой нельзя проиграть.

В реальной жизни такого разнобоя в управлении войсками гитлеровской коалиции не было. Решения для войск Германии и ее союзников принимались в едином центре — Берлине. А на стратегической игре для Павлова и Кузнецова была искусственно создана система двоевластия. Павлов и Кузнецов были поставлены перед выбором: или каждое решение принимать вдвоем и терять на обсуждение время, которого нет, или каждый принимает свое решение, тогда получается разнобой, правая рука не знает, что делает левая.

7

Сталин на второй игре не присутствовал и не проводил ее разбора, ибо уже сделал свой выбор после первой игры. Сталин уже решил: вторжение в Европу надо проводить южнее Полесья.

Руководители игры, зная, что контроля над ними нет, совершенно открыто подыгрывали Жукову. Жуков и в первой, и во второй игре держал управление в своих руках, а Павлову во второй игре такой возможности не дали.

И это не единственная явная и дикая несправедливость, которая была допущена руководством игры. В первой игре Жуков оборонялся в Восточной Пруссии, он опирался на современные сверхмощные приграничные оборонительные укрепления. Игра началась с государственной границы. А на второй игре Павлов таких оборонительных укреплений не имел, да его еще и отбросили в глубину обороняемой территории. Вторая игра началась не на границе, а в 90—180 километрах западнее государственной границы. Павлов уже находился в ситуации, когда оставалось только его добить. Даже современные официальные российские военные историки удивляются такому подходу. «О том, как же удалось «Восточным» (т. е. Жукову. — *В.С.*) не только отбросить противника к государственной границе, но местами и перенести военные действия на его территорию, — этот вопрос остался обойденным» (Накануне войны. С. 389). Другими словами, Жуков за два дня отбил вражеское вторжение, а потом еще за два дня вырвался на территорию противника на глубину 90— 180 километров, вышел к рекам Висле и Дунаец, но никто, включая руководителей игры и самого великого стратегического гения, понятия не имел, как удалось сотворить такое чудо.

Павлов мог бы построить оборону, опираясь на горные хребты. Горы — естественный рубеж для обороняющего и преграда для наступающего. Но условия игры были составлены так, что горы у Павлова отобрали, его отбросили на равнины. Не Жуков, а руководители игры сбросили войска Павлова с удобных оборонительных рубежей. А войска Жукова они чудесным образом перебросили через хребты — воюй не там, где будет трудно, а там, где будет легко.

Подыгрывая Жукову, маршалы Тимошенко, Буденный, Кулик и Шапошников совершили преступление. Их действия можно образно сравнить с действиями неких руководителей учений, которые сказали бы американским генералам: представьте, что во Вьетнаме нет джунглей и болот, и планируйте войну исходя из этого. Или бы сказали советским генералам: представьте, что в Афганистане нет гор...

Но даже и после всех этих явных (и преступных) натяжек возможности Павлова и Кузнецова продолжать борьбу не были исчерпаны. Потому Жукову записали не победу, а только некоторое преимущество над противниками.

Официальная кремлевская пропаганда сделала все, чтобы опорочить Павлова и Кузнецова и на их фоне возвеличить Жукова. Жертвами пропаганды становятся даже честные исследователи. «Игры доказали, что, как полководец, Жуков явно превосходил своих коллег. Отмечу, что оба его противника по игре, Д.Г. Павлов и Ф.И. Кузнецов, очень неудачно командовали своими войсками в

141

первые дни Великой Отечественной войны» (Б. Соколов. Неизвестный Жуков: портрет без ретуши. С. 198).

Борис, ты не прав! Действительно Павлов и Кузнецов в первые дни войны очень неудачно командовали своими войсками. Но хотелось бы добавить: а гениальный Жуков в первые дни войны командовал своими войсками крайне удачно.

«Вторая игра... завершилась принятием «Восточными» решения об ударе на Будапешт» («Известия, 22 июня 1993 г.). «Восточными» во второй игре, как мы помним, командовал Жуков, это он принимал решение о прорыве к озеру Балатон и форсированию Дуная в районе Будапешта. Решение принималось пока только в ходе стратегической игры, однако сам Жуков сообщает, что игрища эти носили отнюдь не академический характер, они были прямо связаны с грядущей войной.

Теперь вспомним стихотворение Михаила Исаковского «Враги сожгли родную хату, убили всю его семью». Написано это стихотворение сразу после войны. Более мощного и горестного произведения о войне не написал никто. Вернулся солдат с войны: «Я три державы покорил!» А его никто не встречает. Сидит солдат на заросшей бурьяном могиле и пьет один.

> Хмелел солдат, слеза катилась,
> Слеза несбывшихся надежд,
> И на груди его светилась
> Медаль за город Будапешт.

Медаль «За взятие Будапешта» учреждена Указом Президиума Верховного Совета СССР 9 июня 1945 года. А Жуков Георгий Константинович еще 11 января 1941 года позаботился о том, чтобы возникла ситуация, в которой наших освободителей, покоривших по три державы, можно было бы такой медалью награждать.

Вот тут Жуков явно предвосхитил события.

ГЛАВА 10

ОН НЕ УСПЕЛ ВНИКНУТЬ

О стратегической обороне, которая
была нам навязана противником летом 1941
года, наше руководство и не думало.

Генерал-лейтенант *Н.Г. Павленко*.
ВИЖ. 1988. № 11. С. 21

1

В результате проведенных стратегических игр основным направлением вторжения в Европу было выбрано
пространство южнее Полесья, т. е. главный удар было
решено наносить с территории Украины. Таким образом,
решающая роль в войне выпадала Киевскому особому
военному округу, который в случае войны превращался в
Юго-Западный фронт. А если так, то действия всех остальных войск следовало планировать в интересах боевых действий ЮЗФ. В соответствии с этой логикой через
два дня после завершения второй стратегической игры
командующий Киевским особым военным округом генерал армии Г.К. Жуков был назначен начальником Генерального штаба РККА. Если бы главным направлением
вторжения в Центральную Европу было выбрано пространство севернее Полесья, тогда начальником Генерального штаба был бы назначен Павлов.

Задача Жукова — готовить главный удар с территории Украины, вспомогательные удары с территорий остальных приграничных военных округов: Одесского,
Западного, Прибалтийского, Ленинградского.

Действия Жукова накануне войны и в начальном ее
периоде я выделяю в особое производство. О его кипучей деятельности в первые дни войны надо писать от

дельную книгу. Этой пока еще не написанной книге я даю рабочее название «Медный лоб», чтобы подчеркнуть фантастическое упорство, небывалые волевые качества и невероятные интеллектуальные способности великого стратега.

Сейчас только одно замечание. Когда говорят, что Жуков не имел ни одного поражения в жизни, мы возразим. Правда заключается в том, что ни один полководец мира не имел таких грандиозных и позорных поражений, какие были у Жукова. Разгром Красной Армии летом 1941 года — это величайший позор мировой истории. Такая катастрофа не постигала никогда ни одну армию мира. Вся великолепно подготовленная Красная Армия была разгромлена и захвачена в плен в первые месяцы войны. В 1941 году Красная Армия потеряла 5,3 миллиона солдат и офицеров убитыми, попавшими в плен и пропавшими без вести (ВИЖ. 1992. № 2. С. 23). Это не считая раненых, контуженных и искалеченных. Вся предвоенная кадровая Красная Армия была разгромлена. Четыре года войны против германской армии воевала не кадровая армия, а резервисты. А что могли сделать резервисты? Так ведь не все резервисты и воевали. Из-за поспешного бегства 1941 года на оккупированных противником территориях осталась еще целая армия — 5 360 000 военнообязанных, которых не успели призвать в Красную Армию (ВИЖ. 1992. № 2. С. 23).

В 1941 году Красная Армия потеряла 6 290 000 единиц стрелкового оружия (ВИЖ. 1991. № 4). Этого оружия было бы вполне достаточно, чтобы вооружить весь Вермахт.

Красная Армия за тот же период потеряла 20 500 танков. Этого могло хватить на укомплектование пяти таких армий, как Вермахт. Такого количества танков было бы достаточно, чтобы вооружить ими не только армию Германии 1941 года, но и все остальные армии планеты: США, Великобритании, Японии, Италии, Испании. Даже не дважды, а трижды. Причем танками такого качества, каких ни в одной из этих стран не было.

Красной Армией в 1941 году было потеряно 10 300 самолетов. Этого вполне хватило бы на полное перевооружение Люфтваффе, и не один раз. И опять же самолетами очень высокого качества. Ничего равного нашим Ил-2, Пе-2, Як-2, Як-4, Ер-2, ДБ-3ф, Пе-8 в 1941 году у Гитлера не было.

Потери советской артиллерии за первые шесть месяцев войны: 101 100 орудий и минометов. Этого было бы достаточно для укомплектования всех армий мира вместе взятых, и опять же не один раз, а многократно. И опять же — самыми лучшими в мире образцами пушек, гаубиц, мортир и минометов.

На границах было брошено более миллиона тонн боеприпасов.

Неужели начальник Генерального штаба РККА, величайший стратег XX века Жуков Георгий Константинович за весь этот позор не несет ответственности?

2

Возражают: Жуков тут ни при чем, во все вмешивался Сталин. Накануне войны Сталин не давал великому гению возможности принимать мудрые решения. Это возражение отметем. На это возражение следует отвечать словами нашего героя. Жуков рассказывал, что якобы 29 июля 1941 года он спорил со Сталиным. Сталин якобы сказал, что Жуков несет чепуху. На это Жуков якобы ответил: «Если вы считаете, что начальник Генерального штаба способен только чепуху молоть, тогда ему здесь делать нечего. Я прошу освободить меня от обязанностей начальника Генерального штаба и послать на фронт. Там я, видимо, принесу больше пользы Родине» (Воспоминания и размышления. С. 301).

Допустим на минуту, что такой разговор был, что Жуков так вел себя после германского вторжения. Возникает вопрос: почему именно так Жуков не вел себя до германского вторжения? В случае если Сталин накануне войны действительно не соглашался с мнением великого стратега, тогда стратегу надо было быстро и четко определиться: Сталин не слушает моих советов, зачем я тут протираю штаны? Если с моим мнением Сталин не считается, пусть отправит меня в войска!

Не надо скандалов, не надо громких фраз, надо было просто объясниться с вождем: товарищ Сталин, наши мнения не совпадают, я вам ничем помочь не могу, мы друг друга не понимаем, зачем вам нужен советник, мнение которого безразлично вам? Почему бы вам, товарищ Сталин, не найти другого начальника Генерального штаба, мнение которого совпадало бы с вашим?

А можно было то же самое выразить ультиматумом: убейте, расстреляйте, но я ответственности перед народом и историей за вашу глупость, товарищ Сталин, нести не намерен.

У каждого руководителя высокого ранга есть средство заставить считаться с собой. И это средство — отставка. Во все времена министры, генералы, маршалы пользовались этим средством: за чужую дурь — не ответчик, увольте. Если у человека есть принципы, он обязан их отстаивать. Так вел себя в октябре 1941 года командующий Дальневосточным фронтом генерал армии Апанасенко Иосиф Родионович. Он считал, что последние противотанковые пушки с Дальнего Востока забирать нельзя, пусть даже и ради спасения Москвы. Он покрыл Сталина матом и объявил: сорви с меня генеральские лампасы, расстреляй — пушек не отдам.

Вот это — смелый и принципиальный человек.

В первой половине 1941 года на повестке истории стоял вопрос о судьбе страны: быть ей или не быть. Начальник Генерального штаба генерал армии Жуков обязан был занимать позицию несгибаемую: или, товарищ Сталин, отрешите меня от должности, или не мешайте работать.

Поступил ли так Жуков?

Предлагаю на выбор одно из двух.

Первое. Сталин не мешал Жукову работать и не вмешивался в его деятельность. В этом случае вся ответственность за разгром 1941 года ложится на Жукова, ибо Жуков — начальник Генерального штаба, а Генеральный штаб — мозг армии.

Второе. Сталин вмешивался в работу Жукова, не давал ему развернуться, но Жуков был слабовольным человеком, он не нашел в себе мужества потребовать отставки с высокого поста. Если так, то Жуков несет полную ответственность за разгром. Если не было в Жукове решимости и храбрости отказаться от выполнения преступных приказов, значит, он должен отвечать как виновник и соучастник преступлений.

Выход был. В крайнем случае от необходимости принимать преступные решения Жуков мог уйти в смерть. Пожертвовав собой, Жуков мог открыть глаза Сталину и другим руководителям на их ошибочные действия и тем спасти миллионы своих соотечественников. Если бы Жуков застрелился накануне войны в знак протеста против неправильных действий Сталина, вот тогда ему следовало ставить памятник. Вот тогда ответственность за разгром нес бы кто-то другой.

Ответственность начальника Генерального штаба в сто миллионов раз тяжелее ответственности любого другого генерала. От личных качеств начальника Генерального штаба зависит судьба страны и народа в данный момент и на десятилетия, а может быть, и на столетия вперед. Начальник Генерального штаба должен обладать сильным характером. Для этой должности требуется твердость особого рода. И храбрость. Начальник Генерального штаба не имеет права подстраиваться под чужие мнения. Он обязан иметь собственное. Но этого мало. Начальник Генерального штаба обязан свое мнение не только иметь, но и отстаивать его на каком угодно уровне. В крайнем случае он обязан отказаться от высокого поста, если его заставляют идти на компромисс со своими убеждениями и совестью.

Но Жуков не ушел с поста начальника Генерального штаба. И никаких следов его протестов против действий Сталина не удалось обнаружить, несмотря на многолетние старания всего идеологического аппарата огромной страны. Накануне войны Жуков не сделал ничего против воли Сталина. Потому он несет полную ответственность за величайший разгром.

3

Есть еще возражение: Жуков не виноват в разгроме 1941 года, ибо до начала войны он находился на должности начальника Генерального штаба всего только пять месяцев. Он не успел вникнуть в дела.

Этот довод повторялся многократно. Исходил он от самого великого стратега. Академик Анфилов опубликовал воспоминания о том, как через 20 лет после войны встречался с Жуковым. И был разговор примерно следующего содержания.

Анфилов: Как же, Георгий Константинович, промашка такая в начале войны вышла?

Жуков: А вот вы пришли на новую должность, сколько времени потребовалось, чтобы вникнуть?

Анфилов: Ну, один год...

Жуков: То-то, а я всего пять месяцев имел, и хозяйство у меня вон какое.

Анфилов, понятно, с доводом стратега согласился. Согласимся и мы. Но возникает нестыковка. Жуков и его защитники не понимают, в какую яму угодили. Сопоставим два рассказа Жукова. В январе 1941 года великий стратег Жуков якобы бросил взгляд на карту и мысленно воспроизвел весь германский план «Барбаросса». Жуков якобы сразу все понял и якобы громил Павлова на стратегической игре точно так, как германские генералы громили войска Павлова полгода спустя на полях сражений. Но потом, в том же январе 1941 года, Жуков был назначен начальником Генерального штаба, и вот теперь он в обстановку никак вникнуть не смог, не сумел ничего понять, ни в чем разобраться.

В начале января 1941 года Жуков был всего лишь командующим округом, доступа к самой важной информации не имел. На осмысление обстановки на предстоящую стратегическую игру давался всего один день — 1 января 1941 года. А по воспоминаниям Жукова, вообще никакого времени на осмысление обстановки не давалось, стратегическая игра началась прямо на следующий день после совещания высшего командного состава, но никаких проблем не возникло: не раздумывая долго, великий стратег сразу все оценил, мгновенно указал, где и как немцы будут наступать. И вот Жукова ставят во главе Генерального штаба. Перед ним открыт доступ к любой информации. В его подчинении — все. Жуков может вызвать на ковер командующего любого военного округа, любой армии, командира любого корпуса, дивизии, бригады, полка, начальника любого штаба, любого управления, направления, отдела и потребовать в пять минут обрисовать обстановку. Прямо в центре Москвы на Ходынском поле распоряжений начальника Генерального штаба всегда ждет самолет. Жуков в любой момент может вылететь в любой штаб, в любой гарнизон, на любой участок границы: что тут у вас? Жуков может потребовать к себе на доклад любого разведчика, от нелегального резидента в Женеве до начальника Главного разведывательного управления: ну-ка обрисуй ситуацию!

2 января 1941 года командующий Киевским особым военным округом генерал армии Жуков с первого взгляда оценил и понял всю обстановку и понимал ее до 11

января, пока продолжалась игра, но вот 13 января 1941 года генерал армии Жуков назначен начальником Генерального штаба, он смотрит на ту же карту и ничего не может понять. Смотрит весь день, всю ночь, никак вникнуть не может. Смотрит неделю, месяц, два — ничего не понимает. Призывает на помощь весь Генеральный штаб, штабы всех военных округов, флотов, армий, флотилий, требует на помощь сотни генералов и тысячи полковников, но никак в обстановку не вникает. Проходит третий месяц, четвертый, пятый, Жуков пытается разобраться, но нет, мудрено. Кажется, и легко на вид, а рассмотришь — просто черт возьми! Никак не выходит сообразить, что к чему.

С 13 января до 22 июня — пять месяцев, неделя и один день. Так бедный Жуков в обстановку и не вник. Времени не хватило. Так ничего и не понял. Нападают враги, а у него даже приказ об отражении агрессии не написан.

4

Заявлениям о том, что Жуков не успел уяснить обстановку, мы не поверим. И вот почему.

В западных районах СССР — пять военных округов: Ленинградский, Прибалтийский, Западный (он же Белорусский), Киевский и Одесский. В военное время эти округа превращаются во фронты, соответственно: Северный, Северо-Западный, Западный, Юго-Западный и Южный.

Ситуацию в Ленинградском военном округе Жукову можно было не изучать. Природные условия таковы, что боевых действий грандиозного масштаба в Карелии быть не может. Тут непроходимые лесные чащи, тайга, тундра, озера, топкие болота, быстрые речки с каменистыми перекатами и обрывистыми берегами, огромные валуны, скалы, комары и мошкара, которые заедают до смерти, полное отсутствие дорог, лютый климат. А ближе к северу — еще и полярная ночь. Боевые действия тут неизбежно распадаются на мелкие бои местного значения. Ясно, что главный удар противник будет наносить в другом месте. Так что обстановку в Ленинградском военном округе Жуков мог не изучать. Оставались еще четыре округа. Но и они не равноценны.

Германское вторжение могло быть осуществлено в основном через Белоруссию и Украину. В сравнении с Украиной и Белоруссией остальные направления — второстепенные. Вот Жукову и следовало разбираться в первую очередь с обстановкой в Белоруссии и на Украине. Но она ему известна!

После Гражданской войны и до начала Второй мировой войны в строевых частях Жуков служил только в Белоруссии. Из этой службы выпадают короткие периоды учебы на кавалерийских курсах в Ленинграде и служба в Москве, в инспекции кавалерии. Но на строевые должности Жуков неизменно возвращался в Белоруссию. Тут с 1922 по 1939 год он прошел путь от командира эскадрона до заместителя командующего округом. Тут, в Белоруссии, Жуков прошел все ступени служебной лестницы, не пропустив ни одной. Тут он был командиром и полка, и бригады, и дивизии, и корпуса, и пошел еще выше. По долгу службы Жуков должен был знать обстановку в Белоруссии, как статьи Боевого устава. Он должен знать каждую кочку и каждый кустик.

Должность заместителя командующего Белорусским военным округом Жуков сдал в конце мая 1939 года, на должность начальника Генерального штаба назначен в январе 1941 года. За это время ситуация в Белоруссии несколько изменилась, однако на фоне того, что было раньше, изменения видны особенно четко: эта дивизия была тут, теперь ее двинули к границе; а здесь была дивизия, теперь ее развернули в корпус; там был корпус, теперь — целая армия. Неужели за пару часов эти изменения нельзя изучить? Тем более что начальнику Генштаба Жукову самому даже не надо никаких бумаг искать, не надо их читать. Подними трубочку, и тут же, как чертик из табакерки, выпрыгнет бодрый полковник-направленец из Оперативного управления и четко в пять минут доложит: было так, а стало вот так. И карту развернет, и справочку представит, если потребуется.

Кроме того, в январе 1941 года на стратегической игре Жуков (по его рассказам) воевал на картах именно на территории Белоруссии. И на картах, по словам Жукова, была нанесена реальная обстановка. И была она для Жукова кристально ясной. Откуда же потом в его светлую голову закрались неясности?

Самый мощный из всех военных округов — Киевский. Обстановку в Киевском особом военном округе Жукову изучать тоже не надо. Жуков пришел в Генеральный штаб с поста командующего Киевским особым военным округом. Обстановку в нем Жуков обязан был знать лучше, чем кто-либо на нашей планете.

К тому же, когда Жуков был командиром бригады, дивизии, корпуса, заместителем командующего Белорусским военным округом, он должен был знать обстановку в других военных округах, прежде всего в соседнем Киевском. А когда Жуков командовал Киевским округом, он по долгу службы должен был знать обстановку во всех остальных округах, прежде всего в соседних — Белорусском и Одесском.

Если вы командир стрелкового отделения, то должны наладить взаимодействие с соседями. Вы обязаны знать, какое отделение действует правее вас, какое — левее. Вы должны знать, какие у ваших соседей силы, какое вооружение, сколько людей и боеприпасов, на что они способны и какие задачи выполняют. Если вы командир взвода, то ваша прямая обязанность знать все о соседних взводах. Это относится к командирам всех рангов. До самого верха. Если вы командующий Киевским округом, так уж извольте изучить обстановку и у своих соседей. Положение обязывает.

Остаются еще два направления: Прибалтика и Молдавия. С точки зрения обороны страны это явно не главные направления. Обстановку в Молдавии, т.е. на территории Одесского военного округа, Жуков обязан был знать по двум причинам. С одной стороны, Одесский округ — это сосед Киевского особого военного округа; с другой — полгода назад, в июне 1940 года, Жуков командовал войсками Южного фронта в ходе похода в Бессарабию, т. е. в Молдавию. Южный фронт разворачивался на территории Киевского и Одесского округов и имел в своем составе войска как Киевского, так и Одесского округов. Перед тем как принять под командование Южный фронт, Жуков два месяца работал в Москве. Его специально освободили от всех должностей, с тем чтобы дать возможность изучить обстановку в Одесском и Киевском округах и на сопредельных территориях. И тогда в июне 1940 года все было Жукову ясно и с Киевским округом, и с Одесским.

Так что же Жукову непонятно?

Если непонятна ситуация в Прибалтике, то опять же нужно вызвать направленца из Оперативного управления Генштаба, который коротко и ясно доложит все, что требуется. Если этого мало, то можно вызвать командующего Прибалтийским особым военным округом, начальника его штаба, командующих армиями, которые находятся в Прибалтике, пусть докладывают!

Но даже если Жуков за пять месяцев упорных трудов не смог сообразить, где находится 8-я армия Прибалтийского округа, а где 11-я, что входит в их состав и какие они решают задачи, то ничего страшного в этом нет. Пусть бы Жуков остановил вторжение противника через Украину и Белоруссию, а уж с Прибалтикой как-нибудь справились бы и без него.

5

Зададим вопрос: а что делал Жуков для того, чтобы обстановку понять?

Был ведь простой путь вникнуть в ситуацию. Допустим, глупый Сталин, который вообще ничего не понимал, приказал провести две стратегические игры и обе — с наступательной тематикой. Ладно. Чем бы дитя ни тешилось... Но кто мешал Жукову провести еще одну игру — на оборонительную тему? Не надо новой встречи в верхах, не надо собирать совещания высшего командного состава. Следовало просто в рамках Генерального штаба собрать самых толковых офицеров и генералов, прежде всего из Оперативного управления, они готовят планы войны, потому знают обстановку лучше всех. Вот перед ними и поставить задачу: немцы могут наступать вот так и так, на восьмые сутки они могут выйти к Барановичам, что мы, братцы, будем делать при таком раскладе? Жукову следовало просто провести опрос подчиненных офицеров и генералов: а что бы ты делал на месте начальника Генерального штаба накануне скорой и неизбежной агрессии противника?

И почему бы на эту оборонительную игру не пригласить Сталина? После смерти вождя Жуков рассказывал, что Сталин боялся войны. Раз так, то следовало усадить пугливого Сталина в уголок и перед ним разыграть оборонительное сражение: не бойся, товарищ Сталин, если немцы на восьмые сутки выйдут к Барановичам, мы выставим на пути танковых колонн сто тысяч противотанковых мин! А за минными полями мы уже в мирное время выроем противотанковые рвы! А тут в лесах посадим партизан! А вот тут у нас в засаде истребительно-противотанковая артиллерийская бригада!

Но Жуков никакой игры на оборонительную тему не проводил. А ведь это странно.

6

Самое смешное в этой истории вот что: Жуков множество раз рассказывал о том, как он предвосхитил планы Гитлера, однако стратегический гений никогда нигде ни словом не обмолвился о том, что же следовало предпринять, чтобы избежать разгрома? Выходит, что мудрость Жукова какая-то однобокая.

Давайте на пару минут поверим рассказам великого полководца и представим финал первой стратегической игры в январе 1941 года. Командующий Киевским особым военным округом генерал армии Жуков демонстрирует вождю: вот, товарищ Сталин, таким образом Гот и Гудериан разобьют Павлова. Товарищ Сталин видит разгром, беспомощно разводит руками и ничего больше не делает. А мы спросим: неужели Сталин не выразил интереса, как же решить проблему обороны Белоруссии? Неужели он не спросил Жукова: так что же ты предлагаешь делать в такой ситуации?

По рассказу Жукова выходит, что Сталин решения проблемы не искал. Жуков продемонстрировал Сталину, каким образом немцы разобьют Павлова, на том все и успокоились. Сталин просто пожурил Павлова за то, что тот проиграл битву на картах, присвоил ему очередное звание, ввел его в пятерку своих высших генералов и больше об обороне Белоруссии ни разу не вспомнил.

Давайте посмеемся над Сталиным. Дурачок, он и есть дурачок. К тому же и трусишка. Но Жуков-то гений! Неужели Жукову не интересно найти решение проблемы?

Жукову, если он действительно предвидел действия противника, следовало сказать Павлову: давай, Дмитрий Григорьевич, сядем вдвоем, потолкуем. Давай решение проблемы найдем. Сам ты дурак, на игре решения найти не смог. Кончилась игра. Но решение все равно искать надо! Твои войска — правый сосед войск моего Киевского округа. Черт с тобой, если тебя разобьют. Но если немцы нападут и на восьмой день выйдут к Барановичам, то это угроза моим войскам на Украине. Они разобьют тебя и выйдут во фланг моего Киевского округа, из Белоруссии они могут ударить в мой тыл.

Жуков был обязан искать способ остановить танковые клинья Гота и Гудериана в Белоруссии по многим причинам.

Во-первых, ради самосохранения: Павлов — правый сосед.

Во-вторых, Жуков — русский генерал. Назревает разгром сверхмощной группировки Красной Армии в Белоруссии. Из простой любви к своему народу, своей стране и своей армии патриот Жуков обязан был найти способ противостояния вторжению и сообщить о нем и Павлову, и Сталину.

В-третьих, ради спортивного интереса, просто ради того чтобы решить головоломку. Вот гимнастика для мозга: известно, как будет действовать нападающая сторона, но не известно, что же делать обороняющейся стороне. Павлов на стратегической игре найти решения не сумел. Поэтому поставить себя на место Павлова и сообразить, что же надлежит делать командующему Западным фронтом для того, чтобы предсказания не воплотились в кошмарную реальность.

В-четвертых, ради карьерных интересов. Возникла возможность отличиться. Жуков показал Сталину, как немцы будут действовать в первые дни войны. Тут же следовало показать товарищу Сталину обратный фокус: не надо бояться, товарищ Сталин, я бы на месте Павлова поступил вот так. Вот, товарищ Сталин, решение: если немцы будут действовать таким образом, мы им противопоставим контрманевр.

В-пятых, через несколько дней после игры Жуков был назначен начальником Генерального штаба. Теперь он уже не сосед Павлова, а прямой его начальник. Жуков знает, что немцы нападут и на восьмой день могут выйти к Барановичам. Кроме того, Жуков знает, что Павлов остановить вторжение не сумеет. Павлов не знает, как надо действовать. Если так, прямая обязанность Жукова — найти решение для Павлова. Жуков должен был Павлову приказать: действуй вот так, так и так, вон там рой противотанковые рвы, тут ставь 4-ю армию в глухую оборону, с этого рубежа готовь контрудар 6-го мехкорпуса, тут ставь минные поля, отводи авиацию с приграничных аэродромов, вывози стратегические запасы подальше от границ, проведи эвакуацию семей военнослужащих в центральные районы страны. Если Павлов не способен командовать, Жуков должен был поставить перед Сталиным вопрос о его смещении. Но Жуков почему-то этот вопрос не ставил. Если Павлов не способен командовать, а сместить его невозможно, начальник Генерального штаба Жуков был обязан связаться с командующими армиями и командирами корпусов и дивизий: в случае нападения что вы намерены делать? Как намерены отбиваться? Жуков был обязан потребовать от всех подчиненных Павлова поиска решения. Что будет делать командующий 3-й армии в случае нападения? А у командующего 10-й армии какое решение?

Но Жуков и этого почему-то не делал. На самый крайний случай Жуков должен был подумать о себе. Если Павлова разобьют, если на восьмой день германские танки выйдут к Барановичам, что должен делать я, начальник Генерального штаба?

Но Жуков почему-то решения для Павлова не искал и никаких приказов ему не отдавал. Вернее, отдавал приказы, но совсем другого рода. На провокацию не поддаваться! Окопов не рыть! В оборону войска не ставить! Границу оголять! Войска собирать огромными массами. Аэродромы строить у самых границ! Авиацию перебазировать к границе! Стратегические запасы — туда же! Семьи военнослужащих из приграничных районов не вывозить! Спрашивается: а почему, если мы готовимся к обороне?

Не будем спорить: в Минске сидел глупый, ни на что не способный Павлов. Он не знал, как отразить германское вторжение. Но ведь в Москве сидел, высоко возвышаясь над Павловым, мудрейший полководец XX века. Но удивительное дело: Жуков сумел поставить себя на место Гитлера и гитлеровских стратегов и предсказать их замыслы, однако забыл поставить себя на свое собственное место начальника Генерального штаба и найти решение проблемы обороны Белоруссии и всего Советского Союза.

7

Генерал армии Павлов не знал, как остановить удар германских танковых клиньев на Барановичи, Бобруйск, Минск и Витебск. А знал ли Жуков? Если Жуков знал, как предотвратить разгром, почему не попросился у Сталина на должность командующего Западным особым военным округом? В Генеральном штабе Жукову все равно делать нечего, Сталин, говорят, его гениальных советов не слушал, поэтому надо было сказать: товарищ Сталин, чую беду! Павлов фронт в Белоруссии не удержит, да вы это и сами на игре видели. А я удержу! Снимите Павлова, отправьте меня в Белоруссию, я ни Гота, ни Гудериана не пропущу!

И вот дилемма: было ли в принципе возможно остановить германские танки в Белоруссии летом 1941 года? Было ли решение проблемы? Если решения не было, то Жукову не стоило после войны выпячивать свою гениальность на фоне неспособности Павлова.

А если решение было, то почему начальник Генерального штаба Г.К. Жуков не сообщил его своему подчиненному Павлову и своему прямому начальнику Сталину?

Жукову не хватало ума даже после войны задним числом выдумать решение и сообщить его своим поклонникам: мол, дурачки не знали, как защищать Белоруссию, а я-то знал, что надо действовать вот так и так.

Вся история войн и военного искусства состоит только из примеров двух категорий. Или полководец (король, князь, генерал, адмирал, фельдмаршал) не разгадал замыслов противника и за то поплатился разгромом. Или он замыслы противника предсказал, что-то этим замыслам противопоставил и в результате получил блистательную победу. Один полководец понимал, что центр его боевого порядка прорвут, потому позади своих дружин сковал возы цепями. Для устойчивости. Чтобы некуда было пятиться. Другой полководец сообразил, что противник перед боевыми порядками своих войск вырыл ямы, прикрыл их хворостом и присыпал землей. Чтобы в эти ямы не угодить, мудрый вождь свои войска удержал от самоубийственной атаки. Третий полководец, разгадав замысел противника, поставил в соседнем лесу засадный полк и в решающий момент битвы ударил во фланг и тыл врагу.

Но вот уникальный случай истории: гениальный полководец Жуков мгновенно разгадал замысел противника, но гениальности его хватило только на это. Никаких выводов из своих предсказаний он не сделал. Ему даже в голову не пришло соврать: мол, я Сталину предлагал отражать германское вторжение вот так и так. И в своих мемуарах он ограничился заявлениями о том, что занимался предсказаниями. Но кому нужны предсказания, если из них никто, начиная с самого предсказателя, не сделал выводов?

Давайте представим такую ситуацию. Перед выходом «Титаника» в море некий штурман собрал огромное количество сведений о морских течениях, о путях айсбергов в океане, последние сообщения очевидцев о положении айсбергов в данный момент, изучил ледовую обстановку и провел весьма сложные расчеты. И становится ему понятно, что если идти вот таким курсом с такой-то скоростью, то аккурат в ночь на 14 апреля айсберг царапнет «Титаник» вот в этой точке океана. Штурмана все хвалят за мудрейшие предсказания и тут же назначают капитаном «Титаника». И вот он на полной скорости гонит свой корабль сквозь черную ночь и в той самой точке, где предсказал, врезается-таки в тот самый айсберг. И радостно объявляет: все случилось так, как я предвидел! И восхищенный мир рукоплещет гениальному предсказателю.

Вот именно в таком положении оказался сказочник Жуков. Своим хвастовством он сам себя загнал в глупейшее положение. Если бы Жуков был умным человеком, то его рассказ должен выглядеть так: я рассчитал, что немцы на восьмой день выйдут к Барановичам. И они туда вышли! И там они попали в ловушку, которую я им подстроил!

Но рассказывает Жуков вот что: я все понимал, я предсказал катастрофу, меня назначили начальником Генерального штаба и за пять месяцев я не сделал НИЧЕГО для предотвращения своих собственных предсказаний. И катастрофа таки случилась! Точно в соответствии с моими пророчествами!

И мир рукоплещет стратегическому предсказателю. И тысячи жуковских почитателей платочками вытирают слезы умиления: гений, чистый гений! Как сказал, так и вышло!

А мы снова перед выбором.

Или Жуков хвастун, он врет про свои предсказания.

Или он враг народа: знал, где и как немцы будут действовать, но не сделал ничего, чтобы им помешать.

ГЛАВА 11

ДЕЙСТВОВАТЬ ПО-БОЕВОМУ

Печать личности Жукова, его полководческого таланта лежит на ходе и исходе важнейших стратегических операций Советских Вооруженных Сил.

Генерал армии *А.М. Майоров.*
ВИЖ. 1986. № 12. С. 40

1

Не боюсь повторить: штаб — это мозг. Удар по штабу — это кувалдой по черепу. Чтобы лишить противника приятной возможности бить ломом или разводным ключом по вашей голове, вы обязаны свой штаб спрятать и защитить. Противник не должен знать, кто, где и когда принимает решения, в чем они заключаются, когда и как передаются исполнителям.

Принято считать, что работа начальника штаба сводится к добыванию, сбору, изучению, обработке, отображению, анализу и оценке обстановки, подготовке решений, приказов, планированию боевых действий, организации взаимодействия, контролю за исполнением. Это так. Но это не все. И это даже не главное. Вы можете придумать гениальные планы, но до войск они не дойдут. Что толку от такой гениальности? Поэтому перед тем как принимать решения, надо создать систему управления, т. е. места, где вы будете решения принимать, и каналы связи, по которым принятые решения будут передаваться исполнителям. Проще говоря, прежде чем думать над тем, вправо рулить или влево, надо иметь в руках рулевое колесо. Работа начальника любого штаба должна начинаться не с принятия мудрых решений и отдачи гениальных приказов, а с создания системы управления войсками. Эта система должна быть устойчивой, неуязвимой и скрытной. Это первая забота начальника любого штаба — от батальона и выше. Начальник любого штаба лично отвечает за оборудование, маскировку, охрану и оборону командного пункта и узла.

Имея это в виду, вернемся к величайшему полководцу XX века Георгию Константиновичу Жукову, который 13 января 1941 года был назначен на пост начальника Генерального штаба РККА.

Если вы водитель, если вы получили от предшественника старый самосвал, то первым делом интересуетесь: есть ли в нем место для водителя? Есть ли руль, рычаги и педали? Смею предположить, что, получив назначение в Генеральный штаб, великий стратег Жуков первым делом спросил: а где будет мое рабочее место в случае войны? Где тот подземный командный пункт, в котором я буду находиться в последние часы мира, в первые и все последующие мгновения, дни и годы войны? Не из своего же высокого кабинета я буду управлять войной! Где они, спрятанные от вражеских глаз и надежно защищенные бункеры для моих помощников, операторов, разведчиков, шифровальщиков, связистов и всей остальной штабной братии?

Командный пункт Генерального штаба должен быть прикрыт, защищен и от вражеского взгляда спрятан. Итак, где же подземные бетонные казематы для Генерального штаба и его выдающегося начальника?

Я предположил, что великий стратег такие вопросы задавал. Но мое предположение оказалось ошибочным. Великий стратег таких вопросов не задал. Жуков не интересовался, откуда и как он будет руководить отражением гитлеровского нашествия. Он сидел в Генеральном штабе день, два, неделю, месяц, пять месяцев. Он никак не мог сообразить, что Красной Армией все же надо будет как-то управлять в ходе войны, а для этого надо создавать систему управления. Начинать надо с командного пункта Генерального штаба. Одновременно надо потребовать от командующих военными округами, флотами, армиями и флотилиями, чтобы они тоже построили, оборудовали и замаскировали свои командные пункты. Систему командных пунктов надо объединить узлами и линиями связи, которые тоже должны быть хорошо прикрыты от любой опасности, защищены и спрятаны.

2

В Красной Армии существовала великолепно отлаженная система управления боевыми действиями в ходе захватнической войны на чужой территории. Для наступательной войны были подготовлены командные пункты в поездах. Эти командные пункты можно было решительно и быстро перемещать вслед за уходящими вперед войсками. Для этих подвижных командных пунктов уже в мирное время вблизи государственных границ были подготовлены укрытия с выходами подземных кабелей правительственной связи. Были также созданы поезда связи, которые могли разворачивать узлы стратегической системы связи в районах расположения поездов управления. Для защиты подвижных командных пунктов и поездов связи были сформированы дивизионы как обычных бронепоездов с танковым вооружением, так и дивизионы зенитных бронепоездов.

А для войны оборонительной не было сделано ничего. Система управления боевыми действиями Красной Армии в оборонительной войне начисто отсутствовала.

Сам Жуков ситуацию описывает так: «При изучении весной 1941 года положения дел выяснилось, что у Генерального штаба, так же как и у наркома обороны и командующих видами и родами войск, не подготовлены на случай войны командные пункты, откуда можно было бы осуществлять управление вооруженными силами, быстро передавать в войска директивы Ставки, получать и обрабатывать донесения от войск. В предвоенные годы время на строительство командных пунктов было упущено» (Воспоминания и размышления. С. 218—219).

Когда речь идет о победах, то великий полководец говорит: я предположил, я предвидел, я знал, я решил, я потребовал, я настоял, я отстоял. А когда речь заходит о просчетах и ошибках, о преступной халатности, тот же стратегический гений использует неопределенную форму: кем-то неодушевленным и бестелесным было упущено время на строительство командных пунктов. Красная Армия не имела системы управления войсками на случай оборонительной войны, и в этом, понятно, кто-то виноват, но только не начальник Генерального штаба генерал армии Жуков, который персонально за систему управления отвечал.

Виноваты ли предшественники Жукова? Несомненно. Но мы их не причисляем ни к гениям, ни к святым. А тут почти святой стратег был назначен начальником Генерального штаба 13 января 1941 года, но только весной он сообразил, что у него нет ни места водителя, ни руля, ни рычагов, ни педалей.

Если великий стратегический гений сообразил весной 1941 года, что Генеральный штаб не имеет командного пункта на случай оборонительной войны, значит, предполагаем мы, означенный гений тут же распорядился командный пункт построить. Увы. Мы с вами снова ошиблись. Это нам легко рассуждать: нет командного пункта, значит, его надо возводить. А у гениев все не так. Прежде чем предпринять какие-то действия, им надо думать, думать и думать. Неделями и месяцами.

Жукову подчиненные напоминали: надо строить КП! А Жуков запрещал. Подчиненные требовали, а Жуков снова запрещал. И уже не просто, а категорически.

Маршал Советского Союза А.М. Василевский в 1941 году был генерал-майором в Оперативном управлении Генерального штаба. Не называя никого по имени (но мы-то знаем, кто персонально отвечает за командный пункт Генерального штаба), Василевский сложившуюся ситуацию описывает так: «Несмотря на все наши настояния, до войны нам не разрешили даже организовать подземный командный пункт, подземное рабочее помещение. Только в первый день войны, примерно в то же время, когда началась мобилизация, а мобилизация, как ни странно это звучит, была объявлена в четырнадцать часов двадцать второго июня, то есть через двенадцать часов после начала войны, в это время во дворе 1-го Дома Наркомата обороны начали ковырять землю, рыть убежище» («Знамя». 1988. № 5. С. 90).

В январе 1941 года гениальный Жуков пришел в Генеральный штаб. Весной он сообразил, что нет командного пункта, но пока война не грянула, он созданием, развитием и совершенствованием системы управления вооруженными силами не занимался, т. е. он не выполнял своих прямых служебных обязанностей.

3

Одновременно с созданием системы управления Красной Армией Жукову надо было готовить планы оборонительной войны. Планов не нужно было много. Следовало набросать на карте общий замысел: что мы намерены делать в случае нападения противника. Затем распределить боевые задачи: кто и что обязан делать в случае нападения противника и непосредственно перед этим нападением.

Если бы Красная Армия готовилась к оборонительной войне, то каждому командиру, от командующего округом и ниже, следовало только указать боевую задачу, сказать, ЧТО надо делать. А на вопрос КАК каждый командир и его штаб должны были искать свои ответы.

Каждый командир и его штаб должны были сами составлять планы обороны.

Однако Красная Армия готовилась не к оборонительной войне на своей территории, а к какой-то другой войне. Потому всем командирам и всем штабам запретили составлять какие-либо планы на случай войны. Все в свои руки взял начальник Генерального штаба генерал армии Жуков. Генеральному штабу под руководством Жукова пришлось составлять планы не только для высшего руководства, но и для всех нижестоящих эшелонов командной структуры.

В случае войны приграничные военные округа превращались во фронты. Каждый фронт — это группа армий. Генеральный штаб готовил подробные планы боевых действий для каждого фронта, каждой армии, корпуса, дивизии, полка. Все эти планы упаковывали в так называемые «красные пакеты». Каждый командир, полка и выше, в своем сейфе имел «красный пакет», но не имел представления, что в нем содержится.

В случае опасности из Генерального штаба должен был поступить приказ на вскрытие пакетов. Получив приказ, каждый командир должен был вскрыть «красный пакет» и действовать в соответствии с указаниями, которые в нем содержались.

Была проделана огромная работа по составлению планов. Однако действия Красной Армии 22 июня 1941 года — это разнобой и полная анархия. Создается впечатление, что все, от рядовых солдат до Жукова и Сталина, не знали, кому что надлежит делать.

Так были ли у Красной Армии планы войны? Планы были. Маршал Советского Союза А.М. Василевский объясняет: «Разумеется, оперативные планы имелись, и весьма подробно разработанные, точно так же, как и мобилизационные планы. Мобилизационные планы были доведены до каждой части, буквально, включая самые второстепенные тыловые части, вроде каких-нибудь тыловых складов и хозяйственных команд... Беда не в отсутствии у нас оперативных планов, а в невозможности их выполнить в той обстановке, которая сложилась» («Знамя». 1988. № 5. С. 82).

Если верить Василевскому или любому нашему полководцу и академику, то получается вот что. Величайший стратег XX века Г.К. Жуков составил планы отражения агрессии. Планы были воистину великолепными. Но у этих планов был совсем небольшой недостаток: в случае агрессии их невозможно было выполнить.

Представьте себе самого лучшего в мире специалиста по тушению пожаров. Он составил невероятный по красоте и изяществу план тушения пожара в вашем доме. Всем этот план хорош, но у него — совсем мелкий изъян: в случае пожара от этого плана нет толку. А в остальном этот документ — образец для подражания и предмет зависти для соседей.

Именно такой план защиты Родины составил Жуков. А ведь это анекдот из разряда «Нарочно не придумаешь». Надо иметь воистину неземной талант и феноменальные способности, чтобы придумать такой план обороны страны, который нельзя использовать для ее обороны. И нас разрывает любопытство: покажите же нам этот план! Но нам отвечают: план Жукова — это величайший государственный секрет Советского Союза. На это мы мягко возражаем: сгнил ваш Советский Союз и рухнул. Ничего, отвечают хранители секретов, а план все равно никому показывать нельзя.

Ситуация становится совсем смешной, если вспомнить рассказы самого Жукова о том, как в январе 1941 года он мысленно предвосхитил весь германский план «Барбаросса». Бывает же такое: наш стратегический гений с расстояния в полторы тысячи километров видел насквозь все германские штабы, все их сейфы и документы, которые в них содержались. А потом, основываясь на результатах своего ясновидения, тот же гений составил свои собственные планы, которые оказались совершенно не пригодными для противодействия германскому вторжению.

Сам Жуков знал, что его план отражения агрессии годится для любого употребления, для любого развития событий, но не годится для применения по прямому назначению. Потому Жуков даже не пытался ввести свой план обороны государства в действие. Читайте мемуары Жукова. Он рассказывает, что чувствовал приближение войны. Коль так, вводи в действие свой гениальный план, прикажи всем командирам вскрыть «красные пакеты»! Но Жуков не спешил.

Вот рассказ Жукова: «И вот поймите наше с Тимошенко состояние. С одной стороны, тревога грызла души, так как видели по докладам из округов, что противник занимает исходное положение для вторжения, а наши войска из-за упорства Сталина не приведены в готовность, с другой же — сохранялась все еще, пусть и небольшая, вера в способность Сталина избежать войны в 1941 году. В таком состоянии мы находились до вечера 21 июня, пока сообщения немецких перебежчиков окончательно не развеяли эту иллюзию» (ВИЖ. 1995. № 3. С. 41). Итак, вечером 21 июня 1941 года у Жукова больше нет иллюзий. Он понимает: это война! Но почему тогда не вводит в действие свой гениальный план?

И вот с границы каскадом пошли сообщения: враг бомбит аэродромы, артиллерия противника открыла ураганный огонь, подводные лодки минируют подходы к нашим портам и базам, диверсионные группы противника захватывают пограничные мосты, по этим мостам на нашу территорию лавиной идут танки! Что же должен делать Жуков, получая такие сообщения? Ясное дело: вводить в действие план отражения агрессии! Но он упорно этого не делает. Жуков описал беспомощного, растерянного, бестолкового Сталина и себя, спокойного, рассудительного и трезвомыслящего. Если дело именно так и обстояло, то в первые минуты войны Жуков должен был первым делом успокоить товарища Сталина: у нас есть план войны! Его просто надо ввести в действие!

Интересно, что и четверть века спустя, когда гениальный полководец творил свой бессмертный шедевр, он даже не пытался оправдываться и валить вину на Сталина: я, мол, имел план обороны страны и хотел его ввести в действие, но мне помешал Сталин. Однако нет таких оправданий, как нет у Жукова и никаких упоминаний о существовании плана войны. Начальник Генерального штаба в момент начала войны или вовсе оказался без планов или попросту забыл, что они у него есть.

В момент начала войны Жуков не вспомнил о своих планах, но он не вспомнил о планах войны и через десятилетия после войны, когда работал над своим эпохальным шедевром.

Опубликованы тысячи книг и статей участников тех событий, и ни один маршал, ни один генерал или адмирал, ни один офицер, ни один историк-исследователь не сообщил о том, что Жуков или кто-то еще приказал ввести в действие заранее разработанные планы и действовать в соответствии с инструкциями, которые хранились в «красных пакетах». Ни один командующий фронтом, флотом, армией, флотилией, ни один командир корпуса, дивизии, бригады или полка НИКОГДА не получал приказа на вскрытие «красного пакета».

5

В «Ледоколе» я писал, что планов отражения агрессии не было, зато существовал план внезапного нападения на Германию и захвата Европы. Кодовое название операции — «Гроза». План был детально отработан. Он должен был вводиться в действие немедленно после того, как командующие фронтами и армиями получали короткий сигнал: «ГРОЗА».

Существовал ли план «Гроза»? Был ли установлен такой сигнал? Или это мои фантазии?

Отрицать существование такого сигнала Министерство обороны России не может. Однако этому сигналу дали другое объяснение. «Сигнал «Гроза» был действительно установлен. Но означал он совсем иное. По нему командиры дивизий армий прикрытия должны были вскрыть «красные пакеты». В последних содержались приказы с указанием мероприятий по занятию боевых позиций для отражения атак противника в случае агрессии» («Красная звезда», 30 июля 1993 г.).

Если мы поверим объяснениям Министерства обороны России, то попадем в глухой тупик. Получается странная картина. Каждый командир имел «красный пакет», и был установлен сигнал «Гроза», который предписывал командирам вскрыть «красные пакеты». И вот вопрос: когда сигнал «Гроза» был передан войскам? Когда великий Жуков этим сигналом ввел в действие планы войны? Ответ: никогда.

Ключ от всех планов — у Жукова. Стоит Жукову дать сигнал, и тогда каждый командир вскроет «красный пакет», и все будут действовать согласованно по единому заранее разработанному плану. Но Жуков сигнала не дал. «Красные пакеты» так и остались в сейфах. А каждый командир действовал по своему усмотрению. Естественно, что получился разнобой, который привел к величайшему разгрому в мировой истории. Разгром 1941 года повлек за собой многие следствия, включая и крушение Советского Союза.

Официальная кремлевская пропаганда опрокинула горы грязи на командный состав Красной Армии. Ныне миру внушено, что командиры Красной Армии были трусливы, глупы и ленивы. По приказу Министерства обороны России некий ученый муж из университета Тель-Авива даже провел специальное исследование и с научной точностью вычислил в процентах количество идиотов среди командиров Красной Армии.

Но давайте попробуем поставить себя на место тех несчастных красных командиров. Давайте попробуем посмотреть на мир из-под козырьков их фуражек. Командирам советских полков, бригад, дивизий, корпусов, командующим армиями и фронтами категорически запрещалось разрабатывать какие-либо планы на случай войны. За всех думал Жуков. Планы войны поступали из Генерального штаба, хранились в запечатанных пакетах как величайшая государственная тайна. Что там Жуков запланировал, знать до начала войны не полагалось. И вот война. Своего плана у вас нет. И не по вашей вине. На вскрытие «красного пакета» требуется разрешение того же Жукова, но разрешения тоже нет. За самовольное вскрытие пакета вас уничтожат. В таком положении — вся Красная Армия. Сотни тысяч командиров не имеют никаких планов и гибнут зря. Сговориться о совместных действиях тысячи командиров не имеют ни времени, ни возможности, да они и не имеют права это делать. Для того чтобы организовать совместные действия всей армии, существует Генеральный штаб. Но он свою задачу не выполнил, потому лучшие командиры, лучшие штабы и боевые части Красной Армии без толку погибли на границе. И вот после смерти всех этих командиров обливают грязью, называют дураками и вычисляют процент идиотов в их рядах.

Жуков по злому умыслу, по глупости или с перепугу ЗАБЫЛ отдать приказ на вскрытие пакетов. Тем самым он оставил Красную Армию без планов, следовательно, подставил ее под разгром.

6

Без дисциплины нет армии. Дисциплина — это фундамент и стальной каркас вооруженных сил. Дисциплина армейская бывает слепой. На войне весьма часто слепая дисциплина оправданна. Вы полководец, вы не имеете права раскрыть свой замысел. Потому десятки, сотни тысяч, а то и миллионы людей вынуждены выполнять ваши приказы, не понимая их смысла. Вы просто отдаете распоряжения, что надо сделать, не объясняя зачем.

Однако дисциплина становится самоубийственной, если войскам отдают дурацкие приказы.

Начальник Генерального штаба генерал армии Жуков перед войной отдал достаточно приказов, которые полностью парализовали Красную Армию: самолетов противника не сбивать! Патроны и снаряды у передовых полков и дивизий изъять! Чтобы не было случайной артиллерийской стрельбы, замки с орудий снять и сдать на склады! Пограничные мосты разминировать! На провокации не поддаваться! За попытки стрелять по германским самолетам-нарушителям всех виновных судить судом военного трибунала!

За выполнением приказов Жукова весьма бдительно следили товарищи из НКВД и НКГБ. В марте 1941 года (когда Жуков уже был начальником Генерального штаба) все руководство флота чуть не пошло под расстрел за то, что флотские зенитчики открывали огонь по германским самолетам-нарушителям. Жуков не сделал ничего, чтобы оправдать флотских командиров и отменить приказ самолеты-нарушители не сбивать. Наоборот, товарищи из НКВД предъявили обвинения руководству флота не по своей инициативе, а по записке Жукова, который требовал примерно наказать всех, кто стреляет без приказа. После войны свое поведение Жуков объяснял весьма удивительным образом: мы боялись спровоцировать войну, не хотели давать Гитлеру повода для нападения. Ну и что из этого вышло? Вы не давали Гитлеру повода, разве это могло его удержать? Разве удержало?

Красная Армия была вынуждена слепо повиноваться приказам Жукова. Но где грань между провокацией и войной? Вы — командир авиационного полка. Бомбят ваш аэродром. Если бы вы знали, что все аэродромы бомбят, тогда ясно: война. Но вам этого знать не дано. В этот момент вы видите только свой аэродром и только сто своих горящих самолетов. И каждый из миллионов солдат и офицеров на границе мог видеть только свой малый кусочек происходящего. Что это? Провокация? Или уже не провокация? Вы начнете стрелять, а вдруг потом выяснится, что только на вашем участке противник предпринял провокационные действия. Что с вами сделают Жуков и палачи из НКВД?

Приказы великого Жукова и воинская дисциплина требовали от войск не поддаваться на провокации. Вся армия выполняла приказ. Вся армия на провокации не поддавалась. 22 июня передовые дивизии без боя сдавали пограничные мосты, лишь бы выполнить приказ стратегического гения и не поддаться на провокацию. Ах, глупые, негодуем мы, не могли сообразить, что война началась!

Мы возмущаемся действиями солдат, которые выполняли приказ Жукова, но почему-то не возмущаемся действиями Жукова, который эти приказы отдавал.

Но неужели солдатам на границе было не ясно, что это война? Да, им было не ясно. У них — приказ. Никакой другой информацией к размышлению они не располагали. Давайте всех их считать идиотами. А в Генеральном штабе сидел великий стратег, он обладал всей информацией, уже вечером 21 июня он знал, что сейчас начнется война. По его собственным словам, у него рассеялись последние иллюзии. Но он почему-то не вводил в действие свой план войны. Давайте его считать выдающимся мыслителем.

7

Думал ли сам Жуков, что лично он будет делать в начале войны? Может быть, и думал. Но ничего не придумал. Все действия Жукова в первые минуты, часы и дни войны — это экспромт. Это действия, которые ранее не планировались и даже не обдумывались.

До германского нападения Жуков засыпал армию запретами на применение оружия. Даже 22 июня 1941 года в 0 часов 25 минут войскам была передана Директива № 1: «Задача наших войск — не поддаваться ни на какие провокационные действия...» Директива была подписана маршалом Тимошенко и генералом армии Жуковым. Она завершалась категорическим требованием: «Никаких других мероприятий без особого распоряжения не проводить».

Проверено вековым опытом: лучше прикидываться дураком, чем прикидываться умным. Маршал Советского Союза С.К. Тимошенко никогда не заявлял, что вечером 21 июня 1941 года он якобы сообразил, что войны не избежать. Потому к маршалу Тимошенко претензий нет.

А Жуков постоянно прикидывался умным человеком, потому с завидным постоянством попадал в дурацкое положение. Он сам заявил, что якобы вечером 21 июня все иллюзии рассеялись, и он якобы понял: это война! Признание Жукова опубликовано в официальном органе Министерства обороны России — «Военно-историческом журнале». И вот, сообразив вечером 21 июня 1941 года, что начинается война, Жуков в 0 часов 25 минут 22 июня отдает приказ войскам на провокации не поддаваться и никаких мероприятий не проводить.

Стал бы умный человек такое рассказывать? Стал бы умный человек отдавать приказ войскам не поддаваться на провокации ПОСЛЕ того, как понял, что речь идет не о провокациях, а о нападении противника?

Директиву № 1 передали в штабы военных округов, там ее расшифровали и на ее основе начали писать указания штабам армий. Зашифровали, отправили. В штабах армий получили, расшифровали, прочитали и начали сочинять указания штабам корпусов... Когда мудрейшие указания Жукова дошли до войск, уже давно горели аэродромы, рвались склады с боеприпасами, густо дымили нефтехранилища, германские танки давили передовые советские дивизии, а нашим войскам объявляли категорические требования величайшего полководца XX века: не поддаваться на провокации! Никаких мероприятий без особого распоряжения не проводить!

Директива № 1 была, по существу, смертным приговором Красной Армии: не сопротивляться, когда в тебя стреляют!

Генерал, подписавший этот бредовый документ, был бы у него ум, должен был прикидываться дурачком: да, я такое подписал, ибо обстановки не понимал. Но наш стратег решил прикидываться умным: я первым понял, что это война! Я это сообразил еще вечером 21 июня, а глупый Сталин даже 22 июня отказывался ситуацию понимать.

Жукову верить нельзя. Жуков понял, что это не провокация, а война, и ПОСЛЕ ЭТОГО отдал войскам приказ на провокации не поддаваться. Зачем?

Если поверить рассказам Жукова, возникают вопросы и к нашим вождям. Вы знали, что Жуков отдал преступный приказ, который погубил Красную Армию. Почему же вы его прославляете?

Чтобы не нарваться на такие обвинения, нашим вождям и всем нам лучше не принимать всерьез выдумки Жукова.

Нам описывают трусливого Сталина, который ничего не делал в момент начала войны, и мудрого Жукова, который слал директивы войскам. А по мне, лучше ничего не делать, чем слать ТАКИЕ директивы.

8

Жуков должен был или подобных приказов не отдавать, или создать такую систему управления, которая позволяла бы в момент начала войны, а еще лучше — до ее начала, все ранее наложенные ограничения на применение оружия отменить. Надо было придумать какой-то сигнал, который можно было бы довести сразу до всех войск.

Любая армия вступает в оборонительную войну без всяких приказов, точно как часовой на посту отражает нападение, не дожидаясь никаких дополнительных распоряжений, директив или сигналов. Но Жуков строжайше повелел в бой не вступать, огня не открывать. Раз ввел такие запреты, изволь придумать одно короткое звучное слово — «Заслон»,

«Сапфир», «Тайга» — и заранее оговорить его значение. Пусть подчиненные знают: если такое слово передал начальник Генерального штаба, значит, все запреты отменяются. Этот сигнал разрешает вести бой. Он означает: ВОЙНА!

Но начальник Генерального штаба генерал армии Жуков год назад публично плакал о грядущих жертвах. С того момента он «всю свою жизнь посвятил грядущей войне». Пять месяцев, сидя в кресле начальника Генерального штаба, думал о войне, но не придумал короткого слова на случай, если потребуется оповестить страну и армию о начале войны. Мало того что Жуков оставил всю армию без всяких планов, но он еще НАЛОЖИЛ ЗАПРЕТ НА ВЕДЕНИЕ БОЕВЫХ ДЕЙСТВИЙ. Но и этого мало. В момент начала войны Жуков ЗАБЫЛ снять наложенные им запреты. А разгром 1941 года он объяснил тем, что «враг был сильнее», что «войска были неустойчивыми, они впадали в панику и бежали».

Жуков постоянно рассказывал о глупом и трусливом Сталине. Ранним утром 22 июня 1941 года Сталин не верил, что началась война. А мудрый Жуков понимал: это война. Если ты понимаешь, звони во все колокола! Дави на все кнопки! Срывай пломбы на рычагах! Включай сирены! По всем каналам гони шифровки командующим фронтами и армиями и ори в телефон открытым текстом, чтобы вскрывали «красные пакеты». Передай свое понимание обстановки подчиненным! Они, дураки, не понимают, что началась война, но ты-то гений! Сообщи же им, что мир кончился!

Но Жуков не делает ничего. Так объясните же мне, кому нужна мудрость Жукова, если эта мудрость не выходит за стены кремлевского кабинета? Что толку от такой мудрости? Что толку, если Жуков все понимает и все знает, но войскам своего знания и понимания обстановки не сообщает?

Обязанность командующих фронтами, флотами, армиями, флотилиями, командиров корпусов, дивизий, бригад, полков, батальонов, рот и взводов — командовать своими войсками, отражать удары противника. Но они не выполняют своих обязанностей, ибо связаны приказами огня не открывать. А обязанность Жукова — оповестить войска о начале войны. В своих действиях Жуков не связан ничем. Так почему он не выполняет свои обязанности?

Сам Жуков так описал эти первые минуты и часы войны. Вот в кабинет Сталина входит Молотов и заявляет, что имел встречу с германским послом и тот передал официальные документы германского правительства об объявлении войны Советскому Союзу. Жуков описывает реакцию Сталина на это сообщение, но почему-то не описывает свою собственную реакцию. Сам Жуков якобы давно знает, что война началась, вот еще и Молотов принес официальное подтверждение. Реакция Жукова на слова Молотова должна быть однозначной и мгновенной. Каждая секунда промедления означает все новые захваченные противником мосты, склады оружия и боеприпасов. Каждая минута промедления — это новые километры, намотанные на гусеницы танков Гота, Гудериана, Манштейна. Каждый час промедления означает новые сотни сгоревших на аэродромах самолетов, новые сотни тонн без толку пролитой крови. Поэтому, услышав официальное подтверждение Молотова о том, что война объявлена, Жуков должен был хватать трубку телефона и орать во все адреса: ВОЙНА! ВОЙНА! ВОЙНА!

Но мудрый Жуков ходит по кабинету, говорит умные слова, однако ничего не сообщает войскам, которые не имеют никаких указаний, кроме категорических требований никаких мероприятий не проводить.

Не имея указаний Москвы, командующий Западным фронтом генерал армии Павлов на свой страх и риск в 5 часов 25 минут отдает приказ: «Ввиду обозначившихся со стороны немцев массовых военных действий приказываю поднять войска и действовать по-боевому».

Что это означает: действовать по-боевому? Наступать? Обороняться? Отходить? Или вот конкретная ситуация: пограничный мост. Приказано действовать по-боевому. Это значит пограничный мост удерживать? Или взорвать его? Или по нему двинуть на территорию противника разведывательные батальоны наших танковых дивизий?

Приказ действовать по-боевому означал, что каждый может действовать, как найдет нужным. И получился полный разнобой. Каждый командир отдавал свои собственные приказы, понятия не имея, что делают соседи: наступают, обороняются, бегут или прячутся в лесах. Такая ситуация именуется страшным термином: потеря управления.

Это происходило не только в Западном особом военном округе, но и во всех остальных.

Одни войска по приказам своих командиров или без приказов отходили.

Другие встали в глухую оборону. Среди них 99-я стрелковая дивизия, которую генерал-майор А.А. Власов перед войной сделал лучшей дивизией Красной Армии. Власовцы стояли насмерть, защищая свою родину. Кстати, в ходе войны 99-я стрелковая дивизия первой в Красной Армии была награждена боевым орденом. Это случилось 22 июля 1941 года.

Третьи перешли в решительное наступление. Например, боевые корабли Дунайской флотилии высадили мощный десант на румынских берегах и водрузили красные знамена освобождения на всех колокольнях.

Все это вместе называется хаосом. Ничего хорошего из этого выйти не могло. И не вышло.

Над приказом генерала Павлова «действовать по-боевому» нас приучили зубоскалить: дурачок отдал приказ, который каждый мог трактовать как угодно. Но мы над Павловым смеяться не будем. Павлов проявил инициативу. Павлов, нарушив указания и директивы Жукова, приказал на провокации поддаваться! Генерал армии Павлов Дмитрий Григорьевич, не имея на то полномочий, не зная, что Германия объявила войну Советскому Союзу, по существу, самостоятельно объявил войну Германии. В своем приказе командующий Западным фронтом генерал армии Павлов сказал главное: это война! Воюйте, кто как знает. Я РАЗРЕШАЮ ВОЕВАТЬ!

Что он еще мог приказать? Наступать? Но может быть, остальные фронты отступают. Отступать? Но может быть, остальные фронты обороняются. Не зная обстановки на других фронтах и не имея указаний Москвы, Павлов просто разрешил своим войскам воевать, не указывая конкретно, кому и что делать.

Можно сколько угодно смеяться над Павловым и его приказом, но давайте помнить, что гениальный Жуков сидел в Москве, знал, что война началась, а никаких приказов не отдавал. Последнее, что от него слышали: НЕ ПОДДАВАТЬСЯ НА ПРОВОКАЦИИ!

Представьте себя командиром дивизии на самой границе. Есть два указания. Одно от Жукова — не реагировать на действия германской армии, которая давит гусеницами ваших солдат, засыпает их снарядами и бомбами. Другое указание от Павлова — действовать по-боевому! Какое из этих указаний вы, командир дивизии, считаете преступным? Автора-мерзавца какого из этих указаний вы бы пристрелили как бешеного пса?

9

Чем же в эти минуты и часы занят наш великий стратег Жуков?

Он пишет директиву с указаниями, что войскам надлежит делать. И это позор.

Инструктировать командующих военными округами и армиями, командиров корпусов, дивизий, бригад и полков надо было до войны. А в момент ее начала надо только передать исполнителям «петушиное слово». В любом подразделении, части, соединении действия в чрезвычайных обстоятельствах всегда отрабатываются заранее. Когда чрезвычайная ситуация возникла, командир отдает совсем короткие приказы: «В ружье!», «К бою!» А уж каждый знать обязан, что ему надлежит делать. Так принято везде, на всех уровнях, начиная от взвода. Но только не у Жукова.

Зачем Жуков пишет директиву? Ведь каждый советский командир уже держит в руках «красный пакет», не смея его распечатать. Нужно только дать разрешение. Но Жуков разрешения не дает. Он сочиняет новые инструкции.

1 января 1941 года он бросил взгляд на карту и тут же предвосхитил германский план войны. Потом почти полгода он составлял какие-то планы, которые в случае нападения противника использовать нельзя. И вот 22 июня нанесен внезапный удар, и великий стратег решил написать директиву войскам. Он решил объяснить командующим фронтами и армиями, что же им надлежит делать в случае нападения, которое уже совершилось.

В своей книге Жуков сообщает: «В 7 часов 15 минут 22 июня Директива наркома обороны № 2 была передана в округа. Но по соотношению сил и сложившейся обстановке она оказалась явно нереальной, а потому и не была претворена в жизнь» (Воспоминания и размышления. С. 248).

Можно было написать: директива № 2. Но Жуков уточняет: Директива наркома обороны № 2. Этим жестом Жуков снимает с себя ответственность и вежливо перекладывает ее на наркома обороны Маршала Советского Союза С.К. Тимошенко. Но каждый знает, что любая директива наркома готовится начальником Генерального штаба. В данном случае директива не только подписана Жуковым, но и написана его собственной рукой.

Удивляет и то, что текст самого первого документа войны, который к тому же был написан собственной рукой великого стратега, почему-то в мемуарах Жукова не приводится. Мы только узнаем, что директива эта была нереальной и невыполнимой, т. е. дурацкой.

Нам постоянно напоминают, что «печать личности Жукова, его полководческого таланта лежит на ходе и исходе важнейших стратегических операций Советских Вооруженных Сил». Вот это верно. Печать личности Жукова и его великого полководческого таланта лежит на разгроме Красной Армии в июне 1941 года. И эта печать несмываема.

ГЛАВА 12

НА РОЖОН!

> План отражения фашистской агрессии носил контрнаступательный характер. В основе подготовки начальных операций лежала идея мощного ответного удара с последующим переходом в решительное наступление по всему фронту. Этому замыслу была подчинена и вся система стратегического развертывания Вооруженных Сил. Ведение стратегической обороны и другие варианты действий практически не отрабатывались.
>
> Министр обороны СССР Маршал Советского Союза *Д. Т. Язов.*
> ВИЖ. 1991. № 5. С. 13

1

Жуков сообщает, что 22 июня 1941 года в 7 часов 15 минут Директива № 2 была передана в военные округа.

Великий гений ошибся.

«Военно-исторический журнал» (1991. № 4) опубликовал факсимильную копию Директивы № 2, которую Жуков писал утром 22 июня 1941 года. Это вся исчерканная, исписанная неразборчивым почерком бумажка. В ней масса поправок. Прежде всего документ должен иметь гриф секретности. Жуков пишет: «Шифром». Зачеркивает. Пишет «Секретно». Далее следует список адресов рассылки: «Военным советам ЛВО, Северо...» Тут же недописанное слово «Северо» Жуков зачеркивает. Вместо этого пишет: «ПрибОВО, ЗапОВО, КОВО, ОдВО».

За этим скрывается вот что: для нападения на Германию, Венгрию и Румынию войска Прибалтийского,

Западного и Киевского особых военных округов уже в мирное время были тайно преобразованы соответственно в Северо-Западный, Западный и Юго-Западный фронты. Но об этом можно будет сообщить только в момент, когда начнется вторжение в Германию, Венгрию и Румынию. До начала вторжения наши развернутые фронты для отвода глаз продолжают все так же мирно именоваться военными округами. Жуков хотел было писать директиву военным советам фронтов, но вспомнил, что наше наступление еще не начинается, потому сведения о том, что фронты уже созданы, нельзя сообщать даже в секретном документе. Потому Жуков черкает недописанное обращение к военным советам Северо-Западного и других фронтов и обращается к военным советам округов.

Потом в готовый документ между строчек мелкими буквами добавлен еще один адрес: «Копия наркому внутренних дел». Жуков за пять месяцев мучительных размышлений не удосужился составить список тех, кого в первую очередь следует оповестить о начале войны. Перед войной Жукову не пришла в голову мысль, что в момент ее начала надо об этом сообщить пограничным, конвойным, охранным, оперативным и другим войскам НКВД. Но в последний момент Жуков спохватился, вспомнил о чекистах и вписал ведомство Берии в число адресатов.

Но Жуков не вспомнил народного комиссара Военно-Морского Флота. Тут, в Москве, из здания Генерального штаба в здание НКВД на Лубянке народному комиссару внутренних дел Лаврентию Павловичу Берии срочно передают копию директивы начальника Генерального штаба Жукова, чтобы Берия знал: война началась! Но тут же в Москве такую же копию *не передают* народному комиссару Военно-Морского Флота адмиралу Кузнецову.

Правда, снизу под документом приписано: «Снята копия от руки в одном экз. и вручена капитану 1 р. Голубеву — НКМФ. Расписка на обороте». В критические минуты и часы эта директива не была передана флоту. Кто-то потом от руки переписывал каракули Жукова и доставлял директиву в Наркомат ВМФ.

Жуков не вспомнил про начальника Главного управления ПВО и начальника Главного управления ВВС. Потому директиву Жукова не передали в Главное управление ВВС и в Главное управление ПВО. О них стратег просто забыл.

Далее после перечисления адресов рассылки — дата и время: 22.6.41. 7.15. Так что 7 часов 15 минут — это не время, когда директиву передали в округа. В 7 часов 15 минут Жуков только сел ее писать и в левом верхнем углу поставил время. Директиву еще надо сочинить, а нужные слова как назло не шли. Потом ее надо передать шифровальщикам. Им тоже нужно время на то, чтобы документ зашифровать. А потом его надо отнести на узел связи. Его надо передать. Его надо принять и расшифровать...

А в это время давно горели аэродромы. А в это время чекисты хватали тех немногих летчиков, которые на свой страх и риск успели поднять самолеты в небо, вступить в бой и вернуться живыми на землю. До войск дошла пока только Директива Жукова № 1: НА ПРОВОКАЦИИ НЕ ПОДДАВАТЬСЯ! Тот, кто вступил в бой, провокатор. Тому тут же на аэродроме среди горящих самолетов и рвущихся боеприпасов чекисты отбивают почки, чтобы другим неповадно было на провокации поддаваться.

И пока в войсках каждый делает то, что придет на ум, Жуков мучительно сочиняет документ. Он черкает, сверху пишет нечто другое, снова черкает, в стороне пишет нечто совсем другое и стрелкой показывает, куда эту вставку списать в текст.

Не имея времени и возможности ждать указаний от великого стратега, командующие фронтами генералы Кузнецов, Павлов, Череви1енко, Кирпонос были вынуждены превышать полномочия и нарушать преступные запреты Жукова. Они отдавали собственные приказы: «Действовать по-боевому». А это означало: централизованное управление Красной Армией потеряно. Такая ситуация нашими трибуналами во все времена квалифицировалась как преступная халатность, и виновные приговаривались к расстрелу.

После войны Жуков валил вину на Павлова, Кузнецова, Кирпоноса и других командующих округами. Но они ли виноваты?

Дирижер репетиций не проводил, ноты исполнителям не раздал. Ноты были опечатаны, и доступа к ним у исполнителей не было. Дирижер даже не сообщил, что предстоит исполнять. Начался концерт, а дирижера нет. Каждый музыкант, действуя по-боевому, исполняет то, что ему нравится: кто «Танец с саблями», а кто «Умирающего лебедя». Наш оркестр забросали тухлыми яйцами. И тут появляется гениальный, почти святой дирижер. Весь в белом. И он выносит свои оценки. И он в своих исполнителей тоже тухлые яйца мечет. И он рассказывает о недостатке образования у исполнителей и о том, что инструменты плохие.

И мы верим дирижеру в белом. Мы лепим ему памятник и навеки покрываем позором тех, кто хоть что-то делал, когда Жуков не делал ничего.

Так вот. Управление Красной Армией было потеряно не на уровне командующих военными округами, а на уровне Генерального штаба. Управление Красной Армией было потеряно не в первые минуты войны, а до ее начала. В первые часы войны Жуков не давал Красной Армии никаких указаний о том, что нужно делать в случае нападения. Но и перед войной Жуков не давал никаких указаний военным округам, что надо делать в случае внезапного нападения. Следовательно, Красная Армия была неуправляемой не только с первых мгновений войны, но и до ее начала.

2

Жуков имел еще одну возможность оповестить войска о начале войны: объявить мобилизацию. Маршал Советского Союза И.Х. Баграмян сообщает, что перед войной был приказ: по германским самолетам не стрелять. И было разъяснение: открывать огонь можно при объявлении мобилизации (Так шли мы к Победе. М., Воениздат. 1988. С. 46).

Кто же отвечает за мобилизацию? Генеральный штаб и лично начальник Генерального штаба. Мобилизацию готовит Генеральный штаб, а проводится она по решению высших органов государственной власти. Однако обязанность начальника Генерального штаба в том, чтобы этой самой власти подсказать и напомнить: пора!

Вся высшая государственная власть — Сталин. Поверим Жукову: Сталин перепугался и не знал, что делать. Ну так подскажи ему! Прояви инициативу! Воспользуйся молчанием Сталина как знаком согласия. А если согласия Сталина нет, превысь полномочия! Генерал армии Павлов полномочия превысил. Он не имел распоряжений Москвы, и не было Сталина рядом с ним. А Жукову не надо орать в мертвую телефонную трубку, ему не надо писать и шифровать послания Сталину. Жуков находится в кабинете Сталина, тут собрано все Политбюро. Если все эти деятели не знали, что предпринять, то Жукову следовало кричать: я объявляю мобилизацию! Кто против? Вот и все. Кто бы возразил? А если бы возразил, то на него и пала бы ответственность за промедление. А так промедление в объявлении мобилизации навеки остается на Жукове.

Тянулись часы, а мобилизация все не объявлялась. И только, как сообщает Маршал Советского Союза А.М. Василевский, через 12 часов после начала войны мобилизация была объявлена.

Говорят, что фронтовые командиры медленно реагировали на происходящее. Это правильно. А стратегический гений — образец решительности и проворства...

Был и еще нюанс. Первым днем мобилизации объявлялось 23 июня 1941 года. Так что указ о мобилизации, этот выдающийся перл стратегической мудрости, подготовленный лично Жуковым, можно было понимать и так: немецкие самолеты можно сбивать начиная со следующего дня.

А наш гений строчит новый документ: Директиву № 3. Текст ее он почему-то тоже не приводит в своей книге. И есть на то причина. Директива № 3 предписывала Красной Армии не обороняться, а наступать: «...окружить и уничтожить сувалкинскую группировку противника и к исходу 24.6 овладеть районом Сувалки», «окружить и уничтожить группировку противника, наступающую в направлении Владимир-Волынский, Броды», «к исходу 24.6 овладеть районом Люблин».

Ах, лучше бы наш стратег таких директив не подписывал! Смысл этой директивы в том, что Жуков снова не ставит войскам задачу защищать свою землю. Жуков снова бросает войска в наступление, причем на территорию противника. Смысл директивы в том, что войскам запретили обороняться. Жуков бросил войска в наступление, поставив фантастические, невыполнимые задачи захватывать польские города Сувалки и Люблин, причем очень быстро.

После войны Жуков рассказывал, что «враг был сильнее». Коль так, отдавай приказ на оборону! Если наши войска слабее, то наступление для них — самоубийство. Тем более если наступление спонтанное, на подготовку которого Жуков не дает никакого времени. Жуков просто требует через день-два доложить о захвате городов на территории противника.

В той ситуации приказ генерала армии Павлова действовать по-боевому был куда более разумным. Каждый командир видел, что творится вокруг, и действовал в соответствии с обстановкой: переходил к обороне или отходил. А Директива Жукова № 3 заставляла всех наступать. Жуков требовал наступать в условиях, когда сожжены аэродромы. Когда наши разведывательные самолеты не могут подняться в воздух, следовательно, командиры не представляют, где противник. Жуков требовал наступать вслепую в условиях полного господства противника в воздухе. Жуков требовал наступать в условиях, когда противник все видит с воздуха, а у нас выбиты глаза.

Когда-то в детстве я слышал выражение: не лезь на рожон! Мне казалось, что это ругательство. Потом узнал, что копье с очень широким и массивным пером называется рогатиной. А наконечник — рожон. С таким копьем ходили на медведя. Охота была делом простым. На медведя ходили не ватагой, а по одному. Надо было медведя раздразнить, вынудить его к нападению. Рожон упирали в грудь медведя, а конец копья — в землю. Если выдерживало древко копья и нервы охотника, то зверь сам себя убивал. Он сам лез на рожон. Всей своей массой.

Директива № 3 погубила Красную Армию. Этой Директивой Жуков бросил русского медведя на немецкий рожон.

3

В предшествующих главах мы встретили заявление о том, что на стратегических играх в январе 1941 года Жуков показал себя полководцем более высокого класса, чем Кузнецов и Павлов, которые в начале войны действовали неудачно.

Из песни слова не выбросишь. Однако не потому Павлов и Кузнецов неудачно командовали своими войсками, что были в чем-то хуже Жукова, а потому, что выполняли драконовские приказы Жукова.

Войска приграничных военных округов, которыми командовали Павлов, Кузнецов, Кирпонос, Черевиченко, были выдвинуты к самым границам и попали под внезапный удар, не успев по тревоге добежать до своих танков и пушек. Случилось это не потому, что глупенькие командующие фронтами по своей воле согнали миллионы солдат к границе, а потому, что так приказал начальник Генерального штаба генерал армии Жуков.

Аэродромы приграничных округов были вынесены к границам и до пределов забиты самолетами. Там самолеты в своем большинстве и сгорели, не успев подняться в воздух. Случилось это не по прихоти Павлова, Кузнецова или другого командующего округом, а по приказу начальника Генерального штаба Жукова.

Стратегические запасы были вынесены к границам и попали в руки противника не потому, что Павлов и Кузнецов глупы и бездарны, а потому, что так приказал начальник Генерального штаба Жукова.

Войска приграничных округов не имели планов отражения агрессии, в этом виноват Генеральный штаб и его гениальный начальник генерал армии Жуков.

На главных направлениях войны войска Западного и Юго-Западного фронтов уже в мирное время находились в мышеловках — в выступах, которые глубоко врезались в территорию противника. Уже в мирное время основные группировки советских войск с трех сторон были окружены противником. Оставалось только ударить по их тылам и отрезать пути снабжения. Что противник и сделал. В этом виноват Генеральный штаб и лично его начальник генерал армии Г.К. Жуков. Это он определял группировку войск. Без разрешения Генерального штаба командующий округом не имеет права переместить не то что одну армию или корпус, но ни один батальон, полк или дивизию.

Главный удар германская армия нанесла севернее Полесья по войскам Павлова. А главные силы Красной Армии находились почему-то южнее Полесья. Жуков все знал, все понимал и все предвидел, знал, что нанесут удар севернее Полесья, но свои главные силы сосредоточил почему-то совсем в другом месте.

И вот нам рассказывают, что во всем виноваты командующие округами, а в Москве сидел гений. Это старая традиция. За десятилетие до разгрома 1941 года по приказу Сталина проводилась коллективизация, т. е. уничтожение миллионов самых толковых и работящих мужиков, которые кормили страну и половину Европы. Результат был печальным, и тогда товарищ Сталин написал статью в газету «Правда», виновниками объявил руководителей на местах: занесло вас, товарищи, не в ту сторону, увлеклись, головокружением от успехов страдаете! И стреляли тех, кто больше всего старался, тех, кто сталинские приказы выполнял в точности.

В 1941 году Сталин должен был расстрелять Жукова. Но тогда тень падала на руководство в Москве, следовательно, и на самого Сталина. Было выгоднее все валить на местных руководителей. Потому под топор пошли командующий Западным фронтом генерал армии Павлов и другие генералы.

А Жуков остался чист.

4

С первых дней войны Жуков координировал действия Юго-Западного и Южного фронтов.

У генерал-полковника Кузнецова в Прибалтике — 2 мехкорпуса, против него 1 (четвертая) германская танковая группа — 631 танк.

У генерала армии Павлова в Белоруссии — 6 мехкорпусов, против него 2 (вторая и третья) германские танковые группы — 1967 танков.

У генерала армии Жукова в Молдавии и на Украине — 10 мехкорпусов, против 1 (первая) германская танковая группа — 799 танков.

Ну, наверное, стратегический гений продемонстрировал полководческий талант! Увы. Жуков загонял бесполезными маршами шесть корпусов, а потом бездарно сжег их в сражении, остальные четыре мехкорпуса изрядно обескровил.

Ныне миру внушено, что танковое сражение 1943 года на Курской дуге под Прохоровкой было самым грандиозным в истории Второй мировой войны и во всей мировой истории. Но это не так. Самое грандиозное танковое сражение мировой истории произошло 23—27 июня 1941 года в районе Дубно, Луцка и Ровно. В этом столкновении шести советских мехкорпусов с первой германской танковой группой советскими войсками командовал Жуков. У него было полное количественное и качественное превосходство.

В первой германской танковой группе из 799 танков:

тяжелых танков — 0;

плавающих танков — 0;

танков с дизельными двигателями — 0;

танков с противоснарядным бронированием — 0;

танков с длинноствольными пушками калибра 75-мм и выше — 0;

танков с широкими гусеницами — 0.

Для того чтобы сдержать такое количество германских танков на государственной границе и не пустить их на свою территорию, Жукову на Украине и в Молдавии было достаточно иметь 266 танков примерно такого же качества, как германские. А у Жукова в составе Киевского и Одесского военных округов было 8069 танков, в 30 раз больше, чем требовалось для обороны.

Один только 4-й мехкорпус, который Жуков бросил в сражение, имел 892 танка, в том числе 414 новейших Т-34 и КВ, равных которым ни у Гитлера, и ни у кого в мире не было даже в проектах.

8-й мехкорпус имел 858 танков, включая 171 Т-34 и КВ.

15-й мехкорпус — 733 танка, в том числе 131 Т-34 и КВ.

22-й — 647 танков, в том числе 31 Т-34 и КВ.

Мало? Но у Гитлера — ни одного равного или подобного на всех фронтах.

Каждый из этих корпусов можно смело считать настоящей танковой армией. В ходе войны редко какая советская армия имела такое количество танков. И германские танковые армии в своем составе такого количества танков в ходе войны никогда не имели. США, Великобритания, Франция, Япония, Италия в этой сфере до уровня СССР и Германии не сумели подняться, в своих вооруженных силах танковых армий никогда не имели.

Кроме новейших танков Т-34 и КВ, под командованием Жукова в июне 1941 года на Украине и в Молдавии было танков:

Т-28 — 215,

Т-35 — 51,

БТ-7М — 370,

Т-37 — 669,

Т-38 — 123,

Т-40 — 84.

Ни в первой германской танковой группе, ни во всей Германии, ни во всем мире не было ни одного танка, хотя бы приблизительно равного этим «устаревшим образцам».

Имея такое превосходство над противником, Жуков самое грандиозное танковое сражение мировой истории позорно проиграл. Член Военного совета Юго-Западного фронта корпусной комиссар Н.Н. Вашугин по завершении сражения застрелился. Он комиссар, не он готовил, планировал и проводил это сражение.

Эту танковую битву готовил, планировал и проводил Жуков. Он сжег за четыре дня шесть мехкорпусов, а остальные порядочно обескровил. После такого разгрома Жуков тоже должен был застрелиться и тем снять с себя хоть часть позора. Вернее, сначала должен был застрелиться Жуков, а уж потом остальные, кто за тот позор не нес такой ответственности, как Жуков.

Но Жуков сел в самолет и улетел в Москву.

Что бы делал великий Жуков, если бы у него было не десять мехкорпусов, а только два, как у Кузнецова?

Что бы делал великий Жуков, если бы против него воевала не одна танковая группа, а две, как против Павлова?

У командующих фронтами генералов Кузнецова и Павлова не было права бросить разгромленные войска и убежать в Москву. У начальника Генерального штаба генерала армии Жукова такое право было. Он бросил разгромленные по его вине войска и был таков.

Все это требует подробного рассмотрения. К этим вопросам мы вернемся в другой раз.

5

И было после войны объявлено Жуковым: снарядов у нас было мало. Танки устаревшие. Самолеты — гробы! Войска неустойчивые!

Но давайте, как это бывает на стратегических играх, мысленно поменяем армии местами. Давайте представим себе, что на месте Красной Армии стоит германский Вермахт. Не Красной Армии выпало защищать Советский Союз, а германской армии. А над Вермахтом стоит величайший полководец XX века Г.К. Жуков. И все в германской армии правильно, тут стойкие обученные солдаты, умные командиры и великолепная боевая техника. Какое было бы сочетание: образцовая армия и командует этой образцовой, лучшей в мире военной машиной наш великий гений.

Представили? Хорошо. Идем дальше.

Вот перед войной идут из Москвы директивы Жукова: аэродромы вынести к границам прямо под огонь вражеских батарей! И стратегические запасы — туда же! По самолетам противника не стрелять! Орудийные замки сдать на склады! Колючую проволоку на границах резать!

Маршал Советского Союза
И.С. Конев. С ним Жуков дрался
в присутствии маршалов,
генералов, режиссеров и артистов.

Нефть — вот причина драки
двух бандитских главарей.
Карикатура 1941 года.

Так население Западной Украины приветствовало германскую армию летом 1941 года. За неполных два года население Западной Украины узнало, что такое власть коммунистов. Для народа Украины приход армии Гитлера был желанным избавлением от власти Сталина, Хрущева, Серова и Жукова.

Так население
оккупированных
польских территорий
в сентябре 1939 года
встречало Красную
Армию. Фотографий
радостной встречи
почему-то не
сохранилось, потому
пришлось радость
нарисовать.

Комиссар Н.Н. Вашугин после
провала грандиозного танкового
сражения в районе Дубно
застрелился, хотя он этого
сражения не планировал и им
не руководил, а Жуков, который
сражение планировал и проводил,
сел в самолет и улетел в Москву.

Жуков говорил:
я спас Москву!
Миру внушено: он
Москву спасал один.

В Берлине Жуков без толку
сжег две танковых армии.

Жуков в позе. После войны он нашел время позировать перед художником, но у него не нашлось времени отдать приказ о том, чтобы миллионы уже присвоенных орденов и медалей выдали фронтовикам.

За плечом Жукова — контролер. Это генерал-лейтенант К.Ф. Телегин.

Советский Союз держит первое место по числу уродливых памятников циклопических размеров, но и через полвека после войны никто не удосужился собрать кости погибших солдат на полях былых сражений.

Военным советам ЛВО
~~Сев.~~ ПрибОВО, ЗапОВО, КОВО,
ОдВО, Копия НарКомВн. дел.

№ 2   22.6.41. 7.15

22 июня 1941г 04 часа утра немецкая
авиация без всякого повода совершила
налеты на наши аэродромы и города
вдоль западной границы и подвергла их
бомбардировке.

Одновременно в разных местах ~~вдоль~~
~~границы~~ открыли артиллерийский огонь и
германские войска ~~ǀ~~ перешли нашу
границу.

В связи с ~~наглавившимся~~ неслыханным по наглости нападением
~~усилением~~ со стороны Германии
~~и будет~~ на Советский Союз
приказываю:

1) Войскам всеми силами и средствами
обрушиться на вражеские силы и уничтожить их в ~~тех~~ районах, где они
нарушили Советскую границу.
Впредь до особого распоряжения наземны-
ми войсками границу не переходить.

**Директива №2 Генерального штаба Красной Армии,
подписанная 22 июня 1941 года.**

2)

2) Разведывательной и боевой авиацией установить места сосредоточения авиации противника и группировку их наземных войск.

Мощными ударами бомбардировочной и штурмовой авиации уничтожить авиацию на аэродромах противника и разгромить основные группировки его наземных войск.

Удары авиацией наносить на глубину территории противника до 100—150 км.

На территорию Финляндии и Румынии до особых указаний налетов не делать

Маленков

(Жуков)

Эта копия от руки в одном экз и вручена штабу 1р. Голубеву —НКМф. Расписка наобор.
Подпись Анисимов

4/2.

В.В. Крюков.

Лидия Русланова.

Советский освободитель в Берлине.

В оборону войска не ставить! Траншей и окопов не рыть! Миллионы солдат придвинуть к самым границам! Туда же — все штабы, командные пункты и узлы связи! Никаких карт своей территории войскам не выдавать! Самые мощные армии загнать в мышеловки — в выступы, которые вклиниваются во вражескую территорию! Никаких мер без приказа Москвы не предпринимать! На провокации не поддаваться!

Командиры всех уровней от взвода и выше понятия не имеют о планах командования. Все планы доставлены в опечатанных конвертах. За вскрытие пакета без соответствующего приказа — расстрел.

И вот по этой образцовой армии нанесены внезапные сокрушительные удары чудовищной мощи. Приказ Жукова не поддаваться на провокации означал, что нельзя воевать. А приказ не предпринимать никаких мер без особого разрешения означал, что ничего вообще делать нельзя. После таких приказов в самый драматический момент, когда бедную армию бьют чем попало — многочасовое молчание Москвы. Запрет на ведение войны наложен, но не снят.

Что бы дисциплинированная германская армия делала в этой ситуации? Неужели ей было бы легче, чем Красной Армии 22 июня 1941 года? Неужели германская армия при таком раскладе сразу же начала побеждать, если ни у одного генерала и офицера нет никаких планов?

А потом вдруг следуют внезапные невыполнимые фантастические директивы Жукова с требованием наступать без подготовки. Наступать в ситуации, когда этого делать нельзя. Наступать с выбитыми глазами.

Лезть прямо на рожон.

Неужели после этого у кого-то повернулся бы язык называть Жукова гением? Неужели после этого кто-то также и продолжал бы обвинять армию в том, что она плохо воевала?

ГЛАВА 13

КАК ЖУКОВ
СПАСАЛ МОСКВУ

> У Жукова преобладала манера в большей степени повелевать, чем руководить. В тяжелые минуты подчиненный не мог рассчитывать на поддержку с его стороны — поддержку товарища, начальника, теплым словом, дружеским советом.
>
> Маршал Советского Союза
> *К.К. Рокоссовский.*
> ВИЖ. 1990. № 2. С. 50

1

Предвоенные месяцы, а также июнь и июль 1941 года — это настолько важный период нашей истории, что тут не хватит ни одной главы, ни десяти. Об этом будет книга.

Сейчас мы перенесемся в август 1941 года, в район города Ельня. Тут в августе — сентябре 1941 года Резервный фронт под командованием генерала армии Г.К. Жукова провел первую в ходе войны успешную наступательную операцию. Тут родилась советская гвардия. 100-я и 127-я стрелковые дивизии 24-й армии Резервного фронта за стойкость в обороне и решительность в наступлении, за массовый героизм и мужество личного состава были преобразованы соответственно в 1-ю и 2-ю гвардейские стрелковые дивизии.

Сражение под Ельней — первый триумф Красной Армии в войне против гитлеровской Германии. Этот триумф организовал Жуков. С этим спорить нельзя.

Что же случилось под Ельней?

В результате прорыва передовых частей 2-й танковой группы Гудериана и захвата 19 июля 1941 года города Ельня противнику удалось создать исключительно важный и хорошо укрепленный плацдарм, т. е. выступ, выгнутый в сторону Москвы. За неполный месяц боев 2-я танковая группа прошла с боями от Бреста до Ельни 700 километров, а от Ельни до Москвы оставалось 300 километров. Если танковая группа Гудериана будет идти с той же скоростью, то до ворот Москвы — две недели. Ельнинский выступ — это исходный рубеж для рывка на Москву. В результате ожесточенных боев в августе и начале сентября Жуков этот плацдарм ликвидировал. Нам стоит только сопоставить цифры: 700 километров за месяц, 300 оставшихся за... И тогда величие подвига Жукова встает во всем своем блеске. Однако...

Однако 2-я танковая группа Гудериана вырвалась далеко вперед. Фланги танковой группы открыты. Тыл уязвим. Резервов нет. Войска требуют отдыха и пополнения, боевая техника — ремонта. Остро не хватает танков, танковых двигателей, транспортных машин, боеприпасов, запасных частей. Самое главное — у Гудериана очень мало горюче-смазочных материалов. Так что прямой угрозы Москве в тот момент не было. Гудериан должен был ждать, когда подвезут все необходимое для наступления. Снабжение наступающих германских войск было возможно только по единственной весьма уязвимой и достаточно поврежденной железнодорожной линии Минск — Смоленск — Вязьма — Москва.

Но даже если бы у Гудериана и имелось бы всего в достатке, то и тогда удар на Москву в тот момент был весьма рискованным предприятием. С севера над германской группировкой нависали войска советского Северо-Западного фронта численностью около полумиллиона солдат с сотнями танков и тысячами орудий. Сами они были практически неуязвимы, так как находились на непроходимых для немецких танков Валдайских высотах. С юга, из районов Киева, Конотопа, Брянска, танковой группе Гудериана и единственной линии ее снабжения угрожали войска советских Юго-Западного и Брянского фронтов, численностью более миллиона солдат с тысячей танков и пятью тысячами орудий.

И перед германским командованием встала мучительная, неразрешимая дилемма: идти прямо на Москву или сначала разгромить Киевскую группировку советских войск? Гудериан и многие другие генералы склонялись к тому, чтобы идти на Москву. Гитлер считал, что рывок на Москву — рывок в мышеловку. Нельзя идти на Москву, имея справа такую мощную группировку советских войск.

Оборона советских войск в районе Киева опиралась на мощную водную преграду — Днепр — и Киевский УР. В лоб эту группировку не взять. Но 2-я танковая группа Гудериана, вырвавшись далеко на восток, нависала над правым флангом Киевской группировки советских войск и могла ударить ей в тыл.

21 августа 1941 года Гитлер отдал приказ временно отложить наступление на Москву, а вместо этого нанести удар на юг с целью окружения советских войск под Киевом. Операция была проведена. В Киевском котле германские войска захватили в плен 665 000 советских солдат и офицеров, 884 танка, 3178 орудий, сотни тысяч тонн боеприпасов, топлива, запасных частей, продовольствия.

2

В Кремле намерения Гитлера на вторую половину лета и раннюю осень 1941 года оценивали по-разному. Как всегда, начальник Генерального штаба генерал армии Г.К. Жуков все знал, все понимал, все предвидел. А глупый Сталин ничего не знал, ничего не понимал и ничего не предвидел. Жуков об этом рассказывал так: 29 июля он позвонил И.В. Сталину и попросил принять его для срочного доклада. Вот что Жуков доложил Сталину (Воспоминания и размышления. С. 300): «На московском стратегическом направлении немцы в ближайшие дни не смогут вести наступательную операцию, так как они понесли слишком большие потери. У них нет здесь крупных стратегических резервов для обеспечения правого и левого крыла группы армий «Центр»; на ленинградском направлении без дополнительных сил немцы не смогут начать операции по захвату Ленинграда и соединению с финнами...».

Жуков якобы доказывал Сталину: Гитлер на Москву сейчас не пойдет и Ленинград штурмовать не будет. Опасность сейчас другая: германские войска ударят в тыл Юго-Западному фронту, противник срежет всю Киевскую группировку. Поэтому надо войска из района Киева срочно отводить!

Сталин: А как же Киев?

Жуков: Киев сдать!

Сталин: Что за чепуха!

Жуков: Если вы считаете, что начальник Генерального штаба способен только чепуху молоть, тогда ему здесь делать нечего. Я прошу освободить меня от обязанностей начальника Генерального штаба и послать на фронт.

Нам рассказывают, что якобы такой разговор был, и после него Сталин снял Жукова с должности начальника Генерального штаба и назначил командующим Резервным фронтом. Вот во главе Резервного фронта Жуков и провел блистательную наступательную операцию под Ельней.

Следует обратить внимание вот на что: Гитлер колебался — на Москву идти или на Киев? Но выбора у него, по существу, не было. Оба решения одинаково соблазнительны. С одной стороны — вот она, беззащитная Москва, в трехстах километрах. С другой — если не идти на

Москву, а повернуть на Киев, тогда без труда можно разгромить миллионную группировку советских войск. Что лучше?

В то же время оба решения были одинаково проигрышными. Если идти на Москву, то до распутицы не будет захвачена Украина и тогда за нее придется воевать осенью и зимой. А если в августе идти на Украину, тогда до наступления распутицы не будет захвачена Москва. Тогда сражение за Москву падает на осень и зиму. Можно выбрать одно, можно другое, но при любом выборе от грязи, мороза и снега не увернуться. В любом случае война уже получилась затяжной, без перспективы германской победы. А ведь еще надо и Ленинград захватить. Нельзя Крым оставлять Сталину. Крым — это базы советской авиации для разгрома нефтяной промышленности Румынии. Гитлер это понимал, потому и колебался.

Оттого, что оба направления были и одинаково заманчивыми, и одинаково безысходными, Гитлер не знал, что выбрать. Вероятность принятия одного или другого решения была примерно одинаковой. Потому предсказать, на что именно решится Гитлер, было практически невозможно.

Мы теперь знаем, что после долгих колебаний и споров окончательное решение Гитлер принял 21 августа: на Москву пока не идти, а повернуть на юг, в тыл Киевской группировки советских войск. Но наш гениальный Жуков (если верить его мемуарам) еще 29 июля точно знал, какое именно решение примет Гитлер. Так он якобы Сталину и докладывал: на Москву не пойдут. Пойдут на Киев!

Бедный Гитлер 29 июля 1941 года грыз ногти, не зная, на что решиться, и еще три недели грыз, не зная: на Москву или на Киев? И невдомек было Гитлеру, что великий Жуков с расстояния в полторы тысячи километров прочитал его мысли за три недели до того, как они пришли в гитлеровскую голову.

3

Допустим, все под Ельней было так, как рассказывают агитаторы: первая в ходе войны успешная наступательная операция советских войск, массовый героизм, рождение советской гвардии, и Жуков — организатор и вдохновитель...

Но мы зададим вопрос: зачем? Кому и зачем была нужна наступательная операция под Ельней?

Вернемся к предсказаниям Жукова от 29 июля 1941 года. Жуков якобы знал наперед, что Гитлер на Москву не пойдет, он пойдет на Киев. Якобы за эти предсказания глупый Сталин снял Жукова с поста начальника Генерального штаба.

Ладно. Поверим.

Теперь обратим внимание на действия Жукова. Он полтора месяца штурмует Ельнинский выступ потому, что это плацдарм для наступления на Москву, хотя сам как бы знает: никто в данный момент на Москву наступать не собирается.

Жуков якобы предсказал, что будет германский удар в обход Киева. И вот противник такой удар нанес. В районе Киева в окружении гибнут шесть советских армий. Силы Гудериана тоже на исходе. Гудериан рассказывает, что был вынужден бросить в бой последний резерв — роту охраны командного пункта. Штаб Гудериана остался без охраны. В его резерве не было вообще никого, ни единого солдата. Вот бы Жукову не тратить силы на бесполезные атаки Ельнинского выступа, а встать в глухую оборону. Высвободившиеся дивизии надо было бросить на помощь армиям, запертым в Киевском окружении. Силы Гудериана на исходе. Лишняя соломинка ломает хребет верблюду. Если бы Жуков частью своих дивизий ударил по тылам 2-й танковой группы, то величайшая победа Гудериана под Киевом могла бы обернуться величайшей катастрофой. 2-я танковая группа растянулась на огромных пространствах, имея незащищенные фланги и тылы. Танки — вперед! А позади танков — бесконечные тыловые подразделения: госпитали, ремонтные батальоны, бесчисленные колонны транспортных машин с топливом, боеприпасами, полевые кухни и прочее, и прочее. Все это предельно уязвимо. Но без этого танковая группа не может жить и воевать. Вот бы Жукову по тылам Гудериана ударить.

Жуков сам предсказал, что ближайшая цель Гитлера — Киев, а не Москва. И вот идет сражение за Киев. Германские войска выбиваются из сил. Они на грани истощения. Резервов у них нет, и очень затруднено снабжение. А Жуков никак на все это не реагирует. А Жуков штурмует германские траншеи под Ельней. А Жуков попусту льет солдатскую кровь ради никому не нужного Ельнинского выступа.

Одно из двух. Первое: Жуков не предвидел, что Гитлер пойдет на Киев. Это после войны он задним числом объявил себя всевидящим. В этом случае он — хвастун.

Второе: Жуков действительно предсказал, что Гитлер повернет свои главные силы на Киев, но зря тратит силы на второстепенном направлении, в то время как сотни тысяч советских солдат гибнут в Киевском котле. А ведь совсем небольшая помощь могла бы в корне изменить ситуацию в пользу Красной Армии. В этом случае Жуков — бездарный унтер, неспособный принимать правильные решения даже в ситуации, которая ему предельно ясна.

4

В середине июля 1941 года 2-я танковая группа Гудериана захватила Ельню и встала в оборону. Жуков с начала августа позиции танковой группы беспрерывно штурмовал. Однако безуспешно. Тут он положил в землю неисчислимые полчища своих солдат, практически не причинив танковой группе вреда. Нет ничего более глупого, чем штурмовать хорошо укрепленные позиции, на которых обороняется сильный противник. Таким штурмом вы гробите своих солдат. Даже если бы и ожидалось наступление на Москву из Ельнинского выступа, то выступ все равно не надо было штурмовать. Вместо этого надо создавать оборону против данного выступа. Вот в 1943 году поступили сообщения, что германские войска готовят наступление из районов Орла и Белгорода. Разве из этого следует, что советские войска тут же ринулись на штурм Орла и Белгорода? Вовсе нет. Если из этих районов предполагается наступление противника, значит, противник на данном направлении обладает большими силами. Следовательно, надо не штурмовать позиции противника, а готовить оборону: рыть противотанковые рвы, устанавливать фугасы и минные поля, рыть окопы, возводить блиндажи, готовить противотанковые рубежи и засады. Если противник силен и готовит наступление на данном направлении, пусть он упрется в нашу оборону. Пусть обломает зубы о наши заграждения.

В 1943 году Гитлер настаивал на том, чтобы срезать Курскую дугу, где находились весьма значительные силы Красной Армии, которые подготовили несокрушимую оборону. Эта затея Гитлера обескровила лучшие соединения Вермахта.

Жуков — стратег того же разряда, что и Гитлер. Жуков тоже происходил из ефрейторов и до конца своих дней ефрейтором и оставался, несмотря на маршальские погоны. Перед Жуковым — Ельнинская дуга, в которой находятся силы, способные, по мнению Жукова, наступать на Москву. Следовательно, это мощные силы! И Жуков командует наступление. Пять атак в день! Семь! Десять! Ура!

Противник сидит в траншеях, из-за брустверов не видны даже каски. Противник стреляет с места, т. е. прицельно. А наш солдат бежит во весь рост. Он должен стрелять с ходу. Он несет на себе запас патронов и гранат, у него нарушено дыхание от быстрого бега. Стрелять прицельно он не может. Да и куда стрелять, если немцы в землю зарылись? Немецкие снайперы и пулеметчики косят жуковские цепи одну за другой. Ничего! Народу у нас хватает! Атаку повторить! А ну, еще разок! И еще! И еще! Весь август без перерыва Жуков штурмовал Ельнинский выступ, обескровив лучшие соединения Красной Армии. Вот остатки двух дивизий, которые уцелели после нескончаемых штурмов, и получили в сентябре гвардейские звания.

Но в Ельнинском выступе поначалу была не только немецкая пехота, там находилась и танковая группа Гудериана, а это — четверть германской танковой мощи. Нет ничего более страшного и глупого, чем бросать пехоту на врытые в землю танки. Танк в обороне — несокрушимая мощь. Над землей возвышается только башня с пушкой и пулеметами. Башня замаскирована. Но даже если маскировка и сорвана, попасть в башню не так просто. И не всякое попадание означает пробоину. Экипаж врытого в землю танка имеет мощное вооружение, хорошую оптику, он прикрыт броней. Бегущая в поле пехота Жукова — лакомая цель. И наступающий танк для врытого в землю танка — желанная и легкая цель. Наступайте, войска Жукова, массами! Чем больше, тем лучше! Всех перебьем.

Затем 21 августа Гитлер отдал приказ 2-ю танковую группу Гудериана тайно вывести из Ельнинского выступа. Группа приказ выполнила и нанесла удар на Конотоп, далее — на Лохвицу, в тыл советской Киевской группировки. 2-я танковая группа Гудериана в глубоком тылу советских войск встретилась с 1-й танковой группой Клейста, замкнув кольцо окружения вокруг советского Юго-Западного фронта. И это стало самым большим окружением в истории человечества.

Уходя, Гудериан оставил в Ельнинском выступе только несколько слабых пехотных дивизий, без танков и почти без артиллерии. И вот этот опустевший выступ снова штурмует Жуков. День за днем. Неделя за неделей. Не жалея солдатских жизней. Ельнинский выступ Жуков захватил. Но это был не разгром, а выталкивание. Германские пехотные дивизии просто отошли из выступа, заваленного трупами советских солдат. Отходя, германские войска оставляли за собой минные противотанковые и противопехотные поля. Пагубность непрерывных атак в том, что противник знает вашу программу: если на данном направлении за полтора месяца уже было 127 безуспешных атак, значит, вы и дальше будете прошибать лбом стену в этом самом месте. На всех фронтах германские войска наступали, потому противопехотные и противотанковые мины им не требовались. А на Ельнинском выступе германские войска под напором Жукова медленно отходили. Был смысл противотанковые и противопехотные мины использовать именно тут. Так и было сделано. Практически весь резерв мин германской армии был использован на Ельнинском выступе. И вот по этим непроходимым минным полям рвались вперед дивизии Жукова, истребляя себя и не причиняя вреда противнику.

Теперь вопрос: что знал Жуков о противнике в Ельнинском выступе? Если он считал, что в выступе находится 2-я танковая группа Гудериана, и приказал выступ штурмовать, значит, Жуков — преступник. Атаковать врытые в землю танки, одну четверть всей германской танковой мощи — преступление.

Теперь допустим, что Жуков считал: 2-й танковой группы в Ельнинском выступе нет, что никто Москве не угрожает. Если так, то штурм пустых минных полей — двойное преступление. Если 2-й танковой группы Гудериана в Ельнинском выступе нет, то Жукову надо было срочно разузнать, где она и что делает. А основные силы 2-й танковой группы Гудериана, пока Жуков штурмовал Ельню, громили соединения и части шести советских армий, запертых в Киевском котле.

Далее события развивались так. Разгромив шесть советских армий в районе Киева, захватив несметное число пленных и небывалые трофеи, германские войска, в их числе и 2-я танковая группа Гудериана, развернулись на Москву и в конце сентября начали наступление. Германские танковые группы вполне обошлись без Ельнинского выступа. Он им был не нужен. Они нанесли удары на других направлениях и с тем же успехом вышли к воротам Москвы. Ельня, которую Жуков больше месяца штурмовал, заплатив за ее захват реками русской солдатской крови, была сдана без боя. Резервный фронт, которым недавно командовал Жуков, попал в окружение и был разгромлен. Причина: под руководством Жукова фронт не готовился к обороне, он без толку штурмовал Ельню. В боях за Ельнинский выступ Резервный фронт был истощен и ослаблен, израсходовал немыслимое количество боеприпасов и остался без них. Тут-то он и попал под удары германских дивизий. Победа Жукова под Ельней обернулась грандиозным поражением всего Резервного фронта через три недели после никому не нужных побед.

Если бы в августе и начале сентября Жуков попытался спасти своих соседей в Киевском окружении, то иначе сложилась бы и судьба войск в районе Ельни. Если бы Жуков не штурмовал Ельню, а несколько своих дивизий бросил против тылов Гудериана, тогда бои под Киевом затянулись бы до октября и ноября. В этом случае войска Жукова под Ельней имели бы время на подготовку обороны. Кроме того, и противник после кровопролитных сражений за Киев был бы уже не тот. Да и начал бы он наступление на Москву не в конце сентября, а гораздо ближе к зиме. А то и вовсе его не начал бы.

Но Жуков в августе и сентябре не помог гибнувшим в окружении под Киевом. Потому сразу после разгрома Киевской группировки советских войск настала очередь Резервного фронта. Войска, которыми командовал Жуков, сами попали в окружение.

Правда, сам Жуков окружения избежал. Ему повезло. До начала германского наступления на Москву Сталин направил Жукова в Ленинград. Иначе хлебал бы Жуков баланду в немецком лагере военнопленных, как сотни тысяч солдат и офицеров Резервного фронта, которых он своими бесконечными штурмами Ельни обрек на плен и смерть.

ГЛАВА 14

ЧЕМ ЗАВЕРШИЛСЯ «РАЗГРОМ НЕМЦЕВ ПОД МОСКВОЙ»?

> В 29-й армии осталось 6000 человек...
> Закончились боеприпасы и продукты.
> Люди начали умирать от голода.
>
> ВИЖ. 1995. № 2. С. 17

1

О Жукове сложено много легенд. Среди них и такая: он спас Ленинград.

Начнем с того, что два века район вокруг Питера укреплялся всеми русскими царями. Взять Питер штурмом невозможно. Это самый укрепленный город мира. Вдобавок к Ленинграду летом и ранней осенью 1941 года отошел весь Балтийский флот. В районе Ленинграда была сосредоточена небывалая мощь — 360 орудий морской артиллерии, из них 207 — береговой и 153 — корабельной. Подобного количества артиллерии не было ни на одной из военно-морских баз в годы Второй мировой войны (ВИЖ. 1973. № 6. С. 37). Речь идет не о полевой, а о морской артиллерии. Тут преобладали большие калибры. Ничего равного этой концентрации огневой мощи и брони германская армия противопоставить не могла.

Кроме того, Ленинград защищали четыре советские армии: 8-я, 23-я, 42-я и 55-я. Оборона этих армий опиралась на мощную сеть укрепленных районов.

Небо Ленинграда защищал корпус ПВО. «Наивысшая плотность зенитной артиллерии при обороне Москвы, Ленинграда и Баку была в 8—10 раз больше, чем при обороне Берлина и Лондона» (СВЭ. Т. 1. С. 289). Помимо этого, зенитная артиллерия боевых кораблей.

Ленинград прикрывала авиация Балтийского флота и Ленинградского фронта.

Штурмовать Ленинград — безумие. И Гитлер на это безумие не пошел.

Вспомним еще раз предсказания Жукова, которые он еще 29 июля 1941 года высказал Сталину: «Без дополнительных сил немцы не смогут начать операции по захвату Ленинграда и соединению с финнами». (Воспоминания и размышления. С. 300). Прямо из мемуаров Жукова следует: не грозила Ленинграду опасность штурма. После июля ситуация изменилась: германских войск под Ленинградом не прибавилось. Наоборот, их стало меньше. Причем значительно.

Главная ударная сила, которая шла на Ленинград, — 4-я танковая группа Гёпнера. Жуков получил приказ прибыть в Ленинград. А Гёпнер получил приказ на перегруппировку 4-й танковой группы с Ленинградского направления на Московское.

В романе А. Чаковского «Блокада» описан момент первого совещания, которое проводил Жуков в штабе Ленинградского фронта. Звонит телефон, кто-то истошно кричит в трубку: «Немцы!» Все присутствующие в панике бросаются что-то делать, и только невозмутимый Жуков спокойно спрашивает: «Какие немцы?» Всем присутствующим непонятно спокойствие Жукова, ведь надо срочно предпринимать какие-то меры, чтобы остановить прорвавшихся немцев. Но оказывается, что спокойствие Жукова объясняется его ясным пониманием обстановки. Он знает, что у немцев нет сил для штурма, потому и спокоен.

Роман Чаковского — художественный вымысел. Но вопрос поставлен верно: какие немцы?

Сил у германской армии для штурма Ленинграда было явно недостаточно. После перегруппировки 4-й танковой группы на Московское направление под Ленинградом не осталось ни одного немецкого танка. Так что штурма можно было не бояться. И приписывать Жукову заслугу в спасении города тоже не стоит.

И еще. Когда мы говорим об обороне Ленинграда, надо задуматься над тем, как противник к городу подошел. Как случилось, что аэродромы Северо-Западного фронта оказались у самых границ и как попали под гусеницы танков Гёпнера и Манштейна? Как случилось, что ни одна из дивизий Северо-Западного фронта (и всех других фронтов) не стояла в обороне? Как случилось, что мосты через Неман и Даугаву попали в руки противника? Как случилось, что Псковский и Островский укрепленные районы не были заняты нашими войсками и были захвачены противником с ходу? Неужели начальник Генерального штаба генерал армии Г.К. Жуков за все эти безобразия не должен нести ответственности?

Итак, за что же мы поем славу Жукову?

Славу поем за то, что Жуков своим предвоенным планированием, своими приказами в первые часы и дни войны поставил войска Северо-Западного и всех других фронтов в такое положение, в котором их ждал только разгром. Своими действиями Жуков, по существу, открыл противнику дорогу на Ленинград. И не только на Ленинград. Когда же противник отвел основную часть войск от Ленинграда, Жуков своим присутствием предотвратил штурм, который германским командованием не планировался и не замышлялся.

2

После Ленинграда — Москва.

Один знаменитый генерал объявил Жукова гением за то, что тот «остановил фашистские полчища у стен Москвы». Сказано сильно. Однако, во-первых, немецкие документы говорят о том, что к стенам Москвы германская армия подошла на последнем дыхании. Она была уже обессилена и обескровлена непрерывными боями и сражениями, потому остановилась сама, независимо от контрнаступления Красной Армии, и за несколько дней до его начала. Наступление германской армии на Москву захлебнулось в реках, болотах и озерах крови солдат Красной Армии. Непрерывные многомесячные сражения истощили силы Вермахта. Самую полную картину развития германской армии в предвоенный период и в ходе войны дал генерал-майор Б. Мюллер-Гиллебранд (Сухопутная армия Германии 1933—1945. М., 1956—1958). Достаточно прочитать одну страницу его книги, чтобы оценить состояние германских войск после сражения за Киев (Т. 3. С. 23). Осенью 1941 года германские танковые дивизии располагали 35% своей первоначальной боеспособности. «Поэтому должна была наступить оперативная пауза... Наши войска накануне полного истощения материальных и людских сил... Маневренность и наступательная мощь наших войск исчерпана. Самое большее, на что мы можем рассчитывать, это — подойти северным флангом группы армий к Москве и занять 2-й танковой армией излучину Оки северо-западнее Тулы».

Так что не велика разница: появился Жуков под Москвой или не появился.

Во-вторых, нельзя не согласиться со сталинским телохранителем, который резонно рассудил: «Жукова порой заносило высокомерие, и он терял над собой контроль. Что значит, он не сдаст Москву? Ставка на Западный фронт перебросила с Урала, Сибири и Казахстана 39 дивизий и 42 бригады. Без них даже золотой Жуков неизбежно померк бы навсегда» (А.Т. Рыбин. Сталин и Жуков. М., 1994. С. 23).

А в-третьих, надо повторить все тот же вопрос: как и по чьей вине гитлеровские полчища появились у стен Москвы? Как это «маршал Победы», имея в 36 раз больше самолетов, чем требовалось для обороны, допустил врага на свою территорию? И отчего это гениальный полководец оказался у самой Москвы?

Для того чтобы остановить три тысячи германских танков на самой границе и не позволить им вступить на нашу территорию, Жукову 22 июня 1941 года было достаточно на всем советско-германском фронте иметь одну тысячу советских танков. В крайнем случае — полторы тысячи. Как могло случиться, что, имея 25 479 танков, великий полководец добежал до стен Белокаменной?

3

Когда говорят о славных делах Жукова под стенами Москвы, я вспоминаю академический курс истории войн и военного искусства. Все у нас в начале войны было не так, а потом понемногу начали набираться ума.

И вот на лекции в академии нам рассказывают, что впервые войсковая разведка была правильно организована в наступательных боях советских войск на реке Ламе в январе 1942 года.

Там же, на реке Ламе, впервые было правильно организовано инженерное обеспечение наступательной операции.

И опять же именно там, на реке Ламе, в январе 1942 года впервые было правильно организовано тыловое обеспечение войск в ходе наступательных боев.

Впервые противовоздушная оборона войск была правильно организована в ходе боев на реке Ламе, вы, надеюсь, уже догадались, когда именно.

Впервые правильное планирование боевых действий войск было осуществлено в январе 1942 года в боях на реке Ламе.

За что ни возьмись, все начинается с рубежа реки Ламы. Вот если вы не знаете, где впервые в ходе войны правильно была организована оперативная маскировка войск, то я вам подскажу: на реке Ламе. А когда? В январе 1942 года. Если не верите, откройте «Военно-исторический журнал» (1972. № 1. С. 13).

Слушатели всех военных академий Советского Союза все это повторяли из года в год. Одни завершали курс обучения, уходили в войска, другие приходили на их место. И так год за годом. Десятилетиями. И вопросы не возникали. А мне непонятно: что это за войска такие безымянные? Почему нам рассказывают о каких-то советских войсках на реке Ламе, не называя ни номеров дивизий, ни номера армии, не упоминая никаких имен?

А вот еще: 10 января 1942 года Ставка Верховного Главнокомандования разослала командующим фронтами и армиями директиву о способах ведения так называемого артиллерийского наступления. Удивительно, но утром того же дня советские войска на реке Ламе, явно еще не получив этой директивы и не имея времени с ней ознакомиться, уже успешно осуществили так называемое артиллерийское наступление. Причем весьма успешно. Свидетельствует маршал артиллерии Г.Е. Передельский: «Начало организации артиллерийского наступления в том виде, как предусматривалось директивой, было положено в наступлении 20-й армии на реке Ламе в январе 1942 года» (ВИЖ. 1976. № 11. С. 13).

Вот, наконец, эти войска названы по имени. Не какие-то там безымянные. Это 20-я армия Западного фронта. А кто командующий 20-й армией? Открываем Советскую военную энциклопедию (Т. 3. С. 104).

Перечислены одиннадцать генералов, которые последовательно командовали 20-й армией в годы войны. Первые пять — генерал-лейтенанты: Ф.Н. Ремезов (июнь — июль 1941), П.А. Курочкин (июль — август 1941), М.Ф. Лукин (август — сентябрь 1941), Ф.А. Ершаков (сентябрь — октябрь 1941), М.А. Рейтер (март — сентябрь 1942)...

Стоп! Нас интересуют бои 20-й армии на реке Ламе в январе 1942 года. Но энциклопедия сообщает, что с октября 1941 года по март 1942 года 20-й армией никто не командовал. Чудеса на реке Ламе творились без командирского участия. На предыдущей странице энциклопедии написано: «20-я армия сосредоточилась севернее Москвы и была передана Западному фронту. В декабре в составе войск правого крыла фронта принимала участие в Клинско-Солнечногорской наступательной операции 1941 года, в ходе которой во взаимодействии с 16-й, 30-й и 1-й ударной армиями нанесла поражение 3-й и 4-й танковым группам противника, отбросив их на запад на 90—100 километров на рубеж реки Лама, Руза и освободив большое количество населенных пунктов, в том числе Волоколамск. В январе 1942 года войска 20-й армии ударом на Волоколамск — Шаховская прорвали заблаговременно подготовленную оборону противника на рубеже реки Лама и, преследуя отступающего противника, к концу января вышли в район северо-восточнее Гжатска.

Это наступление обогатило советское оперативное искусство опытом массирования сил и средств на главном направлении и умелого их применения в зимних условиях» (СВЭ. Т. 3. С. 103). Далее — в том же духе.

4

Так вот, во всех этих боях, которые обогатили советское оперативное искусство, у 20-й армии был командующий. Звание его — генерал-майор. Звали его Власов Андрей Андреевич. За бои на реке Ламе он получил звание генерал-лейтенанта и высшую государственную награду — орден Ленина. Рядом с Власовым действовали армии Рокоссовского и Говорова. Рокоссовский и Говоров впоследствии стали Маршалами Советского Союза. Однако ни Рокоссовского, ни Говорова не ставили в пример. Они действовали хорошо и даже очень хорошо. Но в пример ставили Власова. Ибо он действовал лучше двух будущих маршалов.

Если бы судьба сложилась иначе — ему бы командовать парадом Победы. Власов был куда более толковым командиром, чем Рокоссовский и Говоров.

Над Власовым, Рокоссовским и Говоровым стоял Жуков. Можно предположить, что спасение Москвы и все чудеса на реке Ламе были организованы по приказу Жукова. Но тогда возникает вопрос: почему Жуков довел до блистательного совершенства искусство одного только Власова? Почему забыл про Рокоссовского, Говорова и других командующих армиями Западного фронта? И приходится признать, что блистательные операции 20-й армии на реке Ламе были организованы Власовым без участия Жукова, а возможно — и вопреки Жукову.

И в народный эпос не попал ни Жуков, ни Говоров, ни Рокоссовский. Над страной гремела слава Власова. О нем народ слагал песни:

> Грохотали пушки басом,
> Гром военный бушевал,
> Генерал товарищ Власов
> Немцу перцу задавал!

А потом судьба сложилась так, что имя Власова приказали забыть и вычеркнуть. Вычеркнули. А куда же девать славу спасителя Москвы? И решили славу спасителя переписать на Жукова.

5

В декабре 1941 года Красная Армия погнала германские войска из-под Москвы. В связи с контрнаступлением советских войск ходит вот какая история. Увлекшись успехом, Сталин потребовал от всех советских войск перейти в наступление одновременно на всех направлениях.

И это было ошибкой.

А мудрый Жуков рекомендовал Сталину по всему фронту немцев не гнать, а сосредоточить все силы на Московском стратегическом направлении. Немцы наносили удар на Москву, тут у них самые лучшие войска. Тут у них главная группировка. Тут у них почти все танки. И все без топлива. Вот по этой центральной замерзающей группировке и ударить! Разгромим лучшие войска на самом главном направлении, с остальными потом легко расправиться будет. Сами побегут! А наступать сразу на всех фронтах — это вроде как гоняться за четырьмя зайцами или бить врага растопыренными пальцами. Лучше в кулак силы собрать да ударить в одном месте, но крепко! Иначе попусту силы растратим, и врага не разгромим, и к весне все стратегические резервы потеряем. Так все в мемуарах Жукова и расписано. Все просто и ясно: нельзя было наступать везде сразу. Нельзя. И точка!

Но не послушал глупый Сталин мудрого Жукова. Наступал сразу на всех фронтах. В результате и врага к весне не сокрушили, и остались без резервов. А следствие этого: потеря весной 1942 года Крыма и Севастополя, потеря 2-й ударной армии Власова, жуткая катастрофа под Харьковом, выход противника к Сталинграду на волжские нефтяные артерии...

Этот пример ярко показывает сталинскую дурь и жуковскую гениальность. Но есть нюанс.

В последний день 1941 года в Кремле состоялось совещание, на котором утверждались планы боевых действий на следующий год. «Накануне совещания в Ставке, 31 декабря 1941 года, генерал армии Г.К. Жуков и Н.А. Булганин по телефону доложили Сталину, что в ходе боев войсками Западного фронта были разбиты 20, 12, 13, 43, 53 и 57-й германские армейские корпуса в составе 292, 258, 183, 15, 98, 34, 259, 260, 52, 17, 137, 131, 31, 290 и 167-й пехотных и 19-й танковой дивизий и 2-й бригады «СС», переброшенной на самолетах из Кракова; противник под ударами войск фронта продолжает отступление в западном направлении, оставляя в боях и по пути отхода раненых, артиллерию, оружие и имущество» (ВИЖ. 1991. № 2. С. 24). Сведения об этом докладе Жукова Сталину публикуются со ссылкой на Центральный архив МО СССР (фонд 208, опись 2511, дело 1035, листы 63—64).

Если этому хвастливому докладу поверить, то получается, что Жуков в декабре 1941 года под Москвой сотворил нечто вроде Сталинграда.

Статья продолжается так: «Все это, по самому мягкому определению, не соответствовало действительности. Перечисленные соединения еще несколько лет продолжали обороняться и оказывать ожесточенное сопротивление Западному фронту».

Жуков, мягко говоря, врал Сталину о своих грандиозных победах. На Руси о таких действиях говорят: втирал очки. В погоне за орденами и званиями Жуков шел на подлог, на преступление. В январе 1942 года надо было наступать только на одном, и именно на Западном стратегическом направлении, которое являлось главным направлением войны. Сталин же, как мы знаем, решил наступать сразу на всех направлениях. Это решение Сталин принял не по глупости, а потому что очковтиратель Жуков приписал себе победы, которых не было. Жуков отрапортовал: на главном Западном направлении противник практически разбит, осталось его добить на второстепенных направлениях.

В декабре 1941 года германская армия находилась на грани поражения. Разгром группы армий «Центр» мог бы означать крушение всего германского фронта от Балтики до Черного моря. Но из-за лживых, хвастливых докладов Жукова, который обманывал Верховного Главнокомандующего, этого не случилось. Из-за лживых докладов Жукова Сталин приказал наступать на всех направлениях одновременно, ударов было много, но все они были слабыми. Это дало возможность германской армии закрепиться на советской территории и растянуть агонию еще на три с половиной года.

6

Давно замечено: хвастун первым верит своим выдумкам.

Жуков доложил Сталину, что противник на Западном направлении в основном разбит, что противник бежит. Этому радостному рапорту Жуков поверил сам. Вдогонку бегущим (как казалось Жукову) германским войскам гениальный стратег двинул свои армии. Ах, лучше бы Жуков этого контрнаступления не проводил! Так называемый «разгром немцев под Москвой» обернулся под мудрым руководством Жукова позорным разгромом Красной Армии под Москвой.

Жуков был командующим Западным фронтом, одновременно — главнокомандующим Западного направления, в составе которого было два фронта: Западный и Калининский. И вот Жуков планирует грандиозную операцию. «По ее замыслу предполагалось силами Калининского и Западного фронтов нанести удар по сходящимся направлениям на Вязьму, окружить и уничтожить ржевско-вяземскую группировку противника...» («Красная звезда», 14 марта 1993 г.).

«7—8 февраля командующие войсками фронтов приняли решение на проведение операции. Решение не полностью отвечало обстановке. Ни в одном из фронтов не было создано сильных группировок для развития успеха и наращивания его в стороны флангов. По существу, каждая армия наносила изолированный удар. Попытка командующего Западным фронтом Г.К. Жукова осуществить прорыв самостоятельно созданной ударной армией не обеспечивала решения задачи разгрома противника, так как за этой армией никаких средств, которые могли бы развить намеченный успех, не было» (Генерал-полковник В. Барынькин. «Красная звезда», 14 марта 1997 г.).

В район, где ударные группировки Калининского и Западного фронтов должны были замкнуть кольцо окружения вокруг главных сил германской группы армий «Центр», по приказу Жукова и был выброшен воздушный десант в составе 4-го воздушно-десантного корпуса, усиленного 250-м полком особого назначения.

Перед войной по инициативе Жукова в Красной Армии были созданы воздушно-десантные корпуса. Жуков пишет: «Сам характер возможных боевых операций определил необходимость значительного увеличения воздушно-десантных войск. В апреле 1941 года начинается формирование пяти воздушно-десантных корпусов» (Воспоминания и размышления. С. 211). Этот пассаж плохо стыкуется со всем остальным повествованием. Жуков рассказывает, что Красная Армия якобы готовилась к отражению агрессии. А в оборонительной войне крупные воздушно-десантные операции проводить просто невозможно.

Воздушно-десантные корпуса были не только созданы по инициативе Жукова, но им и использовались. В Красной Армии за всю ее историю крупные воздушно-десантные операции проводились только по инициативе Жукова и только под его личным руководством. Понятно, что все они завершились полным провалом и гибелью тысяч десантников.

Первая крупная воздушно-десантная операция проводилась Жуковым в ходе контрнаступления под Москвой. В район, где был выброшен 4-й воздушно-десантный корпус, Жуков двинул свои армии.

«Если раньше гитлеровцы окружали оборонявшиеся войска, то теперь наши армии сами устремлялись в тыл противника с целью его окружения. Попытки эти, увы, не всегда заканчивались успешно. Так, в январе 1942 года войска 29-й и 39-й армий прорвались глубоко в тыл противника. Развивая наступление в сторону Ржева, они не смогли обеспечить прочную оборону своих флангов и оказались в окружении» (ВИЖ. 1995. № 2. С. 17).

Вдогонку противнику, который никуда не бежал, Жуков смело двинул 33-ю армию генерал-лейтенанта М.Г. Ефремова и 1-й гвардейский кавалерийский корпус, не обеспечив их тылов и флангов. 33-я армия и 1-й гвардейский кавалерийский корпус тоже попали в окружение и несколько месяцев героически сражались в тылу противника без эвакуации раненых, без подвоза горючего, боеприпасов и продовольствия. 33-я армия и ее командующий генерал-лейтенант Ефремов погибли под Вязьмой.

Кремлевские идеологи, рассказывая о Жукове, лихо обходят острые углы. Войска Западного и Калининского фронтов в ходе победного контрнаступления были почти полностью истреблены. Жуков загнал в окружение три армии и два отдельных корпуса, где все они погибли. Можно было бы сказать: план Жукова не соответствовал обстановке. Но наши идеологи мягко говорят: план соответствовал обстановке, но не полностью.

Можно было бы сказать, что по вине Жукова погибли три армии и два корпуса и полностью обескровлены все остальные армии и корпуса Западного и Калининского фронтов. Но читайте наши газеты. Там об этом сказано вежливо: Жуков сделал не все, чтобы попавшие в беду армии вызволить из окружения.

А если верить мемуарам Жукова, то получается, что под Москвой Красная Армия одержала чуть ли не победу.

7

Возразят: но ведь Сталин награждал Жукова! Сталин присваивал ему звания. Это ли не свидетельство величия Жукова?

Нет, это не свидетельство. Сталин награждал и Льва Мехлиса. И присвоил ему звание генерал-полковника.

Из этого вовсе не следует, что Мехлис был полководцем. Генерал-полковник Мехлис ездил по фронтам и делал ту же работу, что и Жуков: орал, матерился и расстреливал. Мехлис имел такую же должность, как и Жуков, — представитель Ставки ВГК. И так же, как Жуков, Мехлис постоянно врал Сталину. Сталин знал об этом, но прощал Мехлиса, так же как и Жукова. Правда, в послужном списке Мехлиса не было таких чудовищных поражений, которые были в активе Жукова.

Генерал-полковниками у Сталина были С.А. Гоглидзе и В.С. Абакумов. Генералами с четырьмя звездами у Сталина были и Серов, и Масленников, и Меркулов. Но все они — стратеги с Лубянки.

Сталин присвоил звание Маршала Советского Союза Лаврентию Павловичу Берии. Но и из этого вовсе не следует, что Лаврентий Павлович был полководцем.

Маршалом Советского Союза Сталин сделал Булганина Николая Александровича. В армии Булганин не служил. Служил в органах ВЧК. Был палачом. Потом — директор завода, председатель Моссовета, в 1941 году — председатель правления Госбанка. На войне — политический комиссар, член Военного совета Западного и других фронтов. Сталин сделал Булганина Маршалом Советского Союза и даже министром обороны СССР. И грудь Булганина увешана орденами, в том числе и четырьмя высшими полководческими.

Сталин присвоил звание маршала даже Тухачевскому. Но разве хоть кто-нибудь считает Тухачевского стратегом?

То, что Жукову Сталин давал ордена и присваивал звания, ни о чем не говорит. В число сталинских наркомов, министров, маршалов и генералов попадали и подлецы, и проходимцы, и садисты, и развратники, и воры, и очковтиратели. Тут вам и Ежов, и Ягода, и Блюхер, и Бухарин, и Радек, и Хрущев и еще целая ватага.

ГЛАВА 15

ВПЕРЕД НА СЫЧЕВКУ!

Своим «если бы Жуков был жив» авторы писем выражают безграничную, чуть ли не фанатическую веру в своего кумира, сотворенного не чьим-то воображением, а его служением Отечеству, делами во славу его, а не во вред.

«Красная звезда». 4 февраля 1997 г.

1

Когда речь заходит о войне, мы вспоминаем Сталинград, а вспомнив Сталинград, вспоминаем Жукова. Это он, величайший полководец XX века, был творцом одной из самых блистательных операций Второй мировой войны, а возможно, и всей мировой истории. Сталинград — подтверждение неоспоримой истины: где Жуков, там победа! Сталинград — доказательство гениальности Жукова: бросил взгляд на карту и сразу нашел решение!

Прокричим же троекратное «ура» гению, а потом зададим вопрос о достоверности сведений. Давайте докопаемся до истоков. Давайте установим, откуда стало известно, что план Сталинградской стратегической наступательной операции предложил Жуков?

Источник найти легко: это сам Жуков такое рассказал. Это он сам себя объявил автором плана операции, правда, признавая, что был и соавтор — А.М. Василевский. Описано это так:

«Днем 12 сентября я вылетел в Москву и через четыре часа был в Кремле, куда вызвали и начальника Генштаба А.М. Василевского...»

219

Верховный достал свою карту с расположением резервов Ставки, долго и пристально ее рассматривал. Мы с Александром Михайловичем отошли подальше от стола в сторону и очень тихо говорили о том, что, видимо, надо искать какое-то иное решение.

— А какое «иное» решение? — вдруг, подняв голову, спросил И.В. Сталин.

Я никогда не думал, что у И.В. Сталина был такой острый слух. Мы подошли к столу...

Весь следующий день мы с А.М. Василевским проработали в Генеральном штабе... Перебрав все возможные варианты, мы решили предложить Сталину следующий план действий...» (Воспоминания и размышления. С. 401—402).

Из сказанного следует, что у истоков Сталинградской стратегической наступательной операции стояли трое: Сталин, Жуков и Василевский. Заслуга Сталина в том, что слух у него острый. Услыхал Сталин, что Жуков с Василевским шепчутся, заинтересовался, тут-то Жуков с боевым товарищем и подбросили Верховному Главнокомандующему гениальную идею...

Жуков рассказывал, что Сталин сомневался в успехе, боялся рисковать, предлагал операцию проводить, но не такого масштаба, а скромнее. Но Жуков Сталина уломал, и все вышло как надо.

2

О Сталинграде устами своих литературных негров Жуков вещает подробно и много: «Ставка 12 июля создала новый Сталинградский фронт...»; «К концу июля в состав Сталинградского фронта входило...»; «Большую организаторскую работу провели обком и горком партии Сталинграда по формированию и подготовке народного ополчения...».

Все это так, все это интересно, но обратим внимание на мелочь: в июле 1942 года Жукова не было в Сталинграде и быть не могло. Он находился совсем на другом направлении, весьма далеко от Сталинграда. У каждого, кто интересуется войной, есть возможность восстановить хронологию работы Жукова на фронте день за днем, с первого до последнего дня войны. Иногда — с точностью до часов и минут. С 11 октября 1941 до 26 августа 1942 года Жуков командовал войсками Западного фронта, который воевал совсем на другом направлении, в тысяче километров от Сталинграда. До 26 августа 1942 года делами Сталинграда Жуков заниматься не мог и не имел права.

Под Сталинградом случилось вот что. Весной 1942 года советский Юго-Западный фронт рухнул. Виновники катастрофы — Тимошенко, Хрущев и Баграмян. Но главный виновник — Жуков. Из-за его вранья, из-за его победных докладов о грандиозных победах на главном направлении войны Сталин растратил стратегические резервы и в критический момент не имел возможности закрыть образовавшуюся брешь. В прорыв устремились германские войска. В тылах Красной Армии вспыхнуло народное восстание. Против коммунистов поднялось население Дона, Кубани, Северного Кавказа, Калмыцких степей. Красная Армия попала в положение оккупанта на своей собственной земле, под ее ногами горела земля. Восставшие вешали чекистов, коммунистов и комиссаров, дробили им головы, топили в реках и болотах. Советские полки и дивизии рассыпались, войска разбредались. Тем временем поток германских войск разделился надвое. Одно направление удара — на Грозный и Баку. Намерение — выйти к источникам нефти. Второе направление — на Сталинград. Намерение — обезопасить рвущиеся на Кавказ войска от возможного удара во фланг и перерезать Волгу — нефтяную аорту Советского Союза. Критическая обстановка под Сталинградом сложилась в июле 1942 года.

Выход германских войск к Волге в тот момент неизбежно приводил к крушению всего южного крыла советско-германского фронта с катастрофическими последствиями для экономики страны.

По личному приказу Сталина был создан новый Сталинградский фронт, в состав которого вошли четыре общевойсковые и одна воздушная армии из состава рухнувшего Юго-Западного фронта. Кроме того, из своего стратегического резерва Сталин выдвинул в район Сталинграда 62-ю, 63-ю и 64-ю армии. 28 июля Сталин единолично подписал драконовский приказ № 227 «Ни шагу назад!». Сталин взял лично на себя всю полноту ответственности за положение под Сталинградом и за любые меры, которые могли остановить бегство советских войск. 30 июля по приказу Сталина в состав Сталинградского фронта была включена 51-я армия. 9 августа Сталин бросил под Сталинград 1-ю гвардейскую армию. Во главе этой армии Сталин поставил бывшего начальника ГРУ, своего будущего заместителя генерал-лейтенанта Ф.И. Голикова. 1-я гвардейская армия была укомплектована лучшим человеческим материалом. На ее формирование были обращены пять воздушно-десантных корпусов, которые превратили в гвардейские стрелковые дивизии. В середине августа Сталин выдвинул в район Сталинграда 24-ю и 66-ю армии. Под Сталинград непрерывным потоком шли войска. Сюда были направлены десятки штрафных батальонов и рот. Под Сталинград Сталин бросил девятнадцать военных училищ, в их числе Житомирское, Винницкое, Грозненское, 1-е и 2-е Орджоникидзевские пехотные, Краснодарское пулеметно-минометное, Челябинское, Сталинградское, Омское, Казанское танковые. А в каждом из этих училищ было «от 3,5 до 5 тысяч лучших красноармейцев и сержантов в возрасте 18—22 лет, отобранных с передовых позиций, имеющих опыт участия в боях» (А.М. Самсонов. Знать и помнить. М., 1989. С. 136). На строительство оборонительных сооружений под Сталинград Сталин бросил 5-ю, 7-ю, 8-ю и 10-ю саперные армии. Я знаю, что такое саперная рота и саперный батальон. Я видел своими глазами саперный полк в полном составе и во всей его красе. Саперную бригаду в полном составе мне видеть не довелось, но могу ее ясно представить. А вот представить себе саперную дивизию я не могу. Не выходит. Слишком много саперов получается. Тем более не могу представить себе корпус, который состоит из одних только саперов. А у Сталина речь не о саперных бригадах, дивизиях и корпусах. У Сталина в резерве были целые саперные армии. Советский Союз — единственная в мире страна, которая имела саперные армии. Сталин бросил на строительство оборонительных рубежей под Сталинград сразу четыре такие армии. Кроме этих саперных армий, на создание стратегического оборонительного пояса Сталин из своего личного резерва двинул под Сталинград несколько управлений оборонительного строительства РВГК. Что они собой представляли, можно судить по одному примеру. Только личный состав 24-го управления оборонительного строительства из личного резерва Сталина вырыл в районе Сталинграда 1448 километров окопов и траншей, 57 километров противотанковых рвов, построил 51 километр эскарпов, 8 километров надолб и 24 400 огневых точек.

Огневые точки создавались как деревоземляные, так и железобетонные и стальные. Только личный состав 24-го управления оборонительного строительства РВГК смонтировал 1112 тонн металлоконструкций и 2317 кубометров железобетонных сооружений («Красная звезда», 10 января 1985 г.). К работе 24-го управления оборонительного строительства РВГК добавим работу других управлений оборонительного строительства и работу четырех саперных армий.

Представляя размах оборонительных работ в этом районе, нам остается удивляться упорству Гитлера и его ге-

нералов, которые бросали свои дивизии в самоубийствен-
ные атаки на такую оборону.

Кроме той артиллерии, которая была в составе десяти общевойсковых и одной гвардейской армий, Сталин из своего личного резерва выдвинул под Сталинград
129 артиллерийских полков РВГК и 115 отдельных ди-
визионов реактивной артиллерии. Можно бесконечно
перечислять истребительные, штурмовые и бомбарди-
ровочные авиационные полки, дивизии и корпуса,
резервные авиационные группы, танковые и механизированные бригады и корпуса, минометные дивизионы
и полки, подразделения и части связи, ремонтные, ме-
дицинские и прочие формирования, которые Сталин
бросил в сражение на Волге. В июле и августе 1942 года
все эти полки, бригады, дивизии, корпуса и армии или
уже находились в районе Сталинграда, или перебрасывались туда, или готовились к переброске. Я не говорю
о 2-й гвардейской и 5-й танковой армиях, о четырех
танковых и двух механизированных корпусах, которые
летом 1942 года в глубоком тылу формировались и готовились к зимним сражениям. В любом случае мы не
можем уйти от признания: войск под Сталинград было
брошено много. Все это было сделано в то время, когда
Жуков находился на другом, а именно на Западном
фронте. В июле и августе 1942 года без Жукова было
сделано главное — драконовскими мерами паника в
войсках была подавлена, бегущие войска остановлены,
в районе стратегического прорыва германских войск
создан новый советский фронт, возведена непреодолимая оборона, подтянуты свежие дивизии, корпуса и
армии. Летом 1942 года действия противника из стре-
мительного неудержимого движения были превращены
в крайне невыгодные для него затяжные бои за каждый
рубеж, каждую траншею и каждую огневую точку. А
впереди — зима. В любом случае летом 1942 года в районе Сталинграда были созданы условия, которые неизбежно вели германскую армию к катастрофе. Сил под

Сталинградом было собрано столько, что полководческой гениальности не требовалось. К этому надо добавить, что Сталин не просто перебросил под Сталинград огромное количество войск. После сражения под Москвой стратегические резервы были полностью исчерпаны. В короткий срок Сталин сумел сформировать новые полки, дивизии, корпуса и армии и бросить их в сражение.

3

И вот мы открываем книгу Жукова и читаем о том, как летом 1942 года враг рвался к Сталинграду, как Красная Армия героически сражалась с врагом, как она остановила вражеское наступление. Жуков живо вспоминает и красочно рассказывает о событиях, к которым он не имел никакого отношения. Если нас интересует обстановка в июле 1942 года под Сталинградом, мы найдем достаточно источников. Книга «Воспоминания и размышления» написана от имени Жукова, поэтому было бы правильно в ней рассказать не про Сталинградский фронт, на котором Жукова не было, а про Западный, которым он в тот момент командовал. Но все, что происходило весной и летом 1942 года на Западном фронте, в мемуарах изложено в одном абзаце. Авторов жуковских мемуаров понесло на стратегические высоты: «37-я и 12-я армии Северо-Кавказского фронта получили задачу...» Зачем нам рассказывают про Кавказ, если там не было Жукова? А они не унимаются: «По зову ЦК партии Грузии, Азербайджана и Армении формировались вооруженные отряды...»

В мемуарах Жукова подробно описана катастрофа 1942 года в районе Харькова. И названы виновники. Но Жукова и там не было. Жуков за это направление не отвечал. Описана катастрофа Крымского фронта. И опять названы виновники. Но и в Крыму Жуков не воевал, Крым — не его забота. В мемуарах Жукова описаны поражения советских войск под Воронежем, авторы вспомнили падение Севастополя и неудачную попытку войск Северо-Западного фронта ликвидировать немецкую группировку в районе Демянска. Во всех этих событиях Жуков участия не принимал. Зачем все это вписано в мемуары?

Затем, что авторы воспоминаний Жукова одним выстрелом убили сразу трех зайцев.

Во-первых, продемонстрировали стратегическую широту жуковского кругозора.

Во-вторых, показали суровую горькую правду: вот смотрите на поражения... соседей Жукова, смотрите на просчеты глупого Сталина и командующих всех фронтов, где не было Жукова.

В-третьих, заполнили посторонними описаниями главу про 1942 год так, чтобы не осталось места на рассказ о самом Жукове и его деяниях.

Между тем 1942 год для Западного фронта, которым командовал Жуков, был годом жестоких поражений и огромных потерь. На Западном фронте Жуков проводил непрерывные бестолковые наступательные операции, каждая из которых завершалась провалом. Самая кровавая из них: Ржевско-Сычевская 30 июля — 23 августа.

Интересно, что Советская военная энциклопедия (Т. 7. С. 119—120) четко определяет сроки проведения этой операции, перечисляет армии и корпуса, которые привлекались для ее проведения, помещает карту. Если энциклопедия описывает операцию, значит, она того заслуживает. А Жуков, который эту операцию проводил, не сообщает ни сроков проведения операции, ни сил, которые привлекались, и карту не помещает. Вместо этого из его мемуаров мы узнаем:

о коварной политике США и Великобритании;

о планах Сталина на 1942 год;

о замыслах Гитлера на 1942 год;

о партийно-политической работе в Красной Армии;

о подвигах рядовых солдат и сержантов;

о сопротивлении советского народа в тылу врага;

о героическом труде рабочих и крестьян;

о руководящей и направляющей роли Коммунистической партии и ее мудрого Центрального Комитета;

об операциях на всех фронтах, кроме Западного.

В мемуарах Жукова нет карты Ржевско-Сычевской операции, которую Жуков проводил, зато есть другая карта: как немцы рвались к Сталинграду, в котором Жукова в то время не было, за оборону которого Жуков в тот момент не отвечал.

А нас интересует не Сталинград, а Жуков и Ржевско-Сычевская операция, о которой он скромно умалчивает. Для проведения этой операции Жуков сосредоточил 20-ю и 31-ю армии, 1-ю воздушную армию, 6-й и 8-й танковые корпуса, 2-й гвардейский кавалерийский корпус. Сколько в этих армиях и корпусах было людей, танков, орудий, самолетов, ни Жуков, ни «Советская военная энциклопедия» не сообщают. Но мы и сами видим — силы немалые. В мемуарах Жукова сказано, что немцы понесли у Сычевки «большие потери». О наших потерях источники молчат. Видимо, обошлось без потерь.

Чтобы помочь Жукову, в направлении той же Сычевки наносили удар войска левого крыла Калининского фронта: 29-я и 30-я армии при поддержке 3-й воздушной армии.

Четыре общевойсковые армии, кавалерийский корпус, два отдельных танковых корпуса при поддержке двух воздушных армий... для штурма Сычевки?!

Не много ли?

Да нет же. Жукову этого оказалось мало.

Взял ли гениальный Жуков такими силами ту самую Сычевку? Увы.

А в чем причина провала? Кто виноват? Причина — мало сил на Сычевку бросили. Всего у Жукова на Западном фронте в тот момент было только десять армий. Ему не хватило еще «одной-двух армий». Виноват, понятно, Сталин — не дал этих армий Жукову. «Если бы в нашем распоряжении были одна-две армии, можно было бы... К сожалению, эта реальная возможность была упущена Верховным Главнокомандованием» (Воспоминания и размышления. С. 395).

А ведь этот штурм Сычевки не первый. Начиная с января и по август 1942 года пять армий Конева и десять армий Жукова рвались на Ржев и Сычевку. Напомню еще раз: Жуков был не только командующим Западным фронтом но и главнокомандующим Западным направлением, в составе которого были Западный фронт (Жуков) и Калининский фронт (Конев). Иными словами, пять армий Конева тоже подчинялись Жукову. Перед очередной Ржевско-Сычевской операцией Ставка ВГК 5 августа 1942 года еще раз подтвердила полномочия Жукова: он руководил не только операциями своего Западного фронта, но и соседнего Калининского (ВИЖ. 1991. № 10. С. 24).

В районе Ржева и Сычевки уже лежали горы трупов советских солдат, убитых в предыдущих штурмах, громоздились кладбища сгоревших советских танков. Многомесячную тупую мясорубку под Ржевом и Сычевкой под руководством гениального Жукова помнили все фронтовики. Одно из самых пронзительных стихотворений о войне написал Александр Твардовский. И вовсе не зря оно называется «Я убит подо Ржевом». Вспомним:

> Фронт горел, не стихая,
> Как на теле рубец.
> Я убит, и не знаю:
> Наш ли Ржев наконец?

Штурм. Штурм. Штурм. В лоб. По той же схеме, что и вчера. По той же программе. По пять атак в день. По семь. По десять. На те же высотки. Месяц за месяцем. С января по август. Вперед! С нами Жуков!

228

4

Наши официальные историки изобрели особый язык и целую серию спецприемов, которыми они скрывают провалы в войне, прежде всего — провалы Жукова. Однако существуют вполне надежные индикаторы вранья. Вот один из них. Допустим, вы встретили описание наступательной операции, но кодовое наименование этой операции не сообщается. Знайте: перед вами ложь.

Дело тут вот в чем. Оборонительные операции в своем большинстве не имеют кодовых названий. Враг стремится делать то, чего мы не ждем, к чему мы не готовы, что нашими планами не предусмотрено. Враг старается наносить удары там, где мы планировали оборонительные действия гораздо меньшего размаха или не планировали их вообще. Поэтому во многих случаях оборонительная операция — это импровизация. Кроме того, в оборонительной операции не надо скрывать наши намерения. Если мы обороняем Сталинград, следовательно, намерены его удерживать.

А наступательную операцию готовим мы сами. Мы должны скрыть от противника время, место, цель, замысел, состав сил и многое другое. Поэтому подготовка наступательной операции начинается с присвоения ей кодового названия. Делается это для сохранения тайны. Идет в Генеральном штабе разговор про «Малый Сатурн». Если вы посвящены в тайну, вам понятно, о чем речь. Если вам тайна не доверена, то ничего вы не поймете. «Уран», «Анадырь», «С. 3-20», «Гроза», «Багратион». Что это? О чем генералы говорят? Если знаешь, все просто. Не знаешь — тупик. Даже шифровальщик, допущенный ко многим великим тайнам, не имеет представления, в чем суть передаваемого сообщения. Пишет он: «Искра», но не знает, что за этим названием скрывается.

Прошло полвека после войны, и вот в очень толстой энциклопедии мы встречаем описания наступательных операций со странными названиями: Ржевско-Сычевская, Ржевско-Вяземская, Сычевско-Вяземская. Кодовые названия этих операций не сообщаются. А мы сообразим: мог ли Жуков в штабе Западного фронта планировать операцию и называть ее Ржевско-Сычевской или Сычевско-Вяземской? Нет, не мог. Если он так операцию называл, то уже самим названием операции выдавал всем штабным машинисткам и телефонисткам, всем чертежникам, писарям и охранникам свои намерения и свой замысел. Если Жуков не полный идиот, значит, при подготовке этих операций он использовал кодовые названия. Почему же нам через полвека их не сообщают?

Потому что эти операции до сих пор, через 50 и 60 лет, все еще засекречены. Причина секретности вот какая. Планировался, допустим, разгром германской группы армий «Центр» с прорывом глубиной 600 километров и выходом советских войск к побережью Балтийского моря. Но группу германских армий не разгромили, оборону не прорвали, продвинулись не на 600 километров, а на 23. Планировали дойти до Витебска, Минска и Риги, но дошли только до Сычевки и взять ее не смогли.

Чем конфуз прикрыть? Государственной тайной. Наши военно-исторические олигархи в таком случае засекречивают всю операцию. В разряд государственных тайн уходят кодовое наименование, цели, задачи и замысел операции, состав привлекаемых сил и средств, главное — потери. Вместо всего этого пишут наши академики в энциклопедию: да, были в этом районе бои, но ничего серьезного тут не планировалось, не намечалось и не замышлялось. Просто хотели захватить Ржев, который в 6 километрах от переднего края, и Сычевку, которая аж в 50 километрах. Правда, ни Ржева, ни Сычевки не взяли ни с первого раза, ни с третьего, ни с тринадцатого, ни с сорок первого.

Подумаем и вот над чем: мог ли Сталин ставить Жукову боевую задачу захватить какую-то Сычевку? Не слишком ли мелко для Сталина? А для Жукова? А для Западного фронта, которому содействует Калининский фронт?

23 августа 1942 года захлебнулось очередное наступление на Сычевку, а 26 августа Сталин назначил Жукова своим заместителем.

Отметим: не после великих побед командующий Западным фронтом Жуков пошел на повышение и стал заместителем Верховного Главнокомандующего, а после восьми месяцев кровавой беспросветной мясорубки. Не за блистательные победы Сталин поднимает Жукова, не за гениальные мысли. Жуков Сталину за другие качества понравился: много месяцев гонит сотни тысяч людей на смерть и даже лицом не дрогнул!

Сталину нужно было иметь помощниками двух людей с совершенно разными данными. Это как у командира полка: начальник штаба — мыслитель, а заместитель командира полка — погоняло. Командир полка отвечает за все. Начальник штаба — рядом. Он — генератор идей. Он — Управляющий Механизм. А там, где решается в данный момент самая важная задача, туда командир посылает своего заместителя — орать и материться.

На всех остальных уровнях — та же система: у любого начальника всегда должен быть один помощник, так сказать, по мыслительной части, а другой — по части пробивной. Вот и на самом верху Сталин устроил так же. При Сталине — мыслитель Василевский. Он составляет планы. Но нужен еще и тот, чья работа — гнать людей на смерть. И это работа для Жукова. Жуков — это старший, куда пошлют. Это заместитель по расстрельной линии, помощник Верховного Главнокомандующего по мордобойной части.

5

Впервые Жуков прибыл в Сталинград 31 августа 1942 года. Он пытался нанести контрудары по прорвавшимся германским войскам. Из этой затеи ничего не вышло. Контрудары завершились провалом. Кстати, намек на провал содержится и в мемуарах Жукова. Он побывал в Сталинграде, что-то там делал почти две недели, вернулся в Москву 12 сентября. И тут в кабинете Сталина происходит та самая сцена, которую Жуков неоднократно со смаком описывал: он шептался с Василевским о том, что надо искать какое-то иное решение. Сталин услыхал и заинтересовался: а какое решение?

Эти слова Жуков сказал после того, как побывал под Сталинградом и пытался там наносить контрудары. Жуков предлагает искать другое решение, ибо из того решения, которое он уже пытался претворять в жизнь под Сталинградом в первые дни сентября, никакого толка не вышло. Действия Жукова оказались бесплодными и бесполезными.

Было еще несколько поездок Жукова под Сталинград в период оборонительного сражения. Но не один Жуков там появлялся. В Сталинграде бывал среди прочих член Политбюро Георгий Маленков. Не объявляем же мы за это Маленкова стратегом и спасителем. И конную статую Маленкову не лепим. И к лику святых не причисляем.

Последний раз Жуков отбыл из района Сталинграда 16 ноября 1942 года. А контрнаступление советских войск началось 19 ноября. Без Жукова. Жукова Сталин снова бросил на Западное направление. Снова — против Сычевки!

В день, когда началась Сталинградская стратегическая наступательная операция, Жуков находился ровно в одной тысяче километров от Сталинграда и занимался совсем другим делом.

ГЛАВА 16

И СНОВА НА СЫЧЕВКУ

> Прибывая в войска на фронте, мне сразу удавалось охватить обстановку, взять в свои руки нити управления и повернуть события в нужном направлении.
>
> Маршал Советского Союза *Г.К. Жуков*.
> «Красная звезда», 18 февраля 1998 г.

1

Сталинградское контрнаступление замышлялось как операция второстепенная. Об этом любой желающий может найти достаточно свидетельств в мемуарах участников этой операции. Маршалы Советского Союза А.М. Василевский, К.К. Рокоссовский, А.И. Еременко, главный маршал артиллерии Н.Н. Воронов и другие сообщают, что, завершив окружение германских войск под Сталинградом, советские командиры с удивлением обнаружили: германских дивизий в котле оказалось в три раза больше, чем предполагалось. Советское командование намеревалось окружить в районе Сталинграда 7—8 германских дивизий, а их оказалось 22. Иначе говоря, операция под Сталинградом замышлялась не столь грандиозная, какой она получилась на самом деле. Результат под Сталинградом ожидался втрое скромнее. А главная операция готовилась на Западном направлении. Снова планировался прорыв у Ржева, Сычевки и Вязьмы в направлении Рижского залива. Жуков по-прежнему делает ту же работу: координирует действия Калининского и Западного фронтов. Кроме того, наступлению двух фронтов содействуют войска Северо-Западного и Брянского фронтов.

Для проведения этой грандиозной операции были собраны силы бо́льшие, чем для проведения контрнаступления под Сталинградом. Под командованием Жукова на этот раз — почти два миллиона солдат и офицеров, 3300 танков, более тысячи боевых самолетов, 24 тысячи орудий и минометов. Суммарный боевой вес советских танков, привлекаемых к этой операции, в 2,8 раза превышал боевой вес всех германских танков, которые Гитлер 22 июня 1941 года бросил на Советский Союз.

И вот эту операцию в ноябре — декабре 1942 года Жуков снова провалил.

Там, где был Жуков, — позорное поражение, реки крови, пирамиды солдатских костей и почти две тысячи сгоревших советских танков. Это в дополнение к тому, что в данном районе было уже уложено в землю с января по август. А под Сталинградом, где Жукова не было, — победа.

2

Очередной провал Жукова под Сычевкой, Ржевом и Вязьмой из нашей истории выпал. О нем забыли. А уж если кто из дотошных исследователей полюбопытствует, где же был великий стратег Жуков в момент начала Сталинградской стратегической наступательной операции, то для таких был подготовлен ответ: Жуков находился на второстепенном направлении, там он проводил отвлекающую операцию. Во времена Брежнева вся идеологическая машина Советского Союза работала на раздувание культа личности Жукова. В те славные времена маршала Василевского, которому было уже 82 года и которому оставался год до смерти, заставили написать: «13 ноября... было приказано Жукову приступить к подготовке отвлекающей операции на Калининском и Западном фронтах, а на меня была возложена координация действий трех фронтов сталинградского направления при проведении контрнаступления» (ВИЖ. 1977. № 11. С. 63).

Правда, интересно? 19 ноября 1942 года начинается грандиозная наступательная операция под Сталинградом, которая должна переломить ход войны в нашу пользу, а за неделю до этого, 13 ноября, величайшему полководцу XX века, заместителю Верховного Главнокомандующего генералу армии Жукову ставят задачу проводить отвлекающую операцию совсем в другом месте! Неужто отвлекающую операцию нельзя поручить Коневу, Говорову, Рокоссовскому, Голикову, Толбухину, Баграмяну, Бирюзову, Воронову, Малиновскому или еще кому? Почему во всех операциях Сталин посылал Жукова на главное направление, а в ходе Сталинградской стратегической наступательной операции послал на второстепенное направление проводить отвлекающую операцию?

Ответ простой: операция под Сычевкой, Ржевом и Вязьмой в ноябре — декабре 1942 года не была отвлекающей, она была главной. Жуков ее провалил, поэтому задним числом ее опустили в разряд второстепенных и отвлекающих.

3

Операция на Западном стратегическом направлении в ноябре — декабре 1942 года не была отвлекающей, ибо отвлекающая операция всегда по времени предшествует главной операции. Как на ринге: сначала боксер делает обманное движение, затем бьет. Так и на войне: сначала наносится отвлекающий удар на второстепенном направлении, затем — основной на главном.

Контрнаступление под Сталинградом началось 19 ноября 1942 года, а «отвлекающее» наступление Калининского и Западного фронтов — 25 ноября 1942 года.

Спросим: какая же из этих операций должна отвлечь внимание противника?

Операция Калининского и Западного фронтов не была второстепенной и отвлекающей, ибо в ней участвовало больше войск, чем в наступлении под Сталинградом. У Жукова в составе Калининского и Западного фронтов было 15 общевойсковых, 2 ударные, 1 танковая и 2 воздушные армии. Кроме того, этому «отвлекающему» наступлению содействовали войска Северо-Западного и Брянского фронтов. Это еще 7 общевойсковых, 1 ударная и 2 воздушные армии. Помимо этого, позади этой группировки находились 1 общевойсковая (68-я) и 2 резервные (2-я и 3-я) армии. Всего у Жукова 23 общевойсковые, 3 ударные, 1 танковая, 4 воздушные и 2 резервные армии.

А у Василевского под Сталинградом — 10 общевойсковых, 1 танковая и 3 воздушные армии.

Какая же из этих операций главная, а какая отвлекающая?

Наступление Калининского и Западного фронтов при содействии Северо-Западного и Брянского фронтов в ноябре — декабре 1942 года не было отвлекающим, и это мы узнаем из книги самого Жукова. Вот директива Калининскому и Западному фронтам, отданная 8 декабря 1942 года. Ближайшая задача Западному фронту: «В течение 10—11. XII. прорвать оборону противника на участке Бол. Кропотово — Ярыгино и не позже 15.XII. овладеть Сычевкой, 20. XII. вывести в район Андреевское не менее двух стрелковых дивизий для организации замыкания совместно с 41-й армией Калининского фронта окруженного противника» (Воспоминания и размышления. С. 435—436).

Калининскому фронту, помимо прочего, ставилась задача прорвать фронт и «замкнуть с юга окруженную группировку противника совместно с частями Западного фронта» (Там же).

Итак, Калининскому и Западному фронтам, которыми руководил Жуков, ставилась та же задача, что и фронтам под Сталинградом: проломать оборону противника на двух участках, прорваться подвижными соединениями глубоко в его тыл и замкнуть кольцо окружения вокруг группировки противника.

Давайте поверим коммунистической пропаганде. Давайте считать, что Юго-Западный и Сталинградский фронты под руководством Василевского в ноябре 1942 года прорывали оборону противника и замыкали кольцо окружения ради того, чтобы переломить ход войны в свою пользу. А в том же ноябре Калининский и Западный фронты под руководством Жукова должны были прорвать оборону противника и замкнуть кольцо окружения просто ради того, чтобы отвлечь внимание Гитлера.

А вот как руководимые Жуковым фронты справились со своей задачей. Слово самому Жукову (или тем, кто писал его мемуары): «Командование Калининского фронта в лице генерал-лейтенанта М.А. Пуркаева со своей задачей справилось. Группа войск фронта, наступавшая южнее города Белого, успешно прорвав фронт, двинулась в направлении на Сычевку. Группа войск Западного фронта должна была, в свою очередь, прорвать оборону противника и двинуться навстречу войскам Калининского фронта, с тем, чтобы замкнуть кольцо окружения вокруг ржевской группировки немцев. Но случилось так, что Западный фронт оборону не прорвал... В это время усложнилась обстановка на Калининском фронте в районе нашего прорыва. Сильным ударом под фланги противник отсек наш механизированный корпус, которым командовал генерал-майор М.Д. Соломатин, и корпус остался в окружении» (Там же. С. 436—437).

Давайте считать, что все это делалось ради отвлечения. Каков же результат? Результат налицо. Руководимые Жуковым войска германский фронт не прорвали, противника не окружили, наоборот, сами попали в окружение. Если поверить, что это была просто отвлекающая операция на второстепенном направлении, то приходится признать: в момент, когда все внимание Гитлера и его фельдмаршалов было приковано к Сталинграду, войска под руководством Жукова даже на второстепенном направлении не сумели выполнить поставленную задачу.

О грандиозном наступлении Жукова в ноябре — декабре 1942 года уже написано несколько статей и книг. Чтобы меня не обвинили в злопыхательстве, буду описывать не своими словами, а цитировать других авторов. 8 июня 2001 года в «Независимом военном обозрении» появилась статья «Не в бой, а на убой». Рассказ о действиях одной только 20-й армии Западного фронта в очередной Ржевско-Сычевской операции в ноябре — декабре 1942 года. Авторы статьи М. Ходаренок и О. Владимиров.

В этой операции 20-я армия Западного фронта, помимо тех сил, которые она имела, получила усиление — два танковых корпуса, восемь отдельных танковых бригад и соответствующее количество артиллерии.

Подзаголовки статьи: «Неудачное начало», «Сражение за огороды деревни Жеребцово», «Упрямство, переходящее в безумие». И это сказано про величайшего стратега XX века.

Вот выдержки из статьи:

«Войска 25 ноября фактически посылались не в бой, а на убой, под хорошо организованный огонь врага».

«Две стрелковых бригады 8-го гвардейского стрелкового корпуса — 148-я и 150-я четыре дня штурмовали село Хлепень, расположенное на высоком берегу Вазузы... под селом практически в полном составе полегли 148-я и 150-я стрелковые бригады, в которых кроме штабов и подразделений обеспечения не осталось никого».

«Неумолимая Ставка и ее представитель Георгий Жуков требовали только одного — наступления во что бы то ни стало. 20-я армия была дополнительно усилена 5-м танковым корпусом и четырьмя стрелковыми дивизиями».

«Поле битвы было усеяно нашими сгоревшими танками. В частности, уже 6 декабря шесть танковых бригад 20-й армии из восьми, потерявших почти всю материальную часть, были отведены для восстановления боеспособности в тыл».

«Уже 13 декабря 6-й танковый корпус имел в строю 26 танков, а два дня назад введенный в сражение 5-й танковый корпус — только 30. Один танковый корпус вел бой за деревню Малое Кропотово, второй пытался взять штурмом село Подосиновка».

«За неделю (11—18 декабря) крайне кровопролитных, ожесточенных и по своей сути безрезультатных боев наступательные возможности 20-й армии были окончательно исчерпаны. Закончились боеприпасы и горюче-смазочные материалы. Почти полностью была потеряна материальная часть всех восьми танковых бригад и обоих танковых корпусов. Оставшиеся в живых люди, по несколько суток находившиеся без сна и пищи, были предельно измотаны и смертельно устали».

«За 23 суток беспрерывных боев войска 20-й армии на 8-километровом участке вгрызлись в оборону противника на 10 километров. Среднесуточные темпы наступления — чуть более 400 метров в сутки. За каждый километр пришлось платить шестью тысячами убитых и раненых воинов».

«Примерно по тому же сценарию разворачивались события в полосах наступления других армий Западного и Калининского фронтов».

«Общие людские потери Калининского и Западного фронтов составили более 215 тысяч человек убитыми и ранеными».

4

Не одна 20-я армия «отвлекала». Точно так же все 15 общевойсковых, 2 ударные и 1 танковая армия Западного и Калининского фронтов под мудрым водительством гениального полководца «отвлекали» внимание Гитлера. Кроме того, на других фронтах по сценарию Жукова «отвлечением» занимались еще семь общевойсковых и одна ударная армия.

Документов о действиях каждой армии в этой грандиозной «отвлекающей» операции опубликовано достаточно. 20-ю армию я выбрал не зря. 20-я армия погибла в октябре 1941 года под Ельней. Не буду говорить, по чьей вине. Вспомните сами, кто штурмовал Ельню два месяца, обескровил войска, растратил все боеприпасы и горюче-смазочные материалы и убыл на другой фронт, подставив измотанные и потрепанные войска под разгром.

В ноябре 1941 года была создана новая 20-я армия. От старой 20-й армии она унаследовала только номер. Это новое, плохо сколоченное и необстрелянное объединение уже в январе 1942 года под командованием генерал-майора А.А. Власова творило чудеса на реке Ламе. А над Власовым тогда стоял Жуков. И вот прошел год. Та же 20-я армия того же Западного фронта. Снова зима. Теперь 20-я армия имеет уже год боевого опыта. И снова общее руководство осуществляет Жуков. Но теперь все идет не так, как нужно: разведка работает плохо, артиллерия стреляет не по целям, а по площадям, вся подготовка операции — неуклюжая. Противник давно понял, где и какие удары будут нанесены, и сделал все возможное, чтобы их отразить.

Чего же не хватает? Не хватает генерала Власова. Без него Жуков превратился в обыкновенного унтер-офицера времен Первой мировой войны. Танки нельзя бросать на штурм. Стихия танков — неудержимый рывок вперед. Населенные пункты и узлы сопротивления надо не штурмовать, а обходить. Но этого Жуков так и не понял до конца войны и до конца своей жизни.

5

Кто же виноват в очередном кровавом провале под Сычевкой?

Ответ Жукова (или тех, кто писал его мемуары) вышибает из седла: «Если же оборона противника расположена на плохо наблюдаемой местности, где имеются хорошие укрытия за обратными скатами высот, в оврагах, идущих перпендикулярно фронту, такую оборону разбить огнем и прорвать трудно, особенно когда применение танков ограниченно. В данном конкретном случае не было учтено влияние местности, на которой была расположена немецкая оборона» (Воспоминания и размышления. С. 437).

Ситуация анекдотическая. Гладко было на бумаге, но забыли про овраги. Так на ком же лежит вина? По словам Жукова, виноват кто-то неодушевленно-безымянный. Кем-то не были учтены овраги. Постойте, но ведь эту «отвлекающую» операцию лично готовил Жуков, тот самый Жуков, который с января до конца августа 1942 года бездарно штурмовал эти самые овраги под Сычевкой. Неужели тогда, за восемь месяцев бестолковых штурмов, великий полководец не сообразил, что штурмовать сычевские овраги нет смысла?

Если же он за восемь месяцев беспросветного штурма сообразил, что овраги под Сычевкой штурмовать бесполезно, то должен был сказать Сталину: фронт у нас огромный, отвлекающую операцию надо проводить где угодно, да только не под Сычевкой. Но унтер Жуков, получив приказ вновь штурмовать Сычевку, бодро ответил «Есть!» и побежал выполнять. Сам готовил операцию, сам ее провалил, а потом вспомнил, что на эти грабли он наступал уже не один десяток раз.

Получилось, что весь 1942 год, с января по декабрь, Жуков заливал кровью Смоленскую область. На Сталинград он только отвлекался. Сталинградская стратегическая наступательная операция проводилась без Жукова. Вот только после войны Жуков «забыл», что в ноябре и декабре 1942 года в районе Ржева и Сычевки он сжег без толку миллионы снарядов, положил в землю массы советских солдат, угробил лучшие гвардейские артиллерийские, стрелковые, танковые и авиационные соединения.

6

В грандиозной «отвлекающей» операции Жуков отвлекал не германские войска от Сталинграда, а советские. «После впечатляющего, но, похоже, неожиданного для советского руководства сталинградского успеха, вполне реальна была возможность достижения решающей победы на всем южном крыле советско-германского фронта. Судьба предоставила советской стороне редкий по своей красоте шанс — окружить и полностью уничтожить немецкие войска к югу от Воронежа, тем самым поставив рейх перед военной катастрофой уже зимой 1943 года. В распоряжении Ставки, казалось, было все, чтобы осуществить этот план, — подавляющее превосходство над противником в силах и крайне выгодная оперативно-стратегическая обстановка, сложившаяся на этом участке фронта... Редчайший по своей красоте шанс на южном крыле фронта был упущен» (М. Ходаренок, О. Владимиров. // «Независимое военное обозрение», 8 июня 2001 г.).

Речь идет вот о чем. Летом 1942 года на южном участке советско-германского фронта германские войска прорвались далеко на восток, форсировали Дон и устремились на юг к предгорьям Кавказа. В ноябре советские войска под Сталинградом окружили мощную германскую группировку. Само по себе это было огромным достижением. Однако прорыв советских войск сулил еще более грандиозный успех. Прорвавшиеся советские войска нависали над путями снабжения мощной германской группировки на Кавказе. Вся кавказская группировка германских войск оказалась под угрозой невиданного в истории окружения. Перед германскими войсками впереди — Большой Кавказский хребет. Справа — Черное море. Слева — Каспийское море, Волга и непробиваемый советский фронт. Позади — река Дон и советские войска на правом берегу. Советским войскам оставалось только закрыть эту бутылку пробкой. Перед Красной Армией был Ростов. «Через Ростов проходили коммуникации не только всей группы армий «А», но также и 4-й танковой и 4-й румынской армий» (Генерал-фельдмаршал Э. фон Манштейн. Утерянные победы. М., 1999. С. 433).

Под Сталинградом была окружена 6-я германская армия. В случае удара советских войск на Ростов в окружение попадали еще четыре армии: 1-я и 4-я танковые, 17-я и 4-я румынская, а также управление и тылы группы армий «А». Прорыв из кольца был невозможен, ибо германские войска ушли далеко на восток и на юг. Чтобы начать прорыв из кольца, передовым частям пришлось бы совершить предварительно отступление в 500—600 километров. У них для этого просто не было горючего. В случае удара советских войск на Ростов окружение под Сталинградом было бы только прологом, первым небольшим этапом небывалого разгрома.

Красоту создавшейся ситуации видели советские командиры. Маршал Советского Союза А.И. Еременко в то время был генерал-полковником, командующим Сталинградским фронтом. В своем рабочем дневнике еще 18 января 1943 года он записал: «Следовало, как и предлагал штаб Сталинградского фронта, не атаковать окруженных, а задушить их блокадой, они бы продержались не больше одного месяца, а Донской фронт направить по правому берегу Дона на Шахты, Ростов. В итоге получился бы удар трех фронтов: Воронежского, Юго-Западного и Донского. Он был бы исключительно сильным, закрыл бы, как в ловушке, всю группировку противника на Северном Кавказе» (ВИЖ. 1994. № 4).

Главный маршал артиллерии Н.Н. Воронов: «Мы имели полную возможность создать новый невиданный «котел» для гитлеровских войск под Ростовом и осуществить разгром немецкого южного крыла Восточного фронта» («Красная звезда», 28 октября 1992 г.).

Страшную опасность окружения под Ростовом видели и германские полководцы.

Начальник Генерального штаба сухопутных войск генерал-полковник К. Цейтцлер вспоминал: «Примерно с середины декабря стала надвигаться другая катастрофа, подобная сталинградской. Так как она имеет прямое отношение к Сталинграду, я скажу о ней несколько слов. Речь идет о судьбе немецких войск на Кавказе... В результате успешного русского зимнего наступления западнее и южнее Сталинграда возникла угроза всему Кавказскому фронту... Нетрудно было понять, что если русские продолжат наступление, то вскоре они достигнут Ростова, а в случае захвата ими Ростова всей группе армий «А» грозит неминуемая опасность окружения» (Роковые решения. М., 1958. С. 197).

Генерал-фельдмаршал Э. фон Манштейн считал, что в случае удара советских войск на Ростов весь Восточный фронт рухнет в январе 1943 года, если даже не в декабре 1942 года. «Речь шла о том, будет ли уже этой зимой сделан решающий шаг к поражению Германии на востоке. Катастрофа 6-й армии, как бы тяжела и печальна она сама по себе ни была, в сравнении с масштабами Второй мировой войны в целом не могла еще быть таким шагом. Но разгром всего южного крыла Восточного фронта открывал бы путь к скорой победе над Германией. Советское командование по двум причинам могло рассчитывать на достижение этой цели на южном фланге. Первая — это огромное численное превосходство русской армии, а вторая — преимущества оперативной обстановки, которые советское командование получило благодаря ошибкам германского командования, связанным со Сталинградом» (Э. фон Манштейн. Утерянные победы. С. 432). Понимая страшную опасность, германское командование приняло все меры, чтобы избежать крушения Восточного фронта в самом начале 1943 года.

Группа армий «А», бросив все, спешно без боя покинула Северный Кавказ.

Заместитель Верховного Главнокомандующего генерал армии Г.К. Жуков, если бы он увидел красоту сложившейся ситуации под Сталинградом, должен был кричать Сталину: давай остановим дурацкое наступление на Сычевку! Давай танковые бригады и корпуса не будем жечь ради каких-то огородов на задворках давно стертых с земли деревень! Все — на Ростов! И сотни тысяч тонн снарядов туда же! И гвардейские корпуса! И авиацию! И ударные армии! Вот она — победа над Германией! Прямо в наших руках! На блюдечке с голубой каемочкой! Но Жуков красоты не увидел. Жуков выполнял дурацкий приказ, причем самым дурацким способом. Жуков отвлекал лучшие соединения Красной Армии от поистине важного участка фронта и без толку их истреблял, штурмуя никому не нужные деревни, высотки и сараи.

7

На войне и сразу после войны Жуков интенсивно раздувал культ собственной личности. Стержень культа — я, великий Жуков, главный творец победы, в том числе победы под Сталинградом. Слухи разлетались по стране. Слухи дошли до Сталина. Мы можем себе представить ярость Сталина, когда он услышал, что Жуков объявляет себя сталинградским героем. И тогда маршалы Булганин и Василевский написали проект приказа о том, что Жуков, утеряв всякую скромность, приписывал себе разработку и проведение операций, к которым не имел никакого отношения. Сталин это подписал. В приказе среди прочего сказано: «К плану ликвидации сталинградской группы немецких войск и к проведению этого плана, которые приписывает себе маршал Жуков, он не имел отношения: как известно, план ликвидации немецких войск был выработан и сама ликвидация была начата зимой 1942 года, когда маршал Жуков находился на другом фронте, вдали от Сталинграда».

Мы понимаем причины, которые заставили Сталина подписать приказ о недостойном поведении Жукова: маршал-хвастун забыл о своих провалах под Сычевкой, но помнит о чужих победах под Сталинградом и приписывает их себе.

Но приказ Сталина о жуковском хвастовстве на великого полководца воздействия не оказал. Прошло два десятка лет, и в мемуарах Жукова снова зазвенела лихая песня про то, как он побеждал под Сталинградом. «Заслуга Ставки Верховного Главнокомандования и Генштаба состоит в том, что они оказались способными с научной точностью проанализировать все факторы этой грандиозной операции, сумели предвидеть ход ее развития и завершение. Следовательно, не о персональных претендентах на «авторство» идеи контрнаступления должна идти речь» (Воспоминания и размышления. С. 421).

Видите, как скромен Жуков. Он даже и не пытается выпячивать свою выдающуюся роль в проведении контрнаступления под Сталинградом. Он говорит, что все работали: и Ставка Верховного Главнокомандования, и Генеральный штаб. Зачем искать кого-то одного, кто предложил идею контрнаступления?

Сначала Жуков рассказал, что он и Василевский весь план придумали, а Сталин услыхал и заинтересовался. Рассказав такое, Жуков великодушно соглашается авторов гениального плана не искать.

Чуть позже ту же фразу о заслугах Жуков усилил: «Величайшая заслуга Ставки Верховного Главнокомандования состоит в том, что она оказалась способной с научной точностью проанализировать все факторы этой грандиозной операции, научно предвидеть ход ее развития и завершение» (Маршал Жуков. Каким мы его помним. М., 1988. С. 239).

«Заслуга Ставки ВГК и Генерального штаба» превратилась в «величайшую заслугу» одной только Ставки ВГК. А Генеральный штаб из круга победителей выпал. Оно и понятно. Жукова Сталин выгнал из Генерального штаба еще в июле 1941 года и назначил с понижением. Раз Жукова нет в Генштабе, значит, о роли Генерального штаба в Сталинградском контрнаступлении можно не вспоминать. Жуков помнит только о заслугах Ставки ВГК, ибо являлся ее членом. На протяжении всей книги он настойчиво напоминает об этом читателю. Потому фразы о заслугах и величайших заслугах Ставки ВГК в Сталинградском сражении распространяются на самого говорящего. Это Жуков сам себя хвалит. Это он рассказывает о научной точности своего анализа.

Но о каком научном подходе речь, если окружили втрое больше, чем намеревались? Если допущена ошибка в одну сторону, то такая же ошибка могла быть допущена и в другую сторону. Решили окружить 7—8 дивизий, что было бы, если бы их там оказалось втрое меньше?

О каком научном подходе речь, если Ставка ВГК приказала наступать на окруженную под Сталинградом группировку германских войск? Окруженные германские войска были, по существу, лагерем вооруженных военнопленных. У них не было продовольствия, топлива и зимней одежды. Опасность прорыва была ликвидирована. После этого надо было оставить их в покое до весны. Сколько могут держаться войска на страшном морозе без зимней одежды, топлива, боеприпасов и продовольствия? Но был приказ штурмовать. И наши дивизии, корпуса и армии бросились на штурм. Летом 1942 года наши саперные армии возводили неприступную оборону вокруг Сталинграда, потом германские войска ее преодолели, теперь Красная Армия штурмовала непреодолимую полосу укреплений, которую сама же и возвела. Штурм Сталинградских укреплений был непростительной ошибкой Гитлера. Теперь Красная Армия повторяла ошибку Гитлера, штурмуя те же укрепления еще раз. «Почему русские решили перейти в наступление, не дожидаясь, пока котел развалится сам по себе, без всяких потерь со стороны русских, известно только русским генералам» (Генерал-полковник К. Цейтцлер. Роковые решения. М.: Воениздат, 1958. С. 199).

О каком научном подходе речь, если у Ростова был упущен шанс разгромить Германию в начале 1943 года? Если была возможность победить без Курского сражения, без Прохоровки, без форсирования Днепра, Днестра, Немана, Вислы и Одера, без «десяти сталинских сокрушительных ударов», без Балатонского оборонительного сражения, без штурма Сапун-горы, Зееловских высот, Кенигсберга и Берлина?

Но вместо удара на Ростов наши стратеги штурмовали собственные укрепления под Сталинградом и огороды на окраине деревни Жеребцово.

Во всей Сталинградской эпопее меня больше всего поражает наглость Жукова. Любой человек, который интересуется военной историей, проявив достаточно упорства, способен вычислить маршруты Жукова на войне. Вычислив маршруты, любой исследователь мог уличить Жукова в том, в чем его уже уличили после войны Сталин, Булганин и Василевский: в непомерном и необоснованном возвеличивании себя, в воровстве чужой славы.

Но реальная угроза разоблачения на авторов жуковских мемуаров не действовала.

8

Краткий итог. Под Сталинградом были решены две задачи.

Первая: остановить бегущие советские войска и создать новый фронт. Эта задача была решена в июле и августе 1942 года без участия Жукова.

Вторая: прорвать фронт противника и окружить его войска в районе Сталинграда. Эта задача решалась 19—23 ноября 1942 года. И тоже без участия Жукова. Во время выполнения и первой, и второй задач Жуков штурмовал Сычевку.

Мне возражают: допустим, Сталинградская стратегическая наступательная операция проводилась без Жукова. Но ведь это и не важно, кто осуществлял. Главное — кто идею подал!

Хорошо, вспомним, кто подал идею. Его должность летом 1942 года — старший офицер Главного оперативного управления Генерального штаба. Звание — полковник, впоследствии — генерал-лейтенант. Фамилия Потапов. То, что план Сталинградской стратегической наступательной операции родился в Главном оперативном управлении Генерального штаба и что автором плана был полковник Потапов, известно всем и давно. Из этого никто не делал секрета. После официального крушения коммунистической власти в Главном оперативном управлении Генерального штаба наконец «нашли» карту с планом операции. На карте подписи Потапова и Василевского. Дата — 30 июля 1942 года. План был разработан задолго до появления Жукова в Москве. 30 июля Потапов не просто подал идею, он уже завершил разработку плана. В это время Жуков в который раз рвался к Сычевке и о Сталинграде еще не помышлял.

План полковника Потапова был доложен начальнику Генерального штаба Василевскому. Василевский доложил план Сталину. После этого Сталин вызвал Жукова в Москву, назначил своим заместителем и отправил в район Сталинграда. Жуков вернулся 12 сентября и якобы предложил «иное» решение. Но именно это решение было разработано в Генеральном штабе за полтора месяца до жуковского озарения, давно доложено Сталину, и Сталин с Василевским уже давно вели интенсивную подготовительную работу по его осуществлению. Просто в этот день, 12 сентября 1942 года, Василевский по приказу Сталина посвятил Жукова в тайну.

9

Давайте поверим на минуту: это он, великий Жуков, в сентябре 1942 года предложил план Сталинградской стратегической наступательной операции. Давайте поверим, что Сталин сомневался в успехе, а Жуков ни в чем не сомневался.

Пусть будет так. И вы, и я в такой ситуации бывали: приходишь к начальнику, предлагаешь нечто необычное и рискованное. Начальник в успехе сомневается. Что он нам ответит?

Существуют только два варианта.

Первый. Начальник запретит нам этим делом заниматься, потому что в конечном итоге ему за все отвечать.

Второй вариант. Начальник скажет: ты это придумал, ты и делай. Ответственность — на тебе. Провалишь — пощады не жди.

А Жуков нам третий вариант предлагает. Сталин в успехе сомневается, но всю ответственность почему-то взял на себя и переложил ее на Василевского, а Жукова отправил в другое место, освобождая от ответственности за осуществление рискованного плана. А так не бывает! Если бы Сталин сомневался в успехе, то послал бы Жукова руководить операцией под Сталинградом: ты предложил, ты в успехе не сомневаешься, вот тебе карты в руки, действуй. Провалишь — ответишь. Если Сталин боялся за последствия, то должен был держать Жукова в районе Сталинграда и в случае неудачи свалить на него вину.

Но Сталин сам от ответственности не уклонялся и перед рискованной операцией на храброго, мудрого Жукова ответственность не взваливал. А это свидетельствует только о том, что Сталин Жукова автором плана не считал, не полагал, что на Жукова в случае провала можно будет свалить вину. Потому перед началом столь рискованной операции Сталин отправляет Жукова за тысячу километров от Сталинграда на Западное направление проводить другую операцию, которую Жуков действительно предлагал, которую долго готовил и, как всегда, провалил.

Сталин знал, что план Сталинградской стратегической наступательной операции рожден в недрах Генерального штаба, план разработан неким полковником и утвержден начальником Генерального штаба генерал-полковником Василевским. Вот почему Сталин 15 октября

1942 года назначает Василевского (всего лишь генерал-полковника!) своим заместителем, а в ноябре посылает под Сталинград координировать действия всех войск, которые принимали участие в контрнаступлении. Логика Сталина проста и неоспорима: в Генеральном штабе план операции придуман, начальником Генерального штаба утвержден, так иди же, начальник Генерального штаба генерал-полковник Василевский, под Сталинград и проводи операцию. Провалишь — сокрушу!

Результат работы Василевского известен. 18 января 1943 года Сталин присваивает своему заместителю Василевскому звание генерала армии. Не прошло и месяца, и 16 февраля Сталин присваивает Василевскому звание Маршала Советского Союза.

Из того простого факта, что координировал действия фронтов под Сталинградом Василевский, а не Жуков, следует простой вывод: сказания из книги Жукова о его решающей роли в Сталинградской битве относятся к категории легендарных подвигов панфиловцев и стахановцев, Синдбада-морехода и барона Мюнхгаузена.

Упоминание о полковнике Потапове в нашей открытой печати мелькнуло только раз. «Красная звезда» 1 сентября 1992 года признала, что план Сталинградской стратегической наступательной операции разработал и предложил именно он.

Сразу после крушения коммунизма был короткий период, когда архивы стали открываться, когда рушились мифы и падали с постаментов дутые величия. Но период этот был коротким. Правители опомнились. За неимением лучшего бросились возвеличивать Жукова. Кампания обожествления почти мгновенно достигла уровня общенародной истерии. Мудрого полковника Потапова вновь задвинули в небытие, а его план — в разряд сведений, «которые не удалось обнаружить».

Настоящий подвиг полковника мешал громоздить выдуманные подвиги на кандидата в святые Георгии.

ГЛАВА 17

ПРО ВЫДАЮЩУЮСЯ РОЛЬ

> Ко мне обращаются товарищи — участники Курской битвы с вопросами: почему Г.К. Жуков в своих воспоминаниях искажает истину, приписывая себе то, чего не было? Кому-кому, а ему не следовало бы допускать этого!
>
> Маршал Советского Союза
> *К.К. Рокоссовский.*
> ВИЖ. 1992. № 3. С. 32

1

Ладно, под Сталинградом Жуков не имел возможности себя проявить. Но Курская дуга! Вот где он себя показал!

Ситуация была вот какая: после Сталинградской стратегической наступательной операции войска двух советских фронтов, Центрального и Воронежского, вырвались далеко вперёд, исчерпали наступательный порыв, понесли большие потери и потому получили приказ перейти к обороне. Образовался мощный выступ в сторону противника — так называемая Курская дуга. Германский план на лето 1943 года: из районов Орла и Белгорода нанести два встречных удара на Курск, срезать Курский выступ, окружить и уничтожить войска двух советских фронтов в этом выступе.

Советская военная разведка вскрыла замысел германского командования, добыла планы наступления и установила примерную дату его начала. Все это делалось без участия Жукова. Главное разведывательное управление (ГРУ) подчинялось Жукову только с февраля по

252

июль 1941 года, когда он был начальником Генерального штаба. В 1943 году ГРУ подчинялось не Жукову, а Василевскому и Сталину.

Командующие Центральным и Воронежским фронтами генералы армии К.К. Рокоссовский и Н.Ф. Ватутин получили от Верховного Главнокомандующего Маршала Советского Союза И.В. Сталина три предупреждения о подготовке германского наступления. Сталин предупреждал Рокоссовского и Ватутина 2 мая, 20 мая и 2 июля о том, что германское командование готовит фланговые удары по войскам двух фронтов. И Центральный, и Воронежский фронты к отражению германского наступления были готовы.

В ночь на 5 июля 1943 года из штаба 13-й армии на командный пункт Центрального фронта было передано сообщение о захвате германских саперов, которые расчищали проходы в советских минных полях и снимали проволочные заграждения. Пленные показали: начало германского наступления — в 3 часа ночи, ударные группировки уже заняли исходное положение. До начала германского наступления оставалось чуть больше часа.

Артиллерия Центрального фронта находилась в полной готовности к проведению артиллерийской контрподготовки. Заранее был спланирован огневой удар 506 орудий, 468 минометов и 117 реактивных установок залпового огня по исходным районам германских войск. Планировалось прямо перед началом немецкого наступления нанести по изготовившимся к наступлению войскам противника сокрушительный артиллерийский удар. Этот огневой налет замышлялся очень коротким. Всего 30 минут. Но интенсивность огня должна быть исключительной.

Артиллерия соседнего Воронежского фронта тоже находилась в готовности к проведению артиллерийской контрподготовки такой же продолжительности и мощи.

Но сведения о точном времени начала германского наступления сомнительны. Понятно, что пленные саперы заговорили сразу и говорили только правду. В разведывательных отделениях, отделах и управлениях советских штабов умели беседовать с пленными так, что они сразу сознавались во всем. Однако захваченные саперы могли не знать точного времени или ошибаться.

Если наша артиллерия начнет контрподготовку раньше запланированного немцами срока наступления, то мы истратим тысячи тонн снарядов по пустым полям и рощам. Может оказаться, что немецкие ударные группировки еще не вышли в исходные районы. Если проведем контрподготовку позже, то результат будет такой же. Удар будет нанесен по пустым площадям, ибо основная масса германских войск уже выдвинется к переднему краю.

Итак, вышли главные силы немцев в исходные районы или еще нет? А может быть, уже их покинули? Ночь, темнота, посылай разведывательные самолеты — они сверху все равно ничего не увидят. Что делать? Ошибка и в ту, и в другую сторону в одинаковой мере крайне нежелательна. В случае ошибки прямо в момент начала величайшего сражения наша артиллерия попусту истратит половину своих снарядов.

В фильме «Освобождение» мы видим Жукова на Курской дуге. Представитель Ставки ВГК, заместитель Верховного Главнокомандующего Маршал Советского Союза Жуков появляется в штабе Центрального фронта, которым командовал генерал армии Рокоссовский. Жуков оценивает обстановку, мучительно размышляет, наконец, взвесив все, решительно отдает приказ...

2

Тот же исторический момент описывает Маршал Советского Союза К.К. Рокоссовский. Жуков действительно прибыл на командный пункт Центрального фронта накануне сражения, но приписываемой ему решимости не проявил. Приказ о начале контрподготовки на свой страх и риск принимал сам Рокоссовский. Риск практически смертельный. Если Рокоссовский ошибся в расчете времени, сражение на Курской дуге может быть проиграно, что грозит катастрофическими последствиями для Советского Союза. Поэтому, перед тем как отдать приказ, Рокоссовский просил Жукова, как старшего начальника, утвердить принятое решение. Но Жуков ответственности на себя не брал. Жуков от ответственности всегда уклонялся решительно и энергично. Позиция Жукова в данном случае такова: ты — Рокоссовский, ты — командующий Центральным фронтом, ты и командуй.

«Теперь о личной работе Г.К. Жукова как представителя Ставки на Центральном фронте. В своих воспоминаниях он широко описывает проводимую якобы им работу у нас на фронте в подготовительный период и в процессе самой оборонительной операции. Вынужден сообщить с полной ответственностью и, если нужно, с подтверждением живых еще свидетелей, что изложенное Жуковым Г.К. в этой статье не соответствует действительности и им выдумано. Находясь у нас в штабе в ночь перед началом вражеского наступления, когда было получено донесение командующего 13-й армией генерала Пухова о захвате вражеских саперов, сообщавших о предполагаемом начале немецкого наступления, Жуков Г.К. отказался даже санкционировать мое предложение о начале артиллерийской контрподготовки, предоставив решение этого вопроса мне, как командующему фронтом. Решиться на это мероприятие необходимо было немедленно, так как на запрос Ставки не оставалось времени» (ВИЖ. 1992. № 3. С. 31).

Рокоссовский сам принял решение. По его приказу артиллерийская контрподготовка на Центральном фронте была начата ночью 5 июля 1943 года в 2 часа 20 минут. Это, собственно, и было началом Курской битвы.

В 4 часа 30 минут противник начал свою артиллерий-скую подготовку, а в 5 часов 30 минут Орловская группи-ровка германских войск перешла в наступление.

Рокоссовский продолжает рассказ:

«В Ставку позвонил Г.К. Жуков примерно около 10 часов 5 июля. Доложив по ВЧ в моем присутствии Ста-лину о том (передаю дословно), что Костин (мой псевдо-ним) войсками управляет уверенно и твердо и что наступление противника успешно отражается. Тут же он попросил разрешения убыть ему к Соколовскому. После этого разговора немедленно от нас уехал. Вот так выгля-дело фактически пребывание Жукова Г.К. на Централь-ном фронте. В подготовительный к операции период Жуков Г.К. у нас на Центральном фронте не бывал ни разу».

3

Вот таков личный вклад Жукова в разгром противни-ка на Курской дуге. В подготовительный период перед сражением Жуков в войсках Центрального фронта не по-являлся, в войсках Воронежского фронта тоже. Прибыл на Центральный фронт прямо накануне сражения. Ника-ких решений не принимал. Ответственности за решение, которое принял Рокоссовский, Жуков на себя не взял. Контрподготовку проводил не только Центральный, но и Воронежский фронт. Там решение на проведение контр-подготовки принимал командующий фронтом генерал ар-мии Н.Ф. Ватутин. Это решение было утверждено Маршалом Советского Союза А.М. Василевским. К про-ведению артиллерийской контрподготовки на Воронеж-ском фронте Жуков вообще никакого отношения не имел. Его там не было.

Жуков ничем себя на Центральном фронте не утруж-дал. Через четыре с половиной часа после начала сражения он уехал на другой фронт. На самолете он лететь не мог — в воздухе развернулась настоящая битва. От командного пункта Рокоссовского до командного пункта Соколовского — 740 километров по разбитым фронтовым дорогам, забитым войсками. Потому в первый, самый трудный день Курской битвы великий стратег Жуков руководить сражением не мог. Он путешествовал. Возможно, и во второй день — тоже.

4

Во времена Брежнева культ личности Жукова раздували всей мощью коммунистической пропаганды. Особое старание проявили главный идеолог КПСС М.А. Суслов, министр обороны маршал А.А. Гречко, начальник Главного политического управления Советской Армии генерал армии А.А. Епишев. Все, что рассказал Рокоссовский о роли Жукова в Курской битве, все, что могло бросить тень на образ великого стратега, было беспощадно вырезано из книги Рокоссовского. Отрывки, которые я цитировал, были опубликованы только через четверть века после того, как вышла в свет изрезанная книга Рокоссовского. Однако даже брежневско-сусловские цензоры не посмели спорить с Рокоссовским. Против правды не возразишь. В изрезанной книге Рокоссовского все равно сохранен главный смысл сказанного: «Времени на запрос Ставки не было, обстановка складывалась так, что промедление могло привести к тяжелым последствиям. Присутствующий при этом представитель Ставки Г.К. Жуков, который прибыл к нам накануне вечером, доверил решение этого вопроса мне» (К.К. Рокоссовский. Солдатский долг. М., 1968. С. 217).

Тут сказано мягче, но смысл тот же: Жуков решения на проведение артиллерийской контрподготовки не принимал. Это заявление Рокоссовского никто никогда не оспаривал. Рассказ Рокоссовского — не вымысел и не досужие воспоминания. Начальник штаба Центрального фронта генерал-лейтенант М.С. Малинин был обязан вести журнал боевых действий фронта. И он, как образцовый штабист, такой журнал вел. Сейчас этот журнал доступен исследователям. Все приказы и распоряжения, отдаваемые на КП фронта, там зафиксированы. Было все так, как рассказал Рокоссовский, но не так, как описывали авторы жуковских мемуаров.

5

Самое интересное во всей этой истории вот что: 5 июля 1943 года в момент начала грандиозного сражения на Курской дуге Жуков поехал к Соколовскому. Зачем?

В тот момент судьба войны решалась на Курской дуге. Центральный и Воронежский фронты находились в выступе, который врезался в территорию, занятую противником. Воронежский и Центральный фронты уже охвачены противником с севера, запада и юга. Противник взял эти фронты в гигантские клещи, он наносит удар по правому крылу Центрального фронта и по левому крылу Воронежского фронта. Если противник сокрушит и проломает оборону наших войск, то два фронта окажутся в мешке.

Фронты Рокоссовского и Ватутина устояли, остановили противника и сами перешли в наступление. Но 5 июля 1943 года, в момент начала германского наступления, исход сражения не мог предсказать никто. Сражение вполне могло завершиться грандиозным поражением советских войск. И вот великий Жуков быстро уезжает из Курского выступа, который мог стать западней.

А кто такой Соколовский, к которому так спешит непобедимый Жуков?

Генерал-полковник (впоследствии Маршал Советского Союза) Соколовский Василий Данилович в то время командовал Западным фронтом. Как мы помним, 26 августа 1942 года Жуков получил повышение и сдал командование Западным фронтом. Вместо Жукова Западный фронт принял Конев, затем — Соколовский. В марте 1943 года Западный фронт под командованием Соколовского (но без Жукова) наконец взял Ржев, Вязьму и Сычевку. После этого на Западном фронте наступила оперативная пауза. Проще говоря, затишье. На Западном фронте без перемен. Летом 1943 года противник по Западному фронту ударов не наносил. Никто Западному фронту не угрожал. Судьба войны в тот момент на Западном фронте не решалась. Судьба войны решалась на Курской дуге, на Центральном и Воронежском фронтах, по флангам которых противник нанес удары колоссальной мощи.

Отчего же в решающий момент войны Жуков мчится с главного направления на второстепенное, на Западный фронт, которому ничто не угрожает?

Ответ простой: он туда мчится именно потому, что Западному фронту ничто не угрожает. Жуков спешит на Западный фронт потому, что там спокойно.

Но, может быть, на Западном фронте Жукова ждали неотложные дела? Может быть, на Западном фронте надо было решить какие-то важные проблемы, указать Соколовскому на грозящие опасности? Все может быть. Но в этом случае надо так и писать историю: рассказать о тех неотложных делах, которые ждали Жукова вдали от Курской дуги, а про его выдающуюся роль в Курской битве скромно помолчать.

6

Как только стало ясно, что на Курской дуге противник войсками Рокоссовского и Ватутина остановлен, что последнее наступление немцев против Красной Армии окончательно захлебнулось, что хребет германским танковым войскам переломан, Жуков снова появился на Курской дуге.

Сталинград и Курск — это вершины полководческого мастерства Жукова, величайшего стратега и выдающегося военного мыслителя. Помимо этого были и другие битвы, сражения, блистательные стратегические операции. Правда, личный вклад Жукова в их организацию, проведение и успешное завершение был не таким грандиозным, как в Сталинградской битве и Курском сражении.

7

Слаб человек. Я тоже жертва коммунистической пропаганды. Я тоже свято верил в то, что Жуков не имел ни одного поражения в войне. Об этом я писал. У своих читателей прошу прощения. Свои слова беру обратно. Практически всю войну Жуков координировал действия нескольких фронтов и с этой работой он просто не справлялся.

В июне 1941 года он координировал действия Юго-Западного и Южного фронтов во встречных сражениях с германскими войсками. В итоге — провал.

Весь 1942 год, с небольшими перерывами, Жуков координировал действия Западного и Калининского фронтов. В итоге — серия провалов под Сычевкой.

Далее Жуков координирует действия фронтов на Курской дуге. Там стратег побоялся взять ответственность на себя.

В феврале 1944 года Жуков координировал действия фронтов на Правобережной Украине. Об этом мы уже вспоминали. Результатом был провал. Окруженная вражеская группировка вырвалась из кольца, а Жукова Сталин был вынужден отозвать в Москву, так как тот не понимал обстановки и был не способен выполнять возложенные на него обязанности.

Летом 1944 года Жуков координирует действия двух фронтов во Львовско-Сандомирской операции. Тут был грандиозный провал. И в нем виноват лично Жуков. Провал был настолько глубоким, а вина Жукова настолько явной, что ему пришлось ее признать. «Мы, имея более чем достаточные для выполнения задачи силы, топтались перед Львовом, я как координатор действий двух фронтов не использовал эти силы там, где было необходимо, не сманеврировал ими для успеха более быстрого и решительного, чем тот, который был достигнут» (ВИЖ. 1987. № 12. С. 44).

Сталин пять раз обжегся на попытках использовать Жукова в качестве координатора действий нескольких фронтов. После этого Сталин был вынужден координировать действия фронтов лично сам из Кремля. А Жукова Сталин назначил с понижением — не координировать действия нескольких фронтов, а командовать одним фронтом, 1-м Белорусским.

На этом посту Жуков навеки опозорил свое имя тупым, бездарным, преступным проведением Берлинской операции. Штурм Берлина показал, что за четыре года войны Жуков так ничему и не научился. Начало войны — провал. Конец войны — никак не меньший позор и провал в Берлине.

Вот командир танкового батальона капитан С. Штрик 2 октября 1942 года писал в письме: «Ворвалась наша пехота на окраину Сычевки и дальше не может сделать ни шагу — до того сильный огонь. Пошли в ход наши «коробки»... Бой в городе для танкистов — гроб» (ВИЖ. 1995. № 2).

Не надо быть командиром танкового батальона, чтобы это понимать. Каждый солдат, который видел танки в бою, знал, что бой в городе — смерть для танков. Танки предназначены не для этого. Жуков гнал танки на Сычевку батальонами, полками, бригадами и корпусами. Но ничего не понял, ничему не научился.

И вот не Сычевка перед ним, а Берлин. И вот величайший полководец, ничему не научившись на войне, загоняет в Берлин две гвардейские танковые армии: 1-ю и 2-ю. И обе они гибнут в Берлине.

Если бы Жуков был честным человеком, то после завершения Берлинской операции он был обязан застрелиться. По крайней мере сорвать с себя все побрякушки и уйти в монастырь замаливать свои грехи и преступления.

8

Теперь статистика.

Сколько корпусов загубил Жуков? Предлагаю считать только те, которые погибли без всякого толку. Вот навскидку некоторые:

шесть механизированных — 4, 8, 9, 15, 19, 22-й — во встречном сражении в районе Дубно, Луцк, Ровно. Три из этих корпусов, каждый в отдельности, по количеству танков превосходили любую танковую армию, как советскую, так и германскую. Остальные армии мира в своем составе не имели ни танковых армий, ни механизированных корпусов такой мощи;

четыре корпуса дальней авиации без истребительного прикрытия были брошены на бомбардировку мостов и танковых колонн противника. Мосты были разминированы по приказу Жукова, поэтому их пришлось бомбить. Дальняя авиация должна работать ночью с больших высот по большим неподвижным целям в глубоком тылу противника. Наша дальняя авиация работала днем с малых высот по малым и подвижным целям на переднем крае и в ближайшем тылу противника. Дальняя авиация была уничтожена Жуковым;

1-й гвардейский кавалерийский корпус — под Вязьмой;

4-й воздушно-десантный корпус — под Вязьмой;

отдельный воздушно-десантный корпус — в Днепровской операции 1943 года, в полосе 1-го Украинского фронта.

Этот список я только начинаю, каждый желающий может его продолжить.

Сколько же армий погубил Жуков? Опять же предлагаю считать только те, которые погибли по глупости Жукова без всякого толку и пользы.

В 1941 году 3-я и 10-я армии Западного фронта и часть сил 4-й армии по приказу Жукова были выдвинуты в выступ в районе Белостока. В случае нападения противника их разгром был гарантирован. Обороняться в этой ситуации было невозможно.

6, 12, 18 и 26-ю армии Жуков загнал в Львовско-Черновицкий выступ, в котором было невозможно обороняться. Что и предопределило их разгром.

По большому счету гибель тринадцати армий Первого стратегического эшелона — на совести Жукова. Без планов воевать нельзя. В отсутствии планов виноват Жуков.

29, 33 и 39-я армии разгромлены в районе Вязьмы.

Осенью 1943 года Жуков двинул вперед 3-ю гвардейскую танковую армию, не позаботившись снабдить ее топливом. Армия ушла вперед и погибла.

1-я и 2-я гвардейские танковые армии погибли в Берлине.

И пусть меня простят, если я не всех вспомнил.

Миру внушили: Жуков не имел ни одного поражения. Из этого гордого заявления как бы автоматически следует: если не было поражений, следовательно, ему сопутствовали одни только победы.

Окинем взором непрерывную цепь провалов и поражений Жукова и удивленно спросим: а где же те победы?

ГЛАВА 18

О ЧЕМ РАССКАЗАЛИ ОРДЕНА

> Мерзавец должен быть назван мерзавцем вне зависимости от наград.
>
> *А. Тонов.* Спор о Жукове. «Независимая газета».
> 5 марта 1994 г.

1

Мы смотрим на портреты Жукова и видим прежде всего ордена. Много красивых орденов. Жукова без орденов и представить невозможно.

Любил он их. И считал, что в вопросе наград его обошли, по достоинству не оценив заслуг. Так же считают и почитатели Жукова. Но так ли это?

Чтобы разобраться в этом вопросе, сравним Жукова с кем-нибудь, ибо все познается в сравнении. С кем же сравнить? Только со Сталиным.

Первый советский орден был учрежден в 1918 году. Это орден Красного Знамени. Он выполнен из серебра.

У Сталина — три таких ордена. И у Жукова — три.

В 1930 году был учрежден орден Ленина как высшая государственная награда. Орден — из золота. Профиль Ленина — платина.

У Сталина — три ордена Ленина. У Жукова — шесть.

В 1942 году учреждены полководческие ордена: Суворова, Кутузова и Александра Невского. В следующем году орден Богдана Хмельницкого. Высший из них — орден Суворова I степени. Он выполнен из платины. Орден Суворова I степени с № 1 — Жукову. Чуть позже Жуков получает второй такой орден.

Орденов Суворова I степени у Сталина — один. У Жукова — два.

В 1943 году учрежден высший военный орден «Победа». Основа ордена — из платины. В лучах звезды — пять крупных рубинов. В мировой ювелирной практике рубины такой величины были использованы впервые. Орден усыпан бриллиантами общим весом 16 каратов.

Всего (законных) награждений орденом «Победа» было 19.

«Победа» с № 1 — Жукову; № 2 — Василевскому; № 3 — Сталину; № 4 — Коневу; № 5 — опять Жукову; № 6 — Рокоссовскому; № 7 — второй раз Василевскому. Пять орденов были присвоены высшим военным руководителям союзных государств. Остальные ордена — маршалам, которые были представителями Ставки ВГК или командовали фронтами на заключительном этапе войны: Говорову, Малиновскому, Мерецкову, Тимошенко и Толбухину. Еще один орден — начальнику Генерального штаба генералу армии Антонову. Это единственный советский генерал, удостоенный ордена «Победа».

Сразу после войны решением Правительства и высшего командного состава Красной Армии вторым орденом «Победа» был награжден Сталин. Но он отказался его принять.

В 1978 году был изготовлен орден «Победа» № 20. Им был награжден Маршал Советского Союза Брежнев Леонид Ильич. После смерти этого полководца указ о награждении был отменен как не соответствующий статуту ордена.

Краткий итог. Сталин сначала награждал Жукова и Василевского, потом — себя. Так было не только с орденами, но и со званием Маршала Советского Союза. Жукову это звание Сталин присвоил 18 января 1943 года, Василевскому — 16 февраля, себе — 6 марта 1943 года.

По ордену Красного Знамени у Жукова и Сталина равенство. Этот орден за время войны был обесценен обильными раздачами, и на том уровне, где находились Сталин и Жуков, большой ценности не представлял По остальным орденам у Жукова ровно двойное превосходство. В 1950 году Сталин все же согласился принять второй орден «Победа». Получилось равенство по этому ордену, но по орденам Ленина и Суворова все равно у Жукова сохранилось двойное превосходство.

2

Помимо орденов, существовало звание Героя Советского Союза. К этому званию полагалась Золотая Звезда. Сразу после введения этого звания возникло противоречие. Орден Ленина — высшая государственная награда. А Герой Советского Союза — это не орден, а звание. Как сочетать Золотую Звезду Героя и орден Ленина? Что важнее? Сталин нашел простое решение: к Золотой Звезде выдавать и орден Ленина. В указах писали: «Присвоить звание Героя Советского Союза с вручением ордена Ленина и медали «Золотая Звезда». Кавалер высшей государственной награды имел орден Ленина. А Герой Советского Союза — и Золотую Звезду, и орден Ленина. Так Сталин разрешил противоречие.

Но было установлено — орден Ленина вручается только к первой Золотой Звезде, но не к последующим.

Жукову Сталин присвоил первую Золотую Звезду еще в 1939 году. За Халхин-Гол. За время войны добавил еще две. Жуков стал трижды Героем Советского Союза.

В принципе была допущена большая ошибка. Любому человеку, сколько бы геройства он ни проявлял, звание Героя следовало присваивать только один раз. Дважды Герой и трижды Герой — это вроде как дважды хирург или трижды танцор, дважды великий, трижды могучий и

266

четырежды прекрасный. И если героем можно было быть дважды и трижды, то где предел? Потому было решено больше трех Золотых Звезд не давать. Трижды Герой — предел.

Пока был жив Сталин, трижды Героев Советского Союза было трое — Жуков и два авиационных полковника — Кожедуб и Покрышкин.

Среди советских генералов и маршалов Жуков был единственным с тремя Золотыми Звездами. У Рокоссовского — две. У Василевского — одна. Вторую Василевский получил позже, за войну с Японией в сентябре 1945 года. У Сталина — ни одной. И тогда генералы и маршалы решили сделать Сталина Героем Советского Союза. Это звание ему присвоили, но он отказался от Золотой Звезды.

Через пять лет, в 1950 году, Сталин после долгих уговоров согласился принять Золотую Звезду, но никогда ее не носил, так же как и второй орден «Победа».

С момента, когда Сталин согласился принять Золотую Звезду, Жуков стал в три раза больше Герой, чем Сталин. А пока Сталин отказывался принимать звание Героя Советского Союза, счет по Золотым Звездам был 3:0 в пользу Жукова.

3

Не мог Жуков мириться с тем, что у него всего только в три раза больше Золотых Звезд, чем у Сталина. Не мог спокойно жить, зная, что помимо него есть еще два трижды Героя Советского Союза.

Но четвертую Звезду по закону получать не полагалось. Что прикажете делать? Оставалось нарушить закон. Жуков закон нарушил. 1 декабря 1956 года: он сам себе присвоил звание четырежды Героя Советского Союза. И повесил на свою могучую грудь четвертую Золотую Звезду. У остальных Маршалов Советского Союза по одной или две. У некоторых — ни одной. У Жукова — четыре!

А за что четвертая?

В мирное время взял да и наградил себя на день рождения. Так сказать, «учитывая большие заслуги и в связи с шестидесятилетием». Никогда до этого звание Героя не присваивали на юбилей. Это награждение Жукова — тройное нарушение закона.

Во-первых, нельзя давать четвертую звезду.

Во-вторых, нельзя давать на юбилей. Звание Героя давали за подвиг.

В-третьих, Жуков к этой Золотой Звезде повесил себе на грудь еще и орден Ленина (См.: Маршалы Советского Союза. М., 1996. С. 36). А это, как мы помним, нарушение закона. Орден Ленина полагался только к первой Золотой Звезде, но не к последующим.

До этого праздновали Сталину и 50 лет, и 60, и 70. И никому в голову не пришло присваивать Сталину звание Героя Советского Союза просто так, юбилея ради.

На 60 лет, в 1939 году, присвоили Сталину звание Героя Социалистического Труда.

На 70 лет не дали Сталину никаких Золотых Звезд, хотя он уже считался гением всех времен и народов.

А Жуков себе на 60 лет дал боевую награду. Чтобы ее заслужить, нужно совершить подвиг. Где же подвиг? И тогда жуковские лизоблюды придумали объяснение: Жуков получил четвертую Золотую Звезду по праву, вся его жизнь — сплошной подвиг.

Жуков обесценил звание Героя Советского Союза. В России, которую мы потеряли, существовал орден Святого Георгия. Кавалером этого ордена мог стать только тот, кто совершил блестящий подвиг, проявил храбрость в бою, провел выдающуюся военную операцию. «Георгия» нельзя было купить, получить по блату или на юбилей, пусть даже и самый что ни на есть круглый. Только выдающиеся свершения на поле брани вели к получению

«Георгия». Звание Героя Советского Союза имело цену именно по той же причине: его можно было получить, только совершив героический подвиг.

И вот первое исключение из правила: Жуков сам себя награждает Золотой Звездой на день рождения.

С этого момента пошла раздача геройского звания направо и налево. Вот Маршал Советского Союза Огарков Николай Васильевич. Звание Героя Советского Союза получил в мирное время — 28 октября 1977 года. За что? За то, что ему исполнилось 60 лет. Маршал Советского Союза Устинов Дмитрий Федорович — тоже герой. Звание присвоено 27 октября 1978 года. Вроде нет войны. Как он Героем стал? Так он же до 70 лет дотянул! Разве не героизм? День рождения у него 30 октября. Так вот за три дня до юбилея... Это и гражданским товарищам в Политбюро понравилось. Сидят они в Кремле, подходит у одного из них круглая дата, ему соратники объявляют: вся твоя жизнь в кремлевских покоях, в номенклатурных санаториях — один беспробудный подвиг. Прими, дорогой товарищ, звание Героя Советского Союза!

И вскоре все руководящие товарищи в Кремле героями стали.

Жуковский подход ужасно товарищу Брежневу понравился.

У Леонида Ильича день рождения 19 декабря 1906 года. А вот даты присвоения ему званий Героя Советского Союза: 18 декабря 1966, 18 декабря 1976, 19 декабря 1978 и 18 декабря 1981 года. На 60 лет — Герой. На 70 — снова Герой. На 72 — опять Герой. Ну и на 75 — еще раз. Сначала давали по круглым датам. Потом решили давать и по полукруглым. Но не утерпели и разок дали на обыкновенный день рождения. В дополнение к праздничному торту.

И навешал на себя Брежнев столько же, сколько и Жуков, — четыре геройские звезды. Да еще у Брежнева одна тоненькая звездочка Героя Соцтруда. И стало пять. Так что догнал он Жукова и даже перегнал.

Но все это безобразие не от Брежнева, а от Жукова пошло. Жуков первым себе в день рождения звание Героя присвоил

4

Но правда ли, что Жуков сам себе пове   четвертую звезду?

Правда. После XX съезда партии Жуков чувствовал себя почти полновластным хозяином и творил, что хотел. Хрущева Жуков публично Никиткой называл. Жуков демонстрировал Хрущеву свое презрение не только в тесном кругу, но и публично.

«Красная звезда» (13 мая 1997 г.) описывает одну из множества подобных выходок великого полководца: «Жуков в качестве министра обороны был приглашен на «правительственное мероприятие» — премьеру спектакля, которую должен был посетить Хрущев. Ранг министра обязывал к присутствию. Жуков приехал с женой и занял место в правительственной ложе, во втором ряду. Когда появился Хрущев, зал начал аплодировать стоя. Рукоплескали все, за исключением маршала, задумчиво изучавшего программку. Жена тихо попросила: «Ну хоть вид сделай...»

«Красная звезда» в восторге от такого поведения: жена просит хоть вид сделать, а он не сделал! Вот какой храбрый был наш великий стратег товарищ Жуков!

Между тем тут проявлено хамство высшей пробы, хамство в отношении лица, которое официально является первым в великом государстве. Ты можешь к нему относиться как угодно, но зачем свое неуважение демонстрировать публично? В данном случае Жуков проявляет хамство не только в отношении к первому лицу государства, но и ко всему залу. А ведь в зале на «правитель-ственном мероприятии» присутствовала вся правящая элита. И каждый — уверен в этом — думал: что будет, если этот хам дорвется до власти?

Жуков своим поведением оскорблял не только лидера страны, но и в его лице — всю державу. Если кто-то публично хамит главе государства, то это оскорбление всему народу. А ведь там присутствовали и послы великих держав, и наши многочисленные зарубежные друзья.

Такими выходками, а откалывал он их регулярно, Жуков демонстрировал не только полное презрение ко всем окружающим, но и удивительную, просто невероятную глупость. Жуков готовился стать диктатором. Нероном или Калигулой. И уже в эту роль вживался, осваивал ее. Власть в стране уже почти полностью принадлежала Жукову. И тут надо было проявить совсем немного хитрости. Следовало у Сталина учиться. Сталин вошел во власть на мягких кошачьих лапах. Звезд на себя не вешал. Не хамил. Всем улыбался. Вот как Борис Бажанов описывает начало обычного рабочего дня в Политбюро в середине 20-х годов: «Зиновьев не смотрит в сторону Троцкого, и Троцкий тоже делает вид, что его не видит, и рассматривает бумаги. Третьим входит Сталин. Он направляется прямо к Троцкому и размашистым широким жестом дружелюбно пожимает ему руку» (Воспоминания бывшего секретаря Сталина. Париж, 1980. С. 63). Троцкий считал Сталина серостью. И это правильно: серенький такой мурлыкающий котик Иоська.

А Жуков еще до полного захвата власти себя львом возомнил. И вел себя соответствующим образом. Станешь диктатором, хами сколько хочешь. А пока ты еще не стопроцентный диктатор, пока ты еще должен делить власть с Хрущевым, так спрячь же свои диктаторские замашки. Тебя же стратегом считают, а главная сила стратегии во внезапности. Умей скрывать свои замыслы.

В хамском поведении этого горе-стратега снова и снова проявлен неисправимый порок бездарного полководца:

Жуков всегда недооценивал противников. В том числе и Хрущева.

Отношение Жукова к руководству страны, великие планы по захвату власти мы рассмотрим в следующей книге. Сейчас мы говорим об орденах. Мысль повторяю: Жуков чувствовал себя уже почти полным хозяином в великой стране и мог себе позволить не только самопроизводство в четырежды Герои, но и куда более серьезные вещи.

5

Жуков законов не признавал. В нарушение установленного порядка сам на себя награды вешал и на своих любимцев — тоже. А они, в свою очередь, творили беззаконие. Незаконная раздача орденов — один из многих примеров отношения Жукова к правилам и законам.

«Красная звезда» (30 ноября 1996 г.), опять же взахлеб, рассказывает о том, как командир 29-го гвардейского стрелкового корпуса генерал-майор Г.И. Хетагуров получает из рук Жукова орден Суворова I степени: «Такой награды, согласно статуту, удостаивались от командарма и выше. Но это же был Жуков».

Какие бы чудеса корпус ни совершил на войне, командир корпуса не мог получить полководческий орден выше Суворова II степени. Надо наградить командира корпуса за блистательную операцию — вот тебе Богдан Хмельницкий II степени. Если совершил корпус нечто выдающееся — тогда Кутузов II степени. Ну, а уж если нечто из ряда вон, тогда Суворов, но опять же — только II степени. Просто потому, что корпус — это не стратегическая единица. И даже не оперативная, а чуть ниже того — оперативно-тактическая. Корпус не может совершить нечто такое, что кардинально влияет на ход войны. Сталин установил совершенно четкую систему: кого, за что и как награждать. Сталинское решение своим указом утвердил Президиум Верховного Совета СССР, и эта система стала законом. Кроме того, статут каждого ордена тоже утверждался указом и потому имел силу закона.

А Жукову плевать на законы, на Верховный Совет СССР, на сталинскую систему награждений, на самого Сталина, который эту систему ввел.

За малейшее непослушание Жуков расстреливал. Но сам же и вводил анархию в стране и армии. О каком порядке речь, если заместитель Верховного Главнокомандующего демонстративно и публично нарушает не только воинскую дисциплину, но и законы, введенные Верховным Главнокомандующим и утвержденные высшим законодательным органом страны.

Вот дали Брежневу в свое время орден «Победа». А потом после смерти указ отменили. Почему? Потому что в статуте записано, за какие заслуги этим орденом могут наградить: «За успешное проведение таких операций в масштабе нескольких или одного фронта, в результате которых в корне меняется обстановка в пользу Красной Армии». Брежнев таких операций не проводил. Он вообще никаких операций не проводил. В своей жизни он не то что операцией не руководил, но даже и боем: ни полка, ни батальона, ни взвода, ни отделения. Понятно, орденом «Победа» Брежнев был награжден незаконно.

Следующий по старшинству за орденом «Победа» идет орден Суворова. Параграф пятый статута четко определяет: «Орденом Суворова II степени награждаются командиры корпусов, дивизий и бригад, их заместители и начальники штабов». А орден I степени полагался только тем, кто по своему положению — выше командира корпуса. Об этом говорит параграф 4.

А Жуков награждает командира корпуса Хетагурова орденом Суворова I степени, который ему не положен. Жуков нарушает Указ Президиума Верховного Совета СССР и статут.

Удивительна позиция «Красной звезды». Если Брежнева наградили орденом, нарушив статут, значит, это позор. Такого нельзя было допускать! А если допустили, надо нарушение исправить, указ отменить, а орден вернуть.

А вот то же самое деяние Жукова. Он награждает Хетагурова с нарушением статута. Газета должна протестовать: это позор! Отнять у Хетагурова орден! Он выдан незаконно! Но центральный орган Министерства обороны умиляется: да, это нарушение закона, но ведь это же Жуков нарушает! Ах, как смело он топчет законы!

6

Вот еще один любимец Жукова. Генерал-лейтенант В.В. Крюков. Он попался на воровстве в особо крупных размерах. Происхождение неслыханного по любым стандартам состояния объяснил на следствии просто: лежало никому не нужное, дай, думаю, возьму...

Александр Бушков этого типа описывает так: «Уже взят за задницу генерал-лейтенант Крюков. И успел признаться, что в своем госпитале содержал самый настоящий бордель, сотрудниц которого за ударную работу награждал боевыми орденами, что старательно собирал по обочинам германских дорог бриллианты и сапфиры, меха и картины старых мастеров, что Золотую Звезду получил опять-таки в обход законов, по личному указанию Жукова, что сам Жуков в частных беседах заявляет, будто разбил Гитлера сам, один, а некий Сталин тут и вовсе ни при чем» (Россия, которой не было. М., 1997. С. 561).

Жуков незаконно делает генерала Крюкова Героем Советского Союза, а тот, в свою очередь, незаконно раздает боевые ордена бордельным работницам.

Уместно задать вопрос о клиентах. Для кого Герой Советского Союза гвардии генерал-лейтенант Крюков содержал заведение? Если для личных нужд, то это не бордель, а гарем. Тогда для кого? Для подчиненных? Так не делается. К подчиненным надо строгость проявлять. Коммунистическую мораль блюсти. Такие учреждения создаются для вышестоящих начальников и проверяющих. Дабы злость начальственную гасить. Кто же над Крюковым командир? А тот, кто его в Герои произвел. Встретились они еще в 1933 году. Крюков командовал 20-м кавалерийским полком 4-й Донской казачьей кавалерийской дивизии. А дивизией командовал Жуков. Потом Жуков тянул Крюкова за собой по крутым служебным лестницам. На войне Крюков командовал 198-й мотодивизией. Дивизия была разгромлена, а Крюков пошел на повышение. Он получил 2-й гвардейский кавалерийский корпус. В 1941 году этим корпусом командовал генерал-майор Доватор Лев Михайлович. Под командованием Доватора корпус получил гвардейское звание. После гибели Доватора этот корпус ничем не прославился. Советская военная энциклопедия из всех наших кавалерийских корпусов описывает только три: 4-й гвардейский Кубанский казачий, 5-й гвардейский Будапештский Донской казачий и 7-й гвардейский Бранденбургский. 2-й гвардейский не упомянут. Не было причины его вспоминать. Зато командир этого корпуса, он же бордельный содержатель, генерал-лейтенант Крюков обвешан орденами до пупа. Кроме Золотой Звезды Героя Советского Союза, у него три ордена Ленина, орден Красного Знамени, Суворова I степени, Кутузова I степени и два Суворова II степени.

С кем бы сравнить? Да хоть со Сталиным. У Сталина одна Золотая Звезда, и у Крюкова — одна. У Сталина три ордена Ленина и у Крюкова — три. У Сталина Суворов I степени. И у Крюкова тоже. У Сталина три ордена Красного Знамени. У Крюкова — один. Но мы помним, этот серебряный орден был обесценен, на генеральском и маршальском уровне он не особенно ценился. Зато у Крюкова — золотой Кутузов I степени и два золотых Суворова — II степени. Этого у Сталина нет.

Скажете, у Сталина две «Победы», а у Крюкова их нет. Признать надо, тут Крюков немного от Сталина отстал. Не было на войне у Жукова такой власти — своего фаворита орденом «Победа» награждать. А была бы у Жукова власть, то ходил бы гвардии генерал-лейтенант по своему борделю победителем, красовался бы среди бордельных работниц, тоже увешанных боевыми орденами.

Ищите другого такого командира корпуса по всей Красной Армии! Полководца с таким комплектом вам не сыскать. Не сыскать потому, что всех награждали по закону, а этого хмыря — вопреки законам. Можно возразить, что звание Героя Советского Союза Крюкову дали за какие-то подвиги, просто абакумовские гады-следователи заставили бедного генерала на допросе оклеветать себя и Жукова, который фаворитов награждал вопреки законам. Ладно. Не будем спорить. Но как быть с орденом Суворова I степени? Повторяю: не положен такой орден командиру корпуса, даже четырежды героического. И Кутузов I степени тоже не положен.

7

Мало того что Жуков давал Крюкову ордена за здорово живешь, он еще и жену Крюкова, Лидию Русланову, наградил орденом Отечественной войны I степени. Орден золотой. Мог бы товарищ Сталин золотишко на ордена использовать любое. Велика ли солдату разница — 375-й пробы золото на его ордене или 585-й? Проба на орденах все равно не ставится.

Но Сталин и на солдатские, и на офицерские, и на генеральские, и на маршальские ордена использовал золото только 916-й пробы. И Отечественная война I степени, и Слава I степени, и все остальные выполнялись из золота высшей пробы.

Лидии Руслановой золото не требовалось. У нее своего золота хватало. Но хотелось героиней себя чувствовать.

Между тем статут и этого ордена Сталин писал лично. Статут утвержден Указом Президиума Верховного

Совета СССР 20 мая 1942 года. В нем совершенно четко определено, что орденом Отечественной войны I степени награждается:

кто лично уничтожил 2 тяжелых или средних или три легких танка (бронемашины) противника;

кто подавил огнем артиллерии не менее 5 батарей противника;

кто с боем захватил артиллерийскую батарею противника;

кто захватил и привел в свою базу боевой корабль противника...

И далее в том же духе — на две страницы. Совершенно четко и конкретно определено, кого награждать и за что. Летчика-истребителя — за три сбитых самолета. Летчика-штурмовика — за 25 успешных боевых вылетов. В 1942 году, по статистике, летчик-штурмовик погибал на седьмом вылете. Так что зря такой орден не давали.

Точно так же расписано и по ордену Отечественной войны II степени. Этот орден, среди прочего, полагался тому:

кто из личного оружия сбил самолет противника;

кто сумел восстановить, освоить и использовать захваченный трофейный самолет в боевых условиях;

кто под огнем противника эвакуировал с поля боя два танка, подбитых противником...

Жена содержателя увеселительного заведения Лидия Русланова ни одной батареи противника не подавила, танков (бронемашин) ни тяжелых, ни легких, ни средних лично не уничтожала, вражеских кораблей не захватывала и в свою базу не приводила. Ей и орден II степени не положен: самолетов противника из личного оружия не сбивала, захваченных трофейных самолетов не осваивала и подбитых танков под огнем противника не эвакуировала.

И вот ей великий Жуков в могучую грудь золотой орден ввинчивает.

ГЛАВА 19

УЖ КАК ОН ЛЮБИЛ ФРОНТОВИКОВ!

> Вы лучше лес рубите на гробы,
> В прорыв идут штрафные батальоны.
>
> *В. Высоцкий*

1

Мы видим незаконное разбазаривание Жуковым орденов, причем самых дорогих — из платины и золота. На этом фоне весьма поучительно рассмотреть раздачу орденов, так сказать, законную.

И тут картина открывается воистину захватывающая. В 1991 году на момент распада Советского Союза в Москве хранилось 3,2 миллиона боевых наград, которые по разным причинам не были вручены фронтовикам. Кто же должен был заниматься поиском награжденных? Кто должен был вручать награды? Ответ прост: государство. Государство призвало миллионы людей под знамена. Государство их гнало в бой и в смерть. Государство их наградило. Так пусть отдаст государство своим гражданам то, что они заслужили!

Кто конкретно в государстве этим вопросом заниматься должен?

Министерство обороны. Лично министр, все его заместители, начальник Генерального штаба.

А кто полвека этим занимался? Никто.

О Жукове коммунисты придумали много легенд. Вот две из них:

1. Солдаты-фронтовики до полного безумия любили Жукова.

278

2. Жуков до полного безумия любил солдат-фронтовиков.

Такая, мол, была взаимная любовь.

Тут не возразишь. Однако требуется уточнение: любитель солдат товарищ Жуков себя все же любил несколько больше, чем всех фронтовиков вместе взятых. О себе, любимом, позаботился — после войны незаконно повесил на себя еще одну Золотую Звезду, которых и так вешать некуда. Но он не вспомнил о миллионах солдат, которые награждены были законно, но из-за жуковского разгильдяйства наград не получили.

И никто фронтовиками в нашем отечестве не занимался. Никому до них дела нет. Вопрос поиска награжденных на государственном уровне вообще никто не поднимал. Лежат награды грудами, ящиками, штабелями — пусть лежат. Они каши не просят. Так они и лежали, пока все фронтовики не перевелись. Они и сейчас лежат. По моим расчетам, на начало нового тысячелетия — около восьмидесяти тонн орденов и медалей. Больше трети этого веса — бронза: медали за Ленинград, Сталинград, Варшаву, Будапешт, Кенигсберг. Больше половины общего веса — серебро: медали «За отвагу» и «За боевые заслуги», ордена Красного Знамени и Красной Звезды, Отечественной войны II степени, Славы II и III степеней, Александра Невского и другие. Есть там и более высокие награды. По моим вычислениям, до семи тонн.

И никому в государстве дела нет до этих тонн. А может быть, все давно разворовано?

2

Вот после великой победы солдат пришел домой. Он награжден скромной солдатской медалью «За отвагу» или орденом Красной Звезды, но он не знает об этом, и никто ему этого не сообщает. И таких, как он, — миллионы.

Что же мог сделать Жуков?

Он прежде всего мог поставить вопрос перед правителями. Да не просто мог, а был обязан. Он должен был искать решение. Он должен был вменить в обязанность командующим военными округами, военным комиссарам республик, краев, областей, городов, районов, командирам частей, соединений, объединений вести постоянную работу по поиску награжденных и вручению боевых наград. Жуков должен был требовать отчеты о работе, поощрять отличившихся и карать нерадивых. Но Жуков почему-то от выполнения своих обязанностей уклонился. Если нет желания и времени выполнять свою работу, вали ее на подчиненных. Но Жуков и этого не делал.

После войны Жуков был главнокомандующим Группой советских войск в Германии. В его подчинении — штаб в Вюнсдорфе, штабы девяти армий, и во всех этих штабах горы наградных документов. Что сделал любитель фронтовиков Г.К. Жуков со всем этим? Ничего.

Потом Жуков — главнокомандующий Сухопутными войсками. Основная масса людей прошла войну именно в составе Сухопутных войск. У Жукова в руках огромная власть и все документы. Что он сделал для решения проблемы? Опять ничего. Фронтовики делали самую трудную на этой планете работу. Пришло время расплачиваться. Но Жуков и не думает отдавать людям то, что заслужено, то, что им принадлежит по праву и по закону.

Потом Жуков командует военными округами. Займись же проблемой возвращения долга хотя бы на этом уровне. Ты — командующий Уральским военным округом. С Урала уходили на войну дивизии, корпуса и целые армии. Их тут формировали и гнали в бой. Войны тут не было. Все документы сохранились. Начинай работу! Но Жуков почему-то работу не начинал.

Далее Жуков — первый заместитель министра обороны, потом министр обороны и почти полноправный диктатор Советского Союза. В руках Жукова все документы на всех, все ордена и почти необъятная власть.

Что делал Жуков?

Награждал себя.

3

И вот Жукова с позором свергли. Он сидит дома. Делать ему нечего. Вспомни же калеку, для которого уже присвоенная, но не врученная медаль «За оборону Сталинграда» будет отрадой. Ты на войне не жалел солдатской крови, так хоть после войны отдай солдатам то, что было оплачено кровью. Но не помнит Жуков калек-фронтовиков.

Тем временем к Жукову толпой валят фронтовики номенклатурные. Вот пожаловал писатель Константин Симонов, герой Соцтруда, лауреат Ленинской и шести Сталинских премий. Он из себя тоже корчит знатока войны и любителя солдат. С Жуковым беседы ведет о высоких материях. И ни один, ни другой не помнят о своем долге воякам.

Мог бы Жуков подать голос. Мог бы в своих мемуарах написать: давайте, братцы, всем миром решение проблемы найдем! Мог бы и Константин Симонов о фронтовиках вспомнить. Но не было в нем интереса к войне. Он делал карьеру, служил власти, получал свои премии и писал не то, что народу надо, а то, что требовала власть.

Между тем было совсем простое решение проблемы. Надо было выпустить книгу на манер телефонной:

Иванов Петр Сидорович, рядовой, призван Зубиловским райвоенкоматом в 1941 году, — орден Славы III степени.

Петров Николай Александрович... И т. д.

Вот и все. Воениздату надо было вместо никому не нужной макулатуры печатать книги с именами настоящих героев. Пусть каждый себя в списке найдет и объявится. Пусть мать, жена, брат и сын найдут в списке родного человека и получат за погибшего солдатский орденок.

Мне скажут: да что это ты к Жукову привязался? Не один же лентяй Жуков в Министерстве обороны был. Их вон сколько после Жукова сменилось и в Министерстве обороны, и в Генеральном штабе. И все — бездельники. Все эти Огарковы, Куликовы, Лосики и Ахромеевы, Гречки и Грачевы так и не удосужились вспомнить о возвращении долгов. Отчего же, спросят, ты остальных не трогаешь? Да оттого, что их пока на постаменты не возносят и к лику святых не причисляют. А Жукова объявили кандидатом в святые Георгии. Про Жукова рассказывают, что он ласков с солдатом был. А я отвечаю: нет, был Жуков таким же заевшимся военным бюрократом, как и все его предшественники и последователи. Только хуже.

4

Может, времени не хватило выдать ордена фронтовикам? Шестидесяти лет? Может, бюджет поджимал? А кто их и когда в бюджете ограничивал? Как же назвать всех руководителей Министерства обороны, всех этих Василевских и Булганиных, Жуковых и Малиновских, Устиновых и Грачевых? Вы подскажете: преступники! А я не соглашусь. Вот как раз у преступников и принято возвращать долги. Причем — немедленно. Это вековая и нерушимая традиция уголовного мира России. Того, кто вернул долг, но с опозданием хотя бы на минуту, вяжут и кладут в проход между нар. А потом прыгают по очереди с верхнего яруса. Это простой и надежный способ быстро переломать ребра и раздробить грудную клетку. Такой подход — образец справедливости и неукоснительного выполнения принятых решений. Если бы весь наш народ следовал этим законам, если бы однажды расплющил грудную клетку тому, кто народу не вернул долги, то другим вождям неповадно было бы народ дурачить.

5

Да что там ордена.

Вот после войны возвращаются домой воины-освободители. В то время большинство населения — деревенские жители. Они приходят в колхоз, и у них отбирают все документы. Паспорт мужику иметь не положено. Раз ты крестьянин, значит, ты не являешься гражданином своей страны, паспорт тебе не дают, чтоб из колхоза не убежал. Раз ты солдат-победитель, раз ты кормишь страну, значит, ты лишен всех прав. Вот, к примеру, в самолете тебе летать не положено: кто тебя в самолет без паспорта пустит? В самолете можно было возить собак. А воин-освободитель в своих правах был ниже собак. На собаку породистую надо было иметь паспорт, а мужику породистому паспорт не полагался. И денег в колхозах не платили. Повторю еще сто раз: величие страны определяется не ракетами и не спутниками, не перекрытым Енисеем и даже не балетом «Лебединое озеро», а величием ее рядовых граждан.

Ну ладно, Сталин был тираном и людоедом. Но через три года после убийства Сталина к власти пришли Хрущев и Жуков. Чем они лучше Сталина? Должен был Хрущев сказать Жукову или Жуков Хрущеву: война была как бы великой, так давай сделаем доброе дело, давай воинам-освободителям дадим паспорта.

Но они этого не сделали.

И когда коммунистическая пропаганда рассказывает нам о том, что Советский Союз выиграл войну, мы усомнимся. В результате этой «победы» народы нашей страны оказались все в том же социалистическом рабстве. И не поверим рассказам о том, что война в какой-то степени была как бы отечественной. Основная масса населения не имела паспортов, потому юридически более ста миллионов людей гражданами своей страны не являлись. Они не могли воевать за «отечество», ибо его не имели. Это так называемое «отечество» не признавало их своими гражданами и относилось к ним соответствующим образом.

Не поверим и рассказам о так называемой «освободительной миссии Красной Армии». Если хочешь нести свободу людям, освободись сначала сам. Но наши солдаты шли на войну рабами. И вернулись с войны рабами. Вооруженные рабы под конвоем НКВД и под водительством рабовладельцев могли нести окружающим народам только рабство. Его и несли.

Жуков ничего не сделал для освобождения народа. Он об этом и не задумывался. Номенклатура была коллективным рабовладельцем. Жуков был таким же членом рабовладельческой ассоциации, как Хрущев и Брежнев, как Вучетич и Андропов, как Берия, Ежов и Шолохов.

6

Ладно, солдат-освободитель не имел прав.

Ладно, заработал он ордена-медали, а Родина не удосужилась их ему вручить. Так хоть мертвого его уважайте! «Две трети погибших в 1941—1945 годах воинов похоронены как неизвестные» («Красная звезда», 6 октября 1999 г.).

В захоронениях бойцов и командиров Красной Армии, которые погибли в войне против Германии, погребено более 6 миллионов человек.

Сопоставление потерь Красной Армии и Вермахта шокирует. В чем же дело? Почему для того, чтобы убить в бою одного немца, надо было положить в землю пять, а то и десять наших Иванов?

Причин много. Вот одна, видимо, не самая последняя: у нас солдата после войны воспевали в песнях и возвеличивали в легендах, но на фронте жизнь солдатская не стоила вообще ничего, его не уважали живым, а тем более мертвым. В Германии было иначе. Каждый германский офицер, завершив работу, был обязан после себя убрать рабочее место. То есть, завершив бой, был обязан эвакуировать с поля боя поврежденную боевую технику, вынести раненых и тела убитых. Раненых — в госпиталь. Убитых — в землю. С воинскими почестями.

В Красной Армии эвакуация боевой техники и оружия с полей сражений была поставлена образцово. Понятно, я имею в виду только вторую половину войны. Все, что было брошено в 1941 году, — наш национальный позор. То, что было брошено в 1941-м, создавалось трудом нашего народа два десятка лет. Тех брошенных запасов 1941 года хватило бы на много лет войны до самой победы. Но мы сейчас не о брошенных запасах. Мы говорим о том, что во второй половине войны в Красной Армии эвакуация техники с поля боя была налажена. Был организован сбор брошенного оружия, боеприпасов, стреляных артиллерийских гильз. Сталин установил простой порядок: каждый полк, дивизия, корпус, армия, фронт обязаны сдавать стреляные артиллерийские гильзы. Понятно, не все 100 %, но весьма существенную часть из того, что было получено. Не сдал артиллерийские гильзы за прошлую неделю боев, не получишь новых снарядов. А начальникам артиллерийского снабжения всех рангов приказ: подавать боевым подразделениям снаряды только в обмен на стреляные гильзы. Если выдал кому-то снаряды, а стреляных гильз не получил, — пойдешь под трибунал. И сразу установился образцовый порядок. Понятно, были исключения. Понятно, возникали ситуации, когда было не до сбора стреляных гильз. Но по большому счету проблема повторного использования стреляных гильз была решена. Было решено много других задач. За эвакуацию танков с поля боя давали ордена. За эвакуацию раненых — тоже.

А за эвакуацию трупов у нас орденов не давали. С воинскими почестями советских бойцов хоронили, но только некоторых. Когда руки доходили. Немцы хоронили в гробах, и каждого в своей могиле. Каждому свой собственный крест полагался. У нас о гробах речи не шло. Не до гробов. И хоронили не каждого в своей могиле, а навалом. Так работы меньше: свалили всех в воронку или в противотанковый ров и землей забросали. И благозвучное название придумали: братская могила. Не до гробов нам было, не до индивидуальных могил. Землю родную надо было освобождать! И гнать врага с родной земли! И народам Европы нести свободу и счастье!

Но я утверждаю, что война завершилась бы гораздо раньше, с гораздо лучшими результатами и меньшими потерями, если бы был отдан приказ выносить мертвых с поля боя и хоронить в гробах.

Представьте себе командира полка. Послал он батальон высотку штурмовать, положил людей зря и нет ему забот. Погибли люди — на то война. Не взяли высотку — завтра возьмем. Завтра в полк новых людей пришлют, снова ту высотку штурмовать будем. А пока идет полковой командир в свой блиндаж водку пить. И ждет его в блиндаже верная ППЖ — походно-полевая жена. Получалось вот что: с одной стороны, командир людей не бережет, с другой — ему назавтра новых людей пригонят, необстрелянных, которые сами себя беречь не научились. Потому самоуничтожение армии шло одновременно с двух сторон — снизу и сверху.

Назавтра необстрелянных тоже положат в самом первом бою у подножия той же высотки. И новых пришлют... Красная Армия во Второй мировой войне была совсем небольшой, но прожорливой. На каждый данный момент на войне воевало миллионов пять. Иногда доходило до восьми и даже до десяти миллионов солдат и офицеров. Не больше. Но только вчера это были одни миллионы, а сегодня они уже гниют по оврагам и перелескам, а вместо них воюют другие миллионы. Лягут и они, а по их хрустящим костям пойдут другие, свободу и счастье народу понесут.

А вот если бы вменили командиру в обязанность всех убитых с поля боя выносить и хоронить в гробах да с воинскими почестями, — тогда иной расклад. Тогда бы командиру — боль головная. Как под огнем противника все трупы с поля боя вытащить? Сколько на это надо еще людей положить? И как тех дополнительных потом с поля боя тащить? Кто этим заниматься будет? Если всех солдат полка положишь, самому, что ли, их потом на себе таскать? И где столько гробов раздобыть? А ям сколько вырыть надо! Да еще каждый труп опознать. Да каждому фанерную звезду над могилой! Эка забот! Глядишь, в следующий раз командир осторожнее людей на ненужные высотки бросал бы.

Из этого пошли бы другие следствия. Если бы каждый командир полка людей берег, тогда в действующей армии можно было иметь не пять, не десять, а пятнадцать или двадцать миллионов солдат. И солдаты не гибли бы в первом бою. Одно дело — пять миллионов необстрелянных солдат, которых только что прямо из военкоматов на поля сражения бросили, другое дело — двадцать миллионов опытных бойцов. Вот тогда и война совсем другой была бы.

А всего-то только и требовалось: дать приказ солдата нашего в гробу хоронить. Представьте: вот какой-нибудь Жуков готовит некую Ржевско-Сычевскую операцию. Ему докладывают: для проведения операции требуется подать войскам на передний край 4139 вагонов снарядов, 120 тысяч тонн бензина и солярки. Кроме того, Жукову представляют список всего необходимого. И в том списке танковые двигатели, сотни тонн других запасных частей для танков и машин, патроны, мины, хлеб, тушенка, бинты, водка цистернами, инженерное имущество... и 78 000 гробов сосновых. Думаю, тут бы и Жуков возмутился. Прикиньте, сколько надо вагонов, чтобы те гробы доставить на фронтовые склады. Сколько надо снять машин с перевозки войск, боеприпасов и всего прочего и бросить их на доставку гробов с фронтовых складов на армейские и далее — на корпусные, дивизионные, бригадные и полковые. Сколько солдат надо оторвать на разгрузку и перегрузку гробов. С другой стороны, демаскировка. Если столько гробов сгружают в районе предстоящей операции, любой шпион и диверсант тут же во вражеский штаб доложит: что-то затевается! Так вот, ради того чтобы демаскирующие признаки скрыть, Жуков потребовал бы воевать так, чтобы гробов понадобилось меньше.

Или вот, допустим, готовит все тот же Жуков штурм Берлина. Садится он, уставший, в кресло, а начальник штаба 1-го Белорусского фронта докладывает, что для штурма Берлина помимо прочего требуется подвезти полмиллиона гробов. Верю: тут бы даже Жуков задумался. Тут бы и в его светлую голову закрались сомнения: а зачем вообще Берлин штурмовать? Кому этот штурм нужен? Берлин уже окружен советскими войсками. Внешний фронт окружения находится в 30—50 километрах западнее Берлина. Огромный город сжат кольцом советских войск. Авиацией США и Британии Берлин уже превращен в океан битого кирпича. В Берлине огромное население да еще сотни тысяч беженцев из восточных районов Германии. По нашим данным, в городе два миллиона людей, в основном гражданских. По немецким данным, — три миллиона. В Берлине уже голод. В Берлине конина — деликатес. Надеяться защитникам Берлина не на что. Продовольствия им никто не подвезет и боеприпасов тоже. В Берлине нет топлива. В Берлине нет света. В Берлине разрушены водопроводные системы. В Берлине не работает канализация. В Берлине никто не убирает мусор и трупы. И некуда убирать мусор. Сколько огромный город может продержаться? Это не Ленинград, за которым стояла огромная страна. Это не Ленинград, который можно было кое-как снабжать через Ладогу. Берлин снабжать невозможно. И некому его снабжать. И нет у Берлина надежды. Война уже кончилась. Один Берлин остался. Дайте защитникам Берлина еще неделю доесть последнюю гнилую конину. Потом Берлин сам выбросит белый флаг. Но Жукову нужен не белый флаг над Берлином, а красный над Рейхстагом. Ради этого Жуков проводит никому не нужный преступно бездарный штурм огромного города. Вопрос о том, сколько в ходе этого штурма предстоит положить в землю солдат, Жукова не волновал. Если бы в гробах солдатиков хоронить, тогда штурм был бы невозможен по чисто снабженческим причинам. Пришлось бы ради подвоза гробов для предстоящей операции отказаться от подвоза боеприпасов. Но у нас хоронили без гробов — потому проблем не возникло.

Возразят: штурм Берлина — это приказ Сталина, мог ли Жуков возразить?

Давайте считать, что Жуков возразить не мог. Но в этом случае нечего из него лепить героя. В этом случае надо прямо и честно признать: Сталин отдал дурацкий приказ штурмовать Берлин, а Жуков дурацкий приказ выполнил, не возражая и не размышляя над последствиями.

7

И все-таки повезло тем, кто был убит в ходе бестолкового штурма Берлина. Их хоть и без гробов, но похоронили. В Германии земли мало, потому трупы просто так не бросишь среди поля. А у нас на Руси земли много. Потому не каждый из тех, кто был убит на родной земле, в нее попал. Солдата не считали человеком при жизни, так хоть бы мертвого похоронили! Мертвого раба во все времена у всех народов хоронили в земле. Почему наши рабовладельцы своих рабов не хоронят? Почему в полях и лесах кости солдатские валяются через полвека после войны? «Красная звезда» пишет, что в воинских захоронениях погребено более 6 миллионов человек. Читаем мы и радуемся: наши потери на войне были такими скромными. Но давайте вникнем в написанное. Речь идет не обо всех погибших солдатах и офицерах, а только о тех, которые похоронены. А те, которые не похоронены, кто их считал?

Белые солдатские кости на полях былых боев — это стыд и позор России на весь мир и на все времена. Кто же должен был хоронить солдат на войне и после войны? Военные журналисты негодуют: через полвека энтузиасты находят солдатские медальоны, но их содержимое давно уничтожено временем. «Лень, равнодушие, мещанское рассуждение «моя хата с краю...» А ведь тогда солдатские медальоны легко открыли бы свои тайны. Сегодня же они сплошь и рядом молчат. Время — оно даже камень крошит. Не пощадило и хрупких медальонов со вложенными в них «паспортами смерти» («Красная звезда», 9 декабря 1999 г.).

Правильную линию газета гнет! Только было бы неплохо, чтобы назвала «Звездочка» по именам тех военных вельмож, которые после войны проявили лень, равнодушие и мещанское отношение к павшим.

Итак, кто же должен был хоронить погибших? Кто должен был этим делом заниматься? По старой традиции война считается оконченной в тот момент, когда похоронен последний убитый солдат. Если так, то «великая отечественная» будет продолжаться бесконечно. Солдаты еще не похоронены, следовательно, война еще не завершилась. Не рано ли победу праздновать?

Так называемое отечество, призвав в ходе войны под знамена 34 миллиона своих граждан, не позаботилось похоронить мертвых. Через полвека после окончания войны солдатские кости так и валяются в полях, лесах и болотах. Советского Союза, нашего социалистического отечества, больше нет, а о последнем похороненном солдате мы даже и не мечтаем. Их белых косточек в полях — множество.

Родина должна была хоронить своих защитников. Отечество. Правительство. Министерство обороны. Все маршалы и генералы. И Жуков прежде всего. На его совести больше всего загубленных жизней. Он первым и должен был убирать с полей груды солдатских косточек.

Денег не было на похороны? Деньги были. Никто в мире не настроил столько уродливых монументов, сколько их настроили в Советском Союзе. Отчего же миллиарды народных рублей гробили на возведение монументов, но не хоронили убитых солдат? Оттого, что таскаться по лесам и болотам, кости истлевшие искать — дело муторное, да и опасное. Можно на ржавой мине подорваться. А возведение гигантских монументов — дело денежное, прибыльное, престижное.

А ведь должен же был Жуков в бытность главкомом Сухопутных войск или министром обороны заняться захоронением погибших солдат. Следовало бросить армию в районы, где были сражения. Боевая задача: разминирование, сбор боеприпасов и брошенного оружия, поиск и захоронение погибших. Всю армию через это следовало пропустить: формировать поисковые отряды и посылать в районы боев на месяц-другой. И тут же вместо них слать другие отряды. И это — жизнь в полевых условиях. И это — боевая подготовка без упрощений, с настоящим риском для жизни. И это — изучение топографии, развитие навыков ориентирования на незнакомой местности. И это — воспитание характера и патриотизма. И это — сколачивание коллективов. И это — изучение истории войны.

Заодно и косточки собрали бы.

Выступает дочь великого полководца Маргарита Георгиевна и срамит Москву с Питером: в Старом Осколе памятник моему папе поставлен, в Уральске — поставлен, в Нижнем Новгороде — поставлен, в деревне Стрелковке — целый комплекс с монументом и мемориальной избой. А в Москве и в Питере — позорище! — памятник Жукову не удосужились поставить, безобразие какое!

Услышали руководящие товарищи крик души, мигом в Москве памятник Жукову слепили. Надо бы еще в Питере. В Волгограде. На Прохоровском поле. В Киеве. В Варшаве. В Берлине. В Потсдаме. В Вюнсдорфе. В Одессе. И далее — везде.

Все это прекрасно. Только, по моему разумению, следовало сначала похоронить миллионы солдат, а уж потом расставлять памятники тому, кто своим гениальным руководством загнал их в смерть, но не позаботился распорядиться, чтобы кости зарыли.

ГЛАВА 20

ПРАВАЯ РУКА

Серов приказал мне все лучшие золотые вещи передавать ему непосредственно. Выполняя это указание, я разновременно передал в аппарат Серова в изделиях примерно 30 килограммов золота... Помимо меня, много золотых вещей давали Серову и другие начальники секторов.

Генерал-майор А.М. Сиднев.
Показания на допросе 6 февраля 1948 г.

1

22 июня 1957 года Жуков совершил государственный переворот. К этому перевороту мы вернемся в следующий раз. Сейчас у нас другая тема. Главной силой государственного переворота был Жуков. Вторым в этом деле по величине и значению был Иван Серов.

Если Жуков совершал государственный переворот, опираясь на этого человека, значит, верил ему безгранично. Чтобы оценить Жукова, давайте внимательно посмотрим на Серова. Ведь давно и правильно сказано: скажи, кто твой друг... Посмотрим же на Ивана Серова, ближайшего соратника и друга величайшего полководца XX века. Серов интересен, кроме всего прочего, еще и вот с какой стороны. Жуков решительно и стремительно шел к абсолютной власти в стране. Если бы он ее взял, то вторым человеком в государстве оказался бы Серов. То, что нас ждало в случае захвата власти Жуковым, мы уже можем себе представить. Серов эту картину делает ярче.

2

Серов Иван Александрович. Год рождения 1905. Русский. Из крестьян Вологодской области. Так записано в документах. На самом деле Ваня Серов — сын надсмотрщика Вологодской тюрьмы. Ничего плохого в этом нет, однако в 1917 году власть в стране захватили уголовные преступники. Тюремщиков они не любили. Новые правители превратили всю страну и прилегающие территории в одну большую зону, сплошь оплетенную колючей проволокой. Они сами стали тюремщиками своего народа. А тюремщиков предшествующего режима они ловили, сажали и убивали. Детям тюремщиков предшествующего режима рассчитывать на блестящую карьеру не приходилось. Все пути перед ними были закрыты.

Надсмотрщик Вологодской тюрьмы А. Серов скрылся от расправы в неизвестном направлении, а его сын Ваня записался в крестьянское сословие. Политическую карьеру Иван Серов начал рано. И начал ее с обмана, объявив себя потомственным землепашцем. В 18 лет Ваня Серов — заведующий избой-читальней уездного политпросвета. В те времена эта должность официально именовалась избач. Мужики землю пашут, а Ваня книжки выдает. Ни одно государство в мире не может себе позволить такой роскоши: в каждой деревне огромной страны сидит молодой бездельник и выдает книжки про то, как в будущем все будут счастливы и равны. Такое позволяли себе только большевики. Возражают: так они же ликвидировали неграмотность, они несли в народ свет знаний! По этому вопросу товарищ Ленин высказался вполне определенно: «Ликвидировать безграмотность следует лишь для того, чтобы каждый крестьянин, каждый рабочий мог самостоятельно, без чужой помощи читать наши декреты, воззвания. Цель — вполне практическая. Только и всего» (Ю.П. Анненков. Дневники моих встреч. Цикл трагедий. М., 1991. Т. 2. С. 270).

Гитлер Ленина не читал, но он был ленинцем. Каждый желающий может найти у Гитлера такую же точно цитату, почти слово в слово. Разница в том, что Гитлер намеревался вводить такую «грамотность» на оккупированных территориях, а Ленин — на своей собственной.

Но вернемся к Ване Серову. Он рано понял, что лучше пропагандировать ударный труд, чем вкалывать самому. Через четыре месяца работы на ниве политического просвещения трудящихся — первое и весьма резкое повышение. Ваня Серов — председатель сельсовета. В августе 1925 года поступает в военное училище и в августе 1928-го его заканчивает. Потом за шесть лет проходит должности от командира огневого взвода до исполняющего обязанности начальника штаба артиллерийского полка. В январе 1935 года поступает в Военно-инженерную академию. В 1936 году переведен в Военную академию имени Фрунзе. Оканчивает ее в январе 1939 года. Это момент, когда завершается Великая сталинская чистка. В НКВД — переливание крови. Чекистов ежовского призыва товарищ Сталин бросил под трамвай истории. На их место — молодые выдвиженцы: офицеры из армии, партийные вожаки, растущие комсомольские вожди, передовые пролетарии, которых пропаганда называла рабочими от станка. В народе их звали рабочими из-под станка.

Среди мобилизованных на службу в НКВД оказался и майор Ваня Серов. Его карьера — почти вертикальный взлет. 9 февраля 1939 года Серов становится заместителем начальника Главного управления Рабоче-крестьянской милиции НКВД СССР. Через 9 дней — повышение. Серов — начальник этого Главного управления. Одновременно получает новое звание — майор государственной безопасности. Один ромб на петлицы, что в то время соответствовало армейскому комбригу.

Через пять месяцев — снова повышение в должности: Серов — заместитель начальника самого страшного чекистского органа — ГУГБ НКВД СССР.

1 сентября — начало Второй мировой войны. 2 сентября Серов становится шефом НКВД Украины. 4 сентября получает звание комиссара государственной безопасности 3 ранга. В Киеве Серов впервые встречает Хрущева Никиту Сергеевича. В 1937 году Хрущев был первым секретарем Московского городского комитета партии. К массовым расстрелам людей он имел самое прямое отношение. Он член так называемой московской «тройки», которая без суда и следствия выносила смертные приговоры тысячам людей. С января 1938 года Хрущев — первый секретарь ЦК КП Украины. Украину он чистил с таким же рвением, как и Москву. Все партийные секретари, от райкомов и выше, лично выносили и подписывали смертные приговоры. Потом, правда, и сами попадали под тот же карающий пролетарский топор. Но два секретаря республиканских компартий под топор Великого сталинского очищения не попали, ибо старались лучше других. Имена этих двух стахановцев террора: Берия — в Закавказье, Хрущев — в Киеве. В момент, когда Серов встретил Хрущева, тот уже был залит человеческой кровью по самую лысину.

17 сентября 1939 года Советский Союз вступает во Вторую мировую войну на стороне Гитлера. Вслед за Красной Армией на «освобожденные» земли Польши пришли наши доблестные чекисты с горячими головами и холодными сердцами. Все, что они сотворили во Львове и Станиславе, в Ровно и Луцке, в Ковеле и Залещиках, делалось по приказу и под контролем Никиты Хрущева и молодого чекиста Вани Серова, которому тогда еще не исполнилось и 35 лет. Все содеянное — на их чистой коммунистической совести: и депортации, и концлагеря, и коллективизация. Расстрел польских офицеров в Харькове — тоже дело мозолистых рук Вани Серова.

26 апреля 1940 года Иван Серов получает свой первый орден. И это не что-нибудь, а высшая государственная награда Родины — орден Ленина. Интересно сопоставить данную дату с некоторыми трагическими страницами польской истории: с одной стороны, расстрел пленных польских офицеров, в том числе и на подконтрольной Серову Украине, с другой — высшая награда Родины этому самому Серову.

Интересно отметить еще одно совпадение. Начальник Управления по делам военнопленных и интернированных капитан ГБ Сопруненко Петр Карпович, который непосредственно руководил отправкой из лагерей и расстрелом пленных польских офицеров, именно в этот день, 26 апреля 1940 года, тоже получил свой первый орден (Н.В. Петров, К.В. Сорокин. Кто руководил НКВД. 1934—1941. М., 1999. С. 381, 389). Серов и Сопруненко — в одном списке награжденных. И в этом списке — только палачи и каратели. Разница в том, что капитану ГБ Сопруненко — самую низшую по рангу награду, самый скромный орденок «Знак Почета» (в народе — «Веселые ребята»), а главе НКВД Украины комиссару ГБ 3 ранга Серову — высшую государственную награду. Заслуги Серова в деле расстрела польских офицеров оценены по высшему баллу. А Сопруненко — по низшему.

3

В июне 1940 года в Киев прибывает Жуков Георгий Константинович. И вот в столице Украины сложился дружный триумвират: первый секретарь ЦК КП Украины товарищ Хрущев, глава НКВД товарищ Серов и командующий войсками Киевского особого военного округа товарищ Жуков. Они понравились друг другу. Жукова всегда тянуло к тем, кто льет народную кровь без сожаления. Он сам был таким. Жуков оказался среди своих. Они понимали друг друга и уважали: забрызганный кровью Хрущев, успешно догоняющий Хрущева Серов и наш дорогой Георгий Константинович Жуков, который к этому времени успел в Монголии лично вынести без суда немало смертных приговоров.

Их жизненные пути будут расходиться. Но не надолго. Где бы эти мушкетеры ни находились, они будут помнить друг друга и всячески друг другу помогать. Дворцовый переворот 22 июня 1957 года они совершат втроем.

4

На 1941 год Сталин готовил сокрушение Европы. С этой целью 3 февраля 1941 года чекистское ведомство НКВД было разделено на два независимых наркомата: НКВД (товарищ Берия) и НКГБ (товарищ Меркулов). Смысл разделения состоял в том, что НКВД выполнял множество функций как на территории Советского Союза, так и за рубежом. От тотальной слежки за всеми до уничтожения миллионов своих граждан. От добычи золота до строительства железных дорог. От хранения всех архивов государства до охраны государственных границ. От регистрации браков до охраны живого Сталина и мертвого Ленина. От учета новорожденных до тушения пожаров. От шпионажа за рубежом до строительства крупнейших в мире гидроэлектростанций. От производства алюминия до содержания гостиниц для иностранцев. От посадки лесов до лесоповала. От создания и испытаний пикирующих бомбардировщиков до обучения иностранных коммунистов подрывному делу. От регулирования уличного движения до уничтожения политических противников за рубежом. А тут еще планировался освободительный поход на Варшаву, Будапешт, Бухарест, Берлин, Вену, Париж, Мадрид. Планировалось присоединение к Советскому Союзу миллионов квадратных километров новых территорий, советизация больших и малых европейских государств, очищение многомиллионных масс от нежелательного элемента. Обязанностей набиралось слишком много, потому НКВД пришлось разделить на две части.

Новый НКВД сохранил многие прежние структуры, которые были в основном ориентированы на решение задач внутри страны: милиция, пограничные войска, ГУЛАГ, строительство важнейших объектов промышленности и транспорта и пр. и пр.

А на НКГБ возлагалась ключевая роль в грядущей войне, которая планировалась «на вражьей земле». Функции НКГБ: ведение разведки за рубежом, контроль за многомиллионными массами людей в районах боевых действий и на «освобожденных территориях», изоляция и истребление нежелательных лиц и целых слоев населения на вновь присоединенных территориях Советского Союза. На НКГБ была также возложена задача охраны советских вождей, как гражданских, так и военных, а заодно — и контроль за их примерным поведением.

К началу 1941 года Иван Серов уже успел проявить себя во всем своем кровавом величии. Опыт очищения «вражьей земли» от нежелательных сословий и классов и превращения «освобожденных земель» в советские республики у него был коротким, но богатым. Он успел набить руку на расстрелах. В характеристику Серова вписаны слова, которым позавидовал бы любой. Как мы помним, у Жукова в характеристике записано: твердый член партии. У Серова лучше: несгибаемый член партии.

Заслуги Серова и его опыт были оценены по достоинству — 25 февраля 1941 года его назначают первым заместителем наркома государственной безопасности СССР (НКГБ).

Однако Гитлер спутал все карты. Гитлер напал первым и сорвал грандиозные планы освобождения Европы.

Присоединение новых земель и их советизация были отодвинуты на лучшие времена. В оборонительной войне на своей земле два чекистских ведомства были не нужны. В первые дни войны было не до структурных изменений, но уже 20 июля 1941 года НКВД и НКГБ были снова слиты в единый НКВД.

Иван Серов получает должность заместителя наркома внутренних дел, т. е. заместителя Лаврентия Берии. В этой должности он был до конца войны и после нее.

5

Война снова свела Жукова и Серова.

11 октября 1941 года Жуков назначен командующим Западным фронтом. 13 октября в помощь Жукову назначают Серова. Жуков и Серов действуют рука об руку. Добры молодцы Вани Серова занимали рубежи позади боевых подразделений Красной Армии и подбадривали их пулеметным огнем в затылок, поднимая стойкость в обороне и напористость в контратаках.

Снова Жуков и Серов встретились в конце войны. Жуков — командующий 1-м Белорусским фронтом. Генерал-полковник Серов — уполномоченный НКВД по 1-му Белорусскому фронту. Одновременно Серов все так же остается заместителем товарища Берии. Кроме того, Серов — советник НКВД СССР при Министерстве общественной безопасности Польши. Он передавал польским товарищам свой бесценный опыт стрельбы в затылок.

В начале 90-х годов после освобождения Польши от коммунизма людям стали возвращать то, что было у них отнято. Некая пожилая женщина получила свой особняк, который в 1944 году был конфискован освободителями на нужды НКВД. В этом особняке жил товарищ Серов. Потом там обитали другие товарищи, изрядно все переломали и загадили. Подвалы завалили всяким хламом. И все это хозяйке пришлось расчищать, словно археологу разгребать обломки и снимать культурные слои. Разгребла она свой подвал и обнаружила... маленькую частную тюрьму с решетками, запорами, тяжелыми стальными дверями и всем остальным, что тюрьме полагается. На стенах, как принято во всех тюрьмах мира, заключенные царапали надписи. Этими надписями занималась польская прокуратура, журналисты и историки. Выяснилось: тюрьма действовала во время, когда в этом особняке жил освободитель Польши товарищ Серов. В Польше тюрем всегда хватало. В дополнение ко всему, что было построено во все предыдущие времена, гитлеровцы за время Второй мировой войны возвели в Польше достаточное количество концлагерей. Все это хозяйство перешло под контроль НКВД и их местных товарищей. Казалось бы, на всех должно хватить. Зачем еще одну совсем крошечную тюрьму оборудовать? Оказалось, что это была, так сказать, личная тюрьма товарища Серова. Утомившись на работе от расстрелов и пыток, он возвращался в свой уютный домик и тут отдыхал душой и телом в камере пыток, но уже не в служебной, а в своей, домашней.

Как после того не верить генетическим теориям? Сын тюремщика Ваня Серов явно унаследовал гены родителя.

Вот кое-что еще о лучшем друге Жукова: «Причастен к расстрелам польских офицеров в Катыни и массовым депортациям «враждебных элементов» из Западной Украины... В январе — июне 1945 года Серов являлся заместителем командующего 1-м Белорусским фронтом и уполномоченным НКВД на фронте. Широко практиковал казни заложников... Находясь в Германии, награбил огромное количество ценностей, которые вагонами отправлял в Москву» (К.А. Залесский. Империя Сталина. Биографический энциклопедический словарь. М., Вече, 2000. С. 411). Между тем взятие заложников запрещено Гаагской конвенцией 1907 года, а Международный военный трибунал в Нюрнберге признал захват заложников тягчайшим военным преступлением. 1-м Украинским фронтом командовал почти святой Георгий, а его заместитель и лучший друг особой праведностью не отличался.

У полководца Серова — грудь в орденах. Я к орденам неравнодушен, страстный собиратель как орденов, так и сведений о том, когда, кого, за что и чем награждали. В расцвет своей карьеры генерал армии Серов помимо Золотой Звезды Героя Советского Союза имел шесть орденов Ленина, четыре ордена Красного Знамени, орден Суворова I степени, два ордена Кутузова I степени и польский орден Виртути Милитари IV степени. Чтобы не рассказывать о каждом ордене на груди полководца Серова, отметим только границы диапазона. Мы помним, за что получен первый орден — за расстрел польских офицеров. Последний — орден Кутузова I степени — Серов получил 18 декабря 1956 года за то, что топил в крови народную революцию в Венгрии. Все остальные ордена — в рамках этого диапазона.

Серов легко набирал ордена, но так же легко они с него и сыпались. Полководческим орденом Суворова I степени Серов был награжден в 1944 году за выселение народов Кавказа. В 1959 году акция была признана незаконной, орден приказали вернуть. В 1963 году Хрущев понизил Серова в воинском звании с генерала армии до генерал-майора. От четырех генеральских звезд осталась только одна. Кроме того, Хрущев снял с Серова звание Героя Советского Союза и один орден Ленина. В 1995 году указом Президента Польской Республики Л. Валенсы Серов был лишен и польского ордена.

Но интересно бы посмотреть, кто и за что дал Серову Золотую Звезду Героя Советского Союза, которая в конце концов была признана выданной незаконно. В верхних эшелонах НКВД Героем Советского Союза был только Серов. Берия Лаврентий Павлович, несмотря на все свои кровавые заслуги, Героем Советского Союза не был.

Звание Героя Советского Союза с Золотой Звездой и орденом Ленина своему верному другу Серову выхлопотал Жуков. Система награждения орденами была весьма простой. Наградной отдел штаба фронта писал список отличившихся: Иванов, Петров, Серов достойны такихто наград. Список подписывал Командующий фронтом и член Военного совета. В нашем случае — Маршал Советского Союза Жуков и генерал-лейтенант Телегин. Список отправляли в Москву. Из Москвы приходил указ о присвоении званий и награждении орденами. Подписал Жуков представление на 28 панфиловцев, и они стали героями. Подписал на Серова — и пробки в потолок! Ты мне, я тебе.

Звание Героя Советского Союза было присвоено Серову 29 мая 1945 года. Это было неожиданно и непонятно. Чекист на высших руководящих постах мог отличиться только в массовом уничтожении людей, никакого другого героизма он проявить не мог просто по своему положению. Не было на Лубянке места для подвигов. Но за массовое уничтожение людей звания Героя Советского Союза не получили ни Ягода, ни Берия, ни «чахоточный Вельзевул» Коля Ежов. Немедленно в войсках, в органах НКВД и СМЕРШ распространились слухи о том, что Серов получил Героя Советского Союза незаслуженно, что сделано это Жуковым для того, чтобы приблизить Серова к себе. Слухи были упорными и устойчивыми. Генерал-лейтенант Вадис Александр Анатольевич, который до 27 июня 1945 года занимал должность начальника Управления контрразведки СМЕРШ Группы советских оккупационных войск в Германии, об этих настроениях докладывал в Москву. Генерал-лейтенант жестоко поплатился за такие доклады. Жуков и Серов отомстили ему сполна. А ведь генерал Вадис докладывал только то, о чем говорили все.

6

Борец за коммунизм и всеобщее равенство людей Герой Советского Союза генерал-полковник Иван Серов в Германии был заместителем Жукова.

Должность Жукова официально именовалась — главнокомандующий Группой советских оккупационных войск в Германии и главноначальствующий Советской военной администрации по управлению Советской зоной оккупации Германии (Маршалы Советского Союза. М., 1996. С. 36).

Должность Серова — заместитель главнокомандующего по делам гражданской администрации.

Зона советской оккупации Германии была разделена на сектора МВД. Сектором МВД в Берлине командовал генерал-майор Сиднев Алексей Матвеевич, 1907 года рождения. В 1947 году он был переведен из Германии на должность министра государственной безопасности Татарской АССР. В 1948 году арестован. Протокол допроса от 6 февраля 1948 года проливает свет на то, что творилось в Восточной Германии, которой управляли Жуков и Серов. Протокол опубликован в журнале «Военные архивы России» (1993. № 1. С. 97).

Я привожу отрывки из протокола.

«СИДНЕВ: Частями Советской Армии, овладевшими Берлином, были захвачены большие трофеи. В разных частях города то и дело обнаруживались хранилища золотых вещей, серебра, бриллиантов и других ценностей. Одновременно было найдено несколько огромных хранилищ, в которых находились дорогостоящие меха, шубы, разные сорта материи, лучшее белье и много другого имущества. О таких вещах, как столовые приборы и сервизы, я уж не говорю, их было бесчисленное множество. Эти ценности и товары различными лицами разворовывались. Должен прямо сказать, что я принадлежал к тем немногим руководящим работникам, в руках которых находились все возможности к тому, чтобы немедленно организовать охрану и учет всего ценного, что было захвачено советскими войсками на территории Германии. Однако никаких мер по предотвращению грабежа я не предпринял и считаю себя в этом виновным... Должен сказать, что, отправляя на свою квартиру в Ленинград это незаконно приобретенное имущество, я, конечно, прихватил немного лишнего.

СЛЕДОВАТЕЛЬ: Обыском на вашей квартире в Ленинграде обнаружено около сотни золотых и платиновых изделий, тысячи метров шерстяной и шелковой ткани. Около 50 дорогостоящих ковров, большое количество хрусталя, фарфора и другого добра. Это, по-вашему, «немного лишнего»?.. Вам предъявляются фотоснимки изъятых у вас при обыске 5 уникальных большой ценности гобеленов работы фламандских и французских мастеров XVII и XVIII веков. Где вы утащили эти гобелены?

СИДНЕВ: Гобелены были обнаружены в подвалах германского Рейхсбанка, куда их сдали во время войны на хранение какие-то немецкие богачи. Увидев их, я приказал коменданту Аксенову отправить их ко мне на ленинградскую квартиру.

СЛЕДОВАТЕЛЬ: Но этим гобеленам место только в музее. Зачем же они вам понадобились?

СИДНЕВ: По совести сказать, я даже не задумывался над тем, что ворую. Подвернулись эти гобелены мне под руку, я их и забрал... Я брал себе наиболее ценное, но что еще было мною присвоено, я сейчас не помню.

СЛЕДОВАТЕЛЬ: Мы вам напомним. Дамскую сумочку, сделанную из чистого золота, вы где взяли?

СИДНЕВ: Точно не помню, где я прихватил эту сумку. Думаю, что она была взята мною или женой в подвале Рейхсбанка.

СЛЕДОВАТЕЛЬ: А три золотых браслета с бриллиантами вы где «прихватили»?.. 15 золотых часов, 42 золотых кулона, колье, брошей, серег, цепочек, 15 золотых колец и другие золотые вещи, изъятые у вас при обыске, где вы украли?

СИДНЕВ: Так же как и золотые браслеты, я похитил эти ценности в немецких хранилищах.

СЛЕДОВАТЕЛЬ: 3Шестьсот серебряных ложек, вилок и других столовых предметов вы тоже украли?

СИДНЕВ: Да, украл.

СЛЕДОВАТЕЛЬ: 3Можно подумать, что к вам ходили сотни гостей. Зачем вы наворовали столько столовых приборов?

СИДНЕВ: На этот вопрос я затрудняюсь ответить.

СЛЕДОВАТЕЛЬ: 32 дорогостоящих меховых изделия, 178 меховых шкурок, 1500 метров высококачественных шерстяных, шелковых, бархатных тканей и других материалов, 405 пар дамских чулок, 78 пар обуви, 296 предметов одежды — все это лишь часть изъятых у вас вещей... Как вы стали мародером?

СИДНЕВ: В 1944 году, являясь заместителем начальника управления «Смерш» 1-го Украинского фронта, я на территории Польши встретился с Серовым, являвшимся в то время Уполномоченным НКВД по указанному фронту. Под его руководством я работал в Польше, а затем, когда советские войска захватили Берлин, Серов добился моего перевода на работу в НКВД и назначил начальником берлинского оперсектора. На этой работе Серов приблизил меня к себе, я стал часто бывать у него, и с этого времени началось мое грехопадение... Вряд ли найдется такой человек, который был в Германии и не знал бы, что Серов является, по сути дела, главным воротилой по части присвоения награбленного. Самолет Серова постоянно курсировал между Берлином и Москвой, доставляя без досмотра на границе всякое ценное имущество, меха, ковры, картины для Серова. С таким же грузом в Москву Серов отправлял вагоны и автомашины... При занятии Берлина одной из моих оперативных групп в Рейхсбанке было обнаружено более 40 миллионов немецких марок. Примерно столько же миллионов марок было изъято нами и в других хранилищах в районе Митте (Берлин). Все эти деньги были перевезены в подвал здания, в котором размещался берлинский оперативный сектор МВД...

СЛЕДОВАТЕЛЬ: Сколько же всего там находилось денег?

СИДНЕВ: В подвалах находилось около 100 мешков, в которых было более 80 миллионов марок... Хранение такого количества денег, конечно, было незаконным, но сделано это было по указанию Серова... Серов раздавал ежеквартально каждому начальнику оперативного сектора так называемые безотчетные суммы... Таким путем каждый из начальников оперативных секторов получил из моего подвала по несколько миллионов рейхсмарок.

СЛЕДОВАТЕЛЬ: Вам известно, где сейчас находятся все записи по расходованию немецких марок?

СИДНЕВ: ...Папки с отчетными материалами об израсходованных немецких марках, собранные со всех секторов, в том числе и записи на выданные мною деньги, были по указанию Серова сожжены...

СЛЕДОВАТЕЛЬ: А куда вы девали отчетность об изъятом золоте и других ценностях, находившихся у вас?

СИДНЕВ: Эта отчетность так же, как и отчетность по немецким маркам, была передана в аппарат Серова и там сожжена...

СЛЕДОВАТЕЛЬ: Не отделывайтесь общими фразами, а говорите, что вам известно о расхищении Серовым золота?..

СИДНЕВ: Являясь к Серову с докладом об изъятых ценностях, я приносил ему для просмотра наиболее дорогие образцы золотых изделий и бриллиантов. Серов в таких случаях долго вертел ценности в руках, любовался ими. А затем часть из них оставлял у себя... Бежанов, как мне известно, работая начальником оперативного сектора МВД в Тюрингии, жил как помещик, свез себе в дом большое количество ценного имущества, принадлежавшего богачам Тюрингии, пустил в ход пивоваренный завод какого-то крупного эсэсовца и пользовался прибылями этого завода. Клепов, так же как и Бежанов, организовал в Германии для себя барское житье... Серов где-то отыскал немецкого техника, который специально разработал конструкцию радиол и составил чертежи, а Серов лично корректировал их. Дерево для изготовления радиол было содрано со стен кабинета Гитлера в имперской канцелярии... Одну из радиол Серов подарил Жукову... Серов относился ко мне покровительственно. Кроме того, я у него был на хорошем счету, как энергичный работник... Серов много времени проводил в компании маршала Жукова, с которым был тесно связан. Оба они были одинаково нечистоплотны и покрывали друг друга...»

7

Я привел совсем немного из огромного протокола. В дополнение надо сказать, что в то время легковая машина среднего класса стоила в Германии тысячу марок. Под конец войны министр вооружений Германии получал в месяц 6 тысяч марок. Из захваченных Серовым 80 миллионов марок через год осталось только 3 миллиона, но и эти оставшиеся миллионы были отданы Серову. О, эти чистые руки чекиста! И еще деталь: лучший друг гениального Жукова Ваня Серов жил в резиденции Геббельса.

Сведения о повадках Серова и его подчиненных никогда никем не опровергались.

Сталин видел, что в ходе войны армейские генералы и генералы НКВД сближаются, находят общий язык. Для Сталина это единение было смертельным. Он это понимал. Потому разделял и властвовал. В ходе войны Сталин вновь разделил НКВД на части. Сталин выделил из НКВД военную контрразведку СМЕРШ и подчинил ее лично себе. Затем Сталин параллельно НКВД (МВД) воссоздал

МГБ. Во главе МГБ он поставил генерал-полковника Абакумова Виктора Семеновича. Оставалось только стравить МВД (Берия, Серов) и МГБ (Абакумов).

И Сталин стравливал.

Люди Абакумова раскручивали дела против армейских генералов и маршалов и против генералов МВД. Под их зоркий взгляд попали дела и деяния Жукова, Берии, Серова, Телегина, Сиднева, Крюкова и многих других. Но Берия и Серов сумели вывернуться. Они нанесли упреждающий удар. Берия и Серов сообщили Сталину такое, что все показания против них так и остались лежать в архивах. Воровство золота, бриллиантов, миллионов марок — все это мелочь. Серов остался на свободе, а 4 июля 1951 года глава МГБ генерал-полковник Абакумов, который копал под Серова и Жукова, был снят со всех должностей. Он погулял неделю без работы, гадая, на какую должность его назначат... 12 июля он был арестован. Теперь уже люди Берии и Серова проводили обыски и допросы. Теперь сам Абакумов и его люди держали ответ. Следователи и подследственные поменялись местами, но содержание протоколов допросов не изменилось. У Абакумова тоже нашли и золото, и бриллианты, и картины, и гобелены... Понятно, не за золото и бриллианты он был арестован. Были куда более серьезные причины.

Однако было и все это: браслеты, кольца, серьги, кулоны... Больше всего в перечне изъятых у Абакумова награбленных ценностей меня поразил чемодан подтяжек. Анатолий Кузнецов в своей потрясающей книге «Бабий яр» рассказывает про 1939 год. «Состоялась расчудесная война с Польшей. Гитлер с запада, мы с востока — и Польши нет. Конечно, для отвода глаз мы назвали это «освобождением Западной Украины и Белоруссии» и развесили плакаты, где какой-то оборванный хлоп обнимает мужественного красноармейца-освободителя. Но так принято. Тот, кто нападает, всегда — освободитель от чего-нибудь.

Папа Жорика Гороховского был мобилизован, ходил на эту войну и однажды по пьянке рассказал, как их там в самом деле встречали. Прежде всего, они там, от самого большого командира до последнего ездового, накинулись на магазины с тканями, обувью и стали набивать мешки и чемоданы. Господи, чего только не навезли наши бравые воины из Польши. Один политрук привез чемодан лакированных ботинок, но они вдруг стали расползаться после первых шагов. Оказалось, что он схватил декоративную обувь для покойников, сшитую на живую нитку. А Жоркин папа привез даже кучу велосипедных звонков. Мы носились с ними, звякали и веселились:

— Польше каюк!

Буржуйским Литве, Латвии, Эстонии был каюк. У Румынии взяли и отобрали Бессарабию. Хорошо быть сильным».

Наши освободители хватали кто что мог. Если у человека есть велосипед, то на нем есть и звонок. Если велосипеда нет, звонок не нужен. Если велосипед есть, то можно привезти из освободительного похода один запасной звонок. Но зачем кучу звонков тащить?

У наших гениальных полководцев и мудрых вождей тайного фронта повадки были те же: хватай, что видит глаз! У могущественного шефа МГБ генерал-полковника Абакумова среди хрусталей и фарфоров, среди сверкающих слитков золота и драгоценных каменьев, среди штабелей золотой и серебряной посуды нашли чемодан немецких подтяжек. Зачем ему столько? Не будет же он ими торговать? Да и зачем ему торговать, если у него *неограниченный* доступ к деньгам?

А вот генерал-лейтенант Крюков. Ближайший друг Жукова. У него, помимо бриллиантов, золота, рубинов и сапфиров, обнаружено при обыске 78 оконных шпингалетов, 16 дверных замков, 44 велосипедных насоса.

Если боишься, что один насос поломается, возьми себе десять запасных. Зачем тебе 44?

А вот любимец Жукова генерал-лейтенант Минюк Леонид Федорович. Занимаемая должность — генерал-адъютант Жукова, затем — генерал для особых поручений при маршале Жукове. При аресте у него, помимо серебра и золота, костюмов и тарелок, мраморных статуй и статуэток, ковров и картин, гобеленов и прочего, конфискованы 92 велосипедных насоса.

Все они — Жуков, Серов, Берия, Сиднев, Телегин, Минюк, Абакумов, Крюков — пришли в Европу под знаменем освобождения. Все, что они творили, называлось красивым термином «Освободительная миссия Советской Армии».

Все это мародерство и воровство процветало под сенью Знамени Победы, которое гордо развевалось над поверженным Рейхстагом.

Все они называли себя коммунистами. Они убивали десятки миллионов людей ради всеобщего равенства и тут же пускали в дело эсэсовские пивоваренные заводы и набивали карманы миллионами. Они освобождали мир от Гитлера, Геббельса и Геринга и тут же вселялись в освободившиеся резиденции. Они освобождали мир от коричневой чумы, от гитлеровских концлагерей, но эти концлагеря не пустовали, их тут же включали в систему ГУЛАГа. Все они рассказывали, что скоро наступит такое время, когда на земле победит коммунизм и каждый будет работать по способностям, а получать по потребностям. Кому сколько надо, тот себе столько и возьмет! Великая идея. Но как удовлетворить потребности одного только Серова или одного такого Минюка?

Нам говорят: ах, если бы к власти вместо Хрущева в 1957 году пришел Жуков! А мы спросим: что было бы со страной, если бы к власти действительно пришел Жуков?

Ответить на этот вопрос легко: Жуков привел бы во власть своего ближайшего друга Серова и таких, как он. Эти товарищи устроили бы в подвалах своих дворцов и особняков маленькие уютные частные тюрьмы и пыточные камеры. А еще они бы разворовали страну еще задолго до застоя и перестройки.

ГЛАВА 21

ПОЧЕМУ ЖУКОВ НЕ МОГ НАВЕСТИ ПОРЯДОК В ГЕРМАНИИ

> Ко мне была прислана от Жукова корона, принадлежавшая по всем признакам супруге немецкого кайзера. С этой короны было снято золото для отделки стэка, который Жуков хотел преподнести своей дочери в день ее рождения.
>
> Генерал-майор *А.М. Сиднев.*
> Показания на допросе 6 февраля 1948 г.

1

Завершилась война, Красную Армию следовало решительно и срочно сокращать. Армия была чудовищной: десять фронтов в Европе и три фронта на Дальнем Востоке. В составе каждого фронта — от пяти до двенадцати армий. Летом 1945 года у Сталина была 101 армия: 5 ударных, 6 гвардейских танковых, 18 воздушных, 11 гвардейских общевойсковых и 61 общевойсковая. Кроме фронтов и армий, два десятка военных округов, четыре флота, несколько флотилий, сотни военных училищ, запасных частей и учебных центров, войска НКВД и пр., и пр. Понятно, столько не нужно никому. Столько не прокормить ни одному государству. Потому офицеров увольняли сотнями тысяч, сержантов и солдат — миллионами. Одновременно расформировывались тысячи полков, сотни бригад и дивизий, десятки корпусов и армий, все фронты. При этом вчерашние командующие армиями становились командирами корпусов, командиры корпусов принимали дивизии, а командиры дивизий — бригады и даже полки. Вчерашние командиры полков становились командирами батальонов, а то и вовсе их увольняли из армии. Пробиться в академию было почти невозможно. Военные академии принимали в основном Героев Советского Союза, да и то не всех. Был даже такой термин — «золотой набор». Офицеров, генералов, адмиралов и маршалов после войны было так много, и были они такими молодыми, что перспективы служебного роста в армии практически отсутствовали. Каждого понижали в должности, и каждый знал: до самой пенсии на повышение можно не надеяться, о былых высотах лучше не мечтать.

Понятно: всем было обидно.

2

Волна сокращений коснулась и самого верхнего эшелона. Летом 1945 года в Советском Союзе был один Генералиссимус и 12 Маршалов Советского Союза. Во время войны маршалы командовали фронтами. Война завершена. Фронты расформированы. Куда девать маршалов?

Маршал Советского Союза Берия Лаврентий Павлович в армии никаких должностей не занимал. Он — по другой линии.

Буденный не занимал никакой должности в армии по причине преклонного возраста.

Остается десять маршалов, но Сталину в Москве нужен только один. Ему нужен думающий маршал. Понятно, выбор Сталина падает на Василевского. Василевский — самый талантливый из советских полководцев. Конечно, после Сталина. Василевский — это феноменальная память. Василевский — это неопровержимая логика. Василевский — это главный советник Сталина по военным вопросам на протяжении всей войны. Василевский — генератор гениальных идей.

Жуков на должность главного военного советника Сталина не подходил. Его неспособность к умственному труду была замечена давно. Еще в ноябре 1930 года К.К. Рокоссовский вписал в аттестацию Жукова убийственные слова: «На штабную и преподавательскую работу назначен быть не может — органически ее ненавидит» (ВИЖ. 1990. № 5. С. 22). Штаб — это мозг. Полк без штаба — безмозглый полк. И дивизия тоже. И корпус. И армия. И фронт. В штаб стекаются все сведения о своих войсках, о соседях и вышестоящих инстанциях, о противнике, о снабжении всем необходимым для жизни и боя, о местности, погоде и многом другом. В штабах вся эта информация анализируется, и на основе оценки обстановки принимаются решения. Если в характеристике командира записано, что он ненавидит штабную и преподавательскую работу, то этим сказано: он не привык и не способен думать. Командир, который ненавидит штабную работу, это примерно то же самое, что и шахматист, который любит двигать фигуры, не размышляя. Это следователь, который не способен сопоставить факты и выстроить улики в логическую цепь, зато зело горазд вышибать зубы и ломать ребра. Это хирург, который с удовольствием отрезает всякие штуки в животе пациента, не вникая, зачем это нужно. Это грозный директор атомной электростанции, который на всех орет и всем грозит, но ничего не понимает в мудреных схемах и формулах.

О том, что Жуков никогда не был и не мог быть военным советником Сталина, говорит простой факт: «теоретического наследия Жукова» не существует. За 43 года службы в армии «крупнейший военный мыслитель» не написал ни единой строчки, которую можно было бы отнести к разряду теоретических изысканий.

Из 43 лет службы в армии его суммарный опыт службы в штабах — полгода. Жуков был начальником Генерального штаба с января 1941 года. Под его водительством шла подготовка к войне. Жуковская деятельность на этом посту обернулась для нашего народа самым страшным поражением и самыми тяжкими жертвами во всей мировой истории. Понятно, мыслитель такого масштаба Сталину в Москве был не нужен.

Сталин выбрал себе в помощники Василевского. Выбор правильный. Осталось пристроить девять других маршалов. А в Москве с трудоустройством туго.

3

У Сталина было только одно решение, единственное — отправить девять маршалов командовать военными округами Советского Союза и покоренными государствами Европы.

Рокоссовского Сталин отправил в Польшу.

Ворошилова — в Венгрию.

Толбухина — в Болгарию. Затем Толбухин командовал Закавказским военным округом.

Конев — в Австрии. Потом Конев, пройдя ряд должностей, командовал Прикарпатским военным округом.

Говоров — Ленинградским.

Тимошенко командовал последовательно Барановичским, Белорусским, Южно-Уральским и снова Белорусским округами аж до 1960 года.

Мерецков последовательно командовал Приморским, Московским, Беломорским и Северным военными округами.

Малиновский — Забайкальским, затем Дальневосточным.

Жукова Сталин поставил на самую главную покоренную страну — на Германию: наводи порядок!

Как всегда, Жуков с выполнением своих обязанностей не справился. Требовалось прекратить безобразия в войсках, а Жуков не умел. Проблема заключалась в том, что советский солдат-освободитель в Германии считал своим правом и долгом делать все, что ему нравится, приговаривая при этом «я мщу».

Наши солдаты действительно мстили немцам за все, что те сотворили в Советском Союзе. Поведение советского солдата в Германии после войны — это излияние ярости благородной. Однако не забудем нюансы. В 1945 году солдаты и офицеры Красной Армии вели себя в Берлине и в других немецких городах так, как вели себя во Львове в 1939 году, в Риге, Вильнюсе, Таллине, Каунасе — в 1940 году. Наши освободители в Польше грабили, убивали, насиловали. Под прикрытием Красной Армии наши компетентные органы вели войну на истребление самых смелых, самых талантливых, самых сильных и толковых людей в оккупированных странах. Кому и за что они мстили в «освобожденной» Польше в 1939 году? В1940 году разграблению и национальному унижению были подвергнуты Эстония, Литва, Латвия, Буковина, Бессарабия. Наши в оккупированных странах вели себя никак не лучше, чем гитлеровцы. И если гитлеровцы потом погуляли по нашей земле, то не пора ли задать вопрос: откуда они взялись? Не пора ли вспомнить, кто привел Гитлера к власти? Не пора ли дать ответ на вопрос: кто и зачем готовил немецких танкистов в Казани, летчиков — в Липецке, артиллеристов и химиков — в Саратове? После Первой мировой войны разгромленная Германия потеряла право иметь подводные лодки, бомбардировщики, танки, тяжелую артиллерию. Кто и зачем разрешил немецким конструкторам проектировать танки и подводные лодки в Ленинграде? Кто пустил конструкторов фирмы «Юнкерс» в Фили?

Да, гитлеровцы совершили в нашей стране чудовищные злодеяния. Но если бы Сталин не привел Гитлера к власти, если бы не подготовил немецких конструкторов, танкистов и летчиков к великим завоеваниям, то и не было бы никаких завоеваний и не было бы злодеяний на нашей земле. Если бы немецкие химики в 20-х и 30-х годах не имели возможности проводить свои эксперименты на советских секретных полигонах в Поволжье, то, кто знает, может быть, и до газовых камер дело не дошло бы.

Но, может быть, наш народ не виноват в развязывании Второй мировой войны? Может быть, наш народ просто не знал, что коммунисты стремятся к мировому господству? Может быть, народ не знал, что в Москве действует Коминтерн — штаб Мировой революции? Может быть, народ не знал, что Сталин готовит Германию к войне? Может быть, и не знал.

Но в этом и состоит преступление народа. Народ обязан знать власть, которая им правит. Народ обязан направлять власть и контролировать ее. Народ обязан бороться с властью, если власть совершает преступления. В противном случае народ превращается в соучастника преступлений. Если народ допустил коммунистов-преступников к власти, значит, народ должен отвечать за все их преступления.

Сначала наш народ под мудрым руководством Коммунистической партии вырастил фашистского зверя, а потом мстит за то, что зверь нас искусал до полусмерти.

4

На завершающем этапе войны и сразу после ее завершения всем (кроме немцев) разграбление Германии нравилось. Александр Твардовский в знаменитой поэме «Василий Теркин» со смаком описал грабеж. Помните:

> По дороге на Берлин
> Вьется серый пух перин...

Правда, у Твардовского грабеж благородный. Увидели освободители русскую бабушку в Германии и решили трофеями поделиться:

> В путь-дорогу чайник с кружкой
> Да ведерко про запас,
> Да перинку, да подушку,
> Немцу в тягость, нам как раз...

> — Ни к чему. Куда, родные?
> А ребята — нужды нет —
> Волокут часы стенные
> И ведут велосипед.

В действительности же ребята не всегда волокли часы стенные в пользу бедной бабушки. Иногда они и себя не забывали.

Однако весьма скоро было замечено, что мародерство Красной Армии вредит. Мародерство терпели и поощряли, пока шла война. Но война завершилась, а грабежи продолжались. Но вовсе не зря во всех армиях мира мародеров убивают на месте. Тысячи лет назад было замечено, что армия, зараженная мародерством, воевать не способна. Там, где появились мародеры, немедленно падает дисциплина. Командир для мародера — это тот, кто мешает заниматься полюбившимся делом. Солдат-мародер, получив без труда определенные ценности, вдруг понимает, что награбленным добром можно откупиться от нарядов и караулов, от тяжелой работы, от боев, от войны. Там, где мародеры, немедленно возникает подкуп вышестоящих. К командирам ручейками стекаются ценности, которые они в свою очередь используют для подкупа тех, кто стоит еще выше. Как только одни начинают откупаться от тяжелой и опасной работы, от боев и сражений, так немедленно среди остальных возникают недовольство и ропот. Там, где появились мародеры, там неизбежно и мгновенно появляются барыги — скупщики краденого. А там, где барыги, воцаряется этика уголовного мира. Мародерство всегда сопровождается пьянством. Еще бы: вокруг война, а мародер откупился от боев и сражений. У него оружие в руках, а воевать ему не надо, что же ему остается делать? Остается только продолжать грабить, насиловать и пьянствовать. Армия Бонапарта погибла вовсе не от морозов и не от пожаров. Армия бросилась грабить Москву. Никто не выполнял никаких приказов, каждый старался ухватить побольше. Дисциплина рухнула мгновенно. Кстати, по той же причине Бонапарт не попал в плен. Во время бегства французской армии из России отряд донских казаков нарвался прямо на ставку Бонапарта. Казачки увидали множество блестящих предметов и бросились набивать ими свои мешки. Потом все это у них отняли. Потом все это попало в Исторический музей: и вилка, и ложка Бонапарта, и его складная походная кровать, и кувшин, и бритва для бритья. Только сам он ускакал.

Мародерство давили тогда, в 1812 году. Мародерство следовало давить летом 1945 года, ибо оно достигло размаха, которого Европа не видела со времен крушения Римской империи. Следствием насилия и грабежей было не только массовое разложение советских войск, но и недовольство жителей Восточной Германии. Они в массовом порядке уходили в зону оккупации США, Британии и Франции. Восточная Германия пустела на глазах. Проклятые американские империалисты получили блестящий аргумент: люди мира, советские коммунисты открыто заявляют о своем стремлении к мировому господству. Смотрите, люди, что с вами будет, когда они придут!

Картина действительно была невеселая. Мародерство в Красной Армии в Германии мешало товарищу Сталину осуществлять то, что он задумал. Нужно было срочно принимать какие-то меры.

Сталин приказал Жукову навести порядок. А Жукову не хватало твердости характера.

5

Да неужели Жуков не орал? Неужели слюной не брызгал? Неужели ногой не топал, кулаками не стучал?

Все было: орал, слюной брызгал, топал ногами, стучал кулаками. А мародерство процветало. Жуков громовые приказы издавал, срывал погоны и сдирал генеральские лампасы, сажал и расстреливал. Но ситуация никак не улучшалась.

Причина была в том, что главным мародером Красной Армии был сам Жуков. Он воровал картины галереями, мебель — эшелонами, ценные книги — библиотеками, парчу и шелка — километрами, драгоценные камни — килограммами. Я не отказываюсь от своих слов: Жуков обладал стальным характером и непреклонной волей. Однако, когда дело доходило до денег, на величайшего полководца XX века нападала непреодолимая слабость. И побороть ее гениальный стратег не мог. Он греб под себя и остановиться не умел.

В далекую пору офицерской молодости был у меня командир батальона, который на каждом совещании офицеров грозился навести порядок. Свою речь он завершал грозным предупреждением: «Вот брошу пить, доберусь я до вас!»

Если сам командир пьет, то остановить пьянство подчиненных он не может. Если сам командир дерзок на руку, если занимается мордобоем, то своим поведением разрешает подчиненным командирам делать то же самое в отношении нижестоящих. Если сам командир ворует, то не ему упрекать подчиненных в воровстве.

Именно так обстояло дело у Жукова. Он воровал, он грабил Германию и требовал, чтобы грабеж прекратился! А начинать надо было с себя. Надо было окружающим пример подать: сам я намерен остановиться и от вас того же требую.

У Жукова остановиться не получалось. Никак не мог гений совладать с обуявшей жадностью. Пока он сам воровал, мародерство солдат было невозможно остановить. И вот почему.

За Жуковым присматривали. Надсмотрщиком по линии партии был генерал-лейтенант Телегин Константин Федорович. Его работа — следить за политико-моральным состоянием советских воинов, прежде всего за состоянием самого Жукова. Вот ему-то Жуков и сказал: воруй, Константин Федорович, сколько душа требует, я твоего воровства не замечу, а ты, голубчик, закрой глазки и на мои художества внимания не обращай. Точных слов мне слышать не довелось, но результат сговора налицо: Телегин воровал, не замечая жуковского воровства, а Жуков воровал, не замечая телегинского. И жили контролер с подопечным удивительно дружно. Воровал Телегин не только для себя, но и для своих московских начальников, чтобы доклады о воровстве выше их кабинетов не поднимались. К похождениям генерал-лейтенанта Телегина мы вернемся чуть позже.

По линии государственной безопасности за Жуковым присматривал генерал-полковник Серов Иван Александрович. Он — заместитель министра внутренних дел, одновременно заместитель Жукова по делам гражданской администрации в Германии. И ему Жуков сказал: рука руку моет. Не настаиваю, что были произнесены именно эти слова, но Жуков и Серов поняли друг друга. И пошел Серов воровать так, как принято у чекистов, воровать с лубянским размахом. И опять же, не для себя одного брал, но и для московских своих начальников, чтобы клеветническим доносам не верили. И для своих подчиненных Серов брал, чтобы они тех клеветнических доносов не писали. О воровстве Серова мы уже немного знаем.

На этом уровне круг мародеров заметно расширяется. Были и другие товарищи, которых следовало приголубить исходя из нерушимого принципа: не подмажешь — не поедешь. Ведь не сам же Жуков рыскал по подвалам банков и хранилищам ценностей. Не сам грузил эшелоны с добром, не сам их разгружал. В жуковское воровство были вовлечены многие из самого близкого его окружения: от заместителей и помощников до адъютантов и денщиков. Каждый из них, воруя для Жукова, не забывал и себя. Да и Жуков был кровно заинтересован в том, чтобы они себе тоже брали. Их надо к этому делу приобщить, повязать круговой порукой, чтобы не выдали. Но у каждого из жуковских помощников по воровству было свое окружение. И тех тоже нельзя было забывать...

И у Серова было окружение. И Серов не сам эшелоны грузил. И Телегин не сам ящики таскал. А за все платить надо. За проезд. За таможню. Всем надо лапку позолотить.

Рыбка гниет с головы. Жуков увлекает за собой все, что плавает на поверхности. Это черная дыра в центре галактики, вокруг которой с бешеной скоростью вращаются звезды и неизбежно в нее попадают, превращаясь в ничто. Чем ближе к черной дыре, тем выше скорость вращения, тем скорее в дыру затянет.

6

Жуков — первый советский олигарх. У него — почти неограниченная власть. У него — мощная сеть знакомств и блата в структурах власти. У него — огромная финансовая мощь на фоне всеобщей всенародной нищеты и голода.

Он был не один такой. За время войны генералы, чекисты, партийные воротилы почувствовали вкус к красивой жизни, притерлись друг к другу, по достоинству оценили принцип: живи сам и дай жить другому. Народ при этом не имели в виду? Имели в виду равных по рангу и положению: не докладывай о похождениях чекиста, а он не тронет тебя.

Сталин знал: регулярная смена высшей номенклатуры — главный закон социализма. Причем всех снятых надо немедленно истреблять. Иначе они просто не позволят себя снимать. В 1937—1938 годах Сталин стрелял своих генералов, высших чекистов и партийных вождей десятками тысяч. Но все же Сталин недоработал. Сталин стрелял очень мало коммунистов, чекистов и высших командиров. Прошло только семь лет, и новые выдвиженцы, молодые коммунисты с самых низов, сельские парнишки в лапотках, вкусив власти, переродились, и души их сгнили. Даже в обстановке террора и всеобщего страха они воровали так, как нигде не воруют. А что бы было без террора? Что бы было, если бы Сталин не нагонял страх на партийных и военных вельмож? Если бы у них не было страха в душе? Если бы Сталин не стрелял разложившихся косяками?

Ответ один: они разворовали бы страну еще до 1941 года.

Сталин понимал лучше всех: социализм не может существовать без регулярного, через 5—7 лет, массового истребления основной массы вождей от райкомов до Политбюро, от полков и дивизий до Генерального штаба, от начальников районных отделов НКВД до главарей Лубянки. Как только прекратились массовые расстрелы руководителей, система сгнила. Процесс гниения затянулся, потому что России страшно не повезло. На ее долю выпали неисчислимые природные запасы. Проклятая нефть и проклятый газ, проклятое золото и проклятый уран, проклятый марганец и проклятый никель отпущены нашей стране в невероятных количествах. Неисчислимые богатства — наше несчастье, как бананы для папуаса. Бедному папуасу не повезло. Ему выпало жить там, где нет мороза. Ему не надо строить дом, можно прикрыться пальмовыми листьями от дождя. Ему не надо работать и думать — на каждом дереве бананы растут. И эта легкость жизни — тормоз развития. Вот и моей стране не повезло. Страна может гнить десятилетиями, наука может стоять на месте или катиться назад. Но ничего не надо менять, можно все купить в Америке. Даже хлеб. И расплатиться ресурсами. Потому гниение растянулось на столько десятилетий. При другом раскладе советский социализм должен был сгнить куда быстрее.

Сталин видел гниение и знал, что в этом деле поможет только решительное хирургическое вмешательство.

ГЛАВА 22

ПРО ПЛАЧУЩЕГО БОЛЬШЕВИКА

> В Ягодинской таможне (близ г. Ковеля) задержано 7 вагонов, в которых находилось 85 ящиков с мебелью. При проверке документации выяснилось, что мебель принадлежит Маршалу Жукову.
>
> Генерал армии *А. Булганин*. Доклад Сталину 23 августа 1946 года. Военные архивы России. 1993. № 1

1

Начинать надо было с самого сильного олигарха. С Жукова. Сталин предпринимает первый шаг против Жукова — переводит его в Москву. Для Жукова была специально придумана должность — главнокомандующий Сухопутными войсками. Такая должность армии не нужна. Без этой должности жили всегда. Все равно приказы из Москвы, из Министерства обороны передаются прямо в военные округа. Между Генеральным штабом и штабами военных округов незачем иметь промежуточное звено в виде Главного командования Сухопутных войск. Это пятое колесо в телеге. Сталин придумал такую должность, чтобы без шума убрать Жукова из Германии. Чтобы без Жукова взять за горло воров и мародеров, которые грабили Германию.

Через некоторое время из Москвы Сталин отправляет Жукова командовать Одесским военным округом.

Повторяю, в то время было не зазорно маршалу командовать военным округом. Много их развелось, маршалов. Не было им всем в Москве работы. Потому Конев — во Львове. Говоров — в Ленинграде. Мерецков — на Дальнем Востоке, в уссурийских сопках. Малиновский — в Чите. Тимошенко — в Барановичах. Во где!

А Жуков — в Одессе.

Согласимся, Одесса — это все же не Чита, не тайга уссурийская и не Барановичи. А ведь и в Забайкалье, и на Дальнем Востоке, и в Барановичах сидят маршалы куда более талантливые, чем Жуков. И им не обидно.

Одному только Жукову обидно.

2

Каждый любит себя, каждый бережет свою жизнь и свой успех. Однако человек запредельной жестокости любит себя во много раз больше, чем это свойственно обыкновенным людям. Жуковский карьеризм, бонапартизм и самолюбие — явления особого порядка. Но известно, что садизм и трусость неразделимы. Он любил себя и жалел так, как мало кто себя любил и жалел.

Сталин Жукова не расстрелял, не посадил, не выгнал из армии, он даже не тронул ни званий Жукова, ни наград. Сталин послал Жукова командовать Одесским военным округом. И вот наступает новый 1947 год. Жуков встречает его почему-то не в Одессе, а на своей подмосковной даче. Каждый знает, что в праздники случаются самые неприятные происшествия, в праздники боеготовность войск понижается, потому всем командирам от взвода и выше надлежит быть рядом со своими подчиненными. Но командующий Одесским военным округом Маршал Советского Союза Г.К. Жуков встречает Новый год вдали от Одессы, вдали от войск, которые ему вверены.

Да, тебя, Жуков, совсем немного снизили, тебе дали должность, которая, по твоим представлениям, оскорбляет достоинство. Но в таком положении находится вся армия. Многие из тех, кто недавно командовал полками и батальонами, вообще из армии изгнаны. Молодость прошла, на пенсию рано, здоровье и нервы на войне остались, и никакой профессии за душой. Им каково?

Ты, Жуков, военный человек. Ты должен выполнять обязанности, которые на тебя возложены, ты обязан служить там, куда тебя послали. В службе военной всегда могут быть повороты. Солдат службу не выбирает. Куда пошлют, там и служи. Не вешай носа! И если ты отец-командир, ты должен быть со своими подчиненными. У тебя в Одессе — управление и штаб округа: твои заместители, начальники родов войск, начальник штаба, начальники отделов штаба. Все они — фронтовые генералы. Все — в орденах. Собери их с женами на своей даче под Одессой, выпей с ними водки или еще чего, закуси, еще выпей, поговори с ними по-человечески, поиграй им на гармошке. Может быть, и веселее служба пойдет. Может быть, все еще поправится.

Но уязвленный Жуков, бросив свой округ, улетел в Москву. И тут празднует Новый год. Пригласил многих, но пришел только генерал-лейтенант К.Ф. Телегин с женой. Это тот самый Телегин, который по партийной линии должен был присматривать за Жуковым в Германии. Рассказывает сын генерал-лейтенанта Телегина полковник К.К. Телегин: «Та же дача встречала их какой-то тревожной тишиной. Георгий Константинович вышел на крыльцо, провел в прихожую, помог маме снять шубу, открыл дверь в знакомую большую комнату, и, как сказала мама, она вздрогнула от увиденного: щедро сервированный год назад громадный стол, за которым тогда сидела масса людей, сейчас был пуст. Лишь дальний его угол был застелен скатертью, на которой стояло четыре прибора. Георгий Константинович как-то виновато посмотрел на гостей и сказал:

— Спасибо, что приехали. Я многих обзвонил. Но все по разным причинам отказались...

Настроение и у Георгия Константиновича, и у Александры Диевны было настолько подавленным, что скрыть это, при всем их желании, они не могли. А после традиционного тоста: «С Новым годом, с новым счастьем!» и бокала шампанского Георгий Константинович опустился в кресло и вдруг горько заплакал... И тогда мама вытащила из сумочки платок и начала вытирать слезы, успокаивать Георгия Константиновича. С большим трудом он взял себя в руки» («Наш современник». 1993. № 5. С. 6).

А ведь не о чем плакать. Тебе дали под командование военный округ. В мирное время эта должность достаточно высока для полководца любого ранга. Вся армия, миллионы людей после войны понижены в должностях, а то и вообще выброшены из армии. И никто не плачет. Кроме Жукова.

И если в прошлом году за этим столом сидела «масса людей», а теперь два гостя, то в этом виноват только сам Жуков.

Прежде всего, твое место среди подчиненных. Если бы остался Жуков в Одессе, то на Новый год к нему пришли бы все генералы управления и штаба округа. Жуков для них командир, приглашение к нему — великая честь. Но Жуков не желает знаться с теми, кто ему не ровня, а в лучшие дома Москвы его «пущать не велено». Вот он и сидит за пустым столом. И в гости к нему московские товарищи не спешат. Все вчерашние прихлебатели шарахнулись от него. И это вина Жукова. Почти всю войну Жуков был заместителем Сталина, а перед войной он был начальником Генерального штаба. В его подчинении находилась вся армия, через которую за время войны прошли почти тридцать миллионов человек. Любого из них Жуков мог приблизить к себе, поднять на любой уровень, сделать своим подчиненным и другом. Практически весь высший командный состав Красной Армии за время войны был сменен, причем не один раз. Выбирай любого! Проверяй в деле, поднимай выше или гони прочь. Жуков гнал от себя сильных людей, тех, которые не стеснялись иметь собственное мнение, тех, которые имели смелость возражать. А приближал к себе Жуков лизоблюдов и холуев. Все они оказались флюгерами. И ничем больше эти пресмыкающиеся быть не могли. Подул ветерок в другую сторону, и на одном гектаре с Жуковым не оказалось никого. И генерал-лейтенант Телегин с женой в гостях у Жукова не потому, что дружба тут неразрывная. Тут другая причина. Совсем недавно Телегин был членом Военного совета Группы советских оккупационных войск и Советской военной администрации в Германии. В Главном политическом управлении Советской Армии он был человеком № 2. Выше его по положению был только сам начальник ГЛАВПУРа. Телегин, как мы помним, должен был следить за моральным обликом всех советских воинов в Германии, начиная с Жукова, и подавать личный пример праведного поведения. С этими обязанностями Телегин не справился. Он не пресекал воровства Жукова и сам проворовался. В особо крупных размерах. Жукова Сталин убрал из Германии. Но убрал и Телегина. И отправил Сталин Телегина на курсы усовершенствования политического состава... Вчера Телегин — второй человек в ГЛАВПУРе, сегодня — школяр среди начинающих партийных и комсомольских работников. Высших руководителей Сталин посылал на учебу только в знак жестокой немилости. Обычно отправление на учебу предшествовало аресту. Так было с генерал-лейтенантом Павлом Рычаговым. Сегодня Сталин верит Рычагову, и Рычагов — заместитель наркома обороны. А завтра Сталин в Рычагове разочарован и посылает его учиться в академию. За одну парту с капитанами и старшими лейтенантами. Это унижение перед арестом. Поучился несколько месяцев? Хватит. В один прекрасный день во время перерыва между занятиями тебя встретят бодрые ребята и возьмут под белы рученьки.

Именно этот сценарий ждал Телегина. Учиться на курсах усовершенствования ему оставалось совсем недолго. Его арест уже предрешен. Этого ни Телегину, ни многочисленным его друзьям знать пока не дано. Но друзья Телегина уже бросились от него во все стороны столь же борзо, как и от Жукова. Телегин с женой собирались встречать Новый год вдвоем, но позвонил Жуков. К нему и поехали.

Высказываю предположение, и можете со мной не соглашаться: если бы Сталин не сбросил Телегина с тех заоблачных высот, если бы Телегин все так же был большим начальником, а не слушателем курсов политграмоты, то он к Жукову в гости тоже не поехал бы.

3

Возражают, что это мы все о личных качествах и чертах характера Жукова? Не пора ли о стратегии? Нет, товарищи. Мы говорим не о чертах характера. Мы говорим о полководческих способностях нашего героя. Подбор и расстановка кадров — важнейшая область деятельности полководца. Умный, волевой полководец таких же себе и подчиненных подбирает. Вновь и вновь обращаюсь к великому Макиавелли: «Об уме правителя прежде всего судят по тому, каких людей он к себе приближает». Жуков — на белом коне, и вокруг толпы друзей, которых он выбрал сам. Чуть шатнулся Жуков в седле, и порхнули друзья как воробушки. Вот мудрость Жукова: в его окружении оказались одни прохвосты. Сильных, верных, мудрых и честных людей рядом с ним почему-то не оказалось.

Удивляет и жуковский плач. Хочется поплакать, закройся на ключик и поплачь вдоволь. Но не при гостях же!

Жуков — мародер и расхититель народного достояния. Любого солдата, офицера, генерала поставили бы к стенке даже за тысячную, за миллионную долю того, что наворовал Жуков. Но Сталин Жукова не расстрелял, не посадил, не арестовал, погоны не сорвал, в тот момент еще даже не конфисковал награбленных бриллиантов. А Жуков уже плачет.

В Москве Жукову работы нет. На должность мыслителя он не тянет. В Германию его посылать нельзя. Он там уже проворовался, и под его руководством советские войска в Германии разложились до степени полной неспособности воевать. Сталин ставит его на военный округ. И Жуков пустил слезу. Мерецков и Рокоссовский в свое время прошли через арест, пытки, камеру смертников и даже через имитацию расстрела. Они-то не знали, на какой расстрел их волокут, — на туфтовый или настоящий. Они прошли через это. А если бы с Жукова погоны сорвали, как бы он тогда себя вел?

4

Полковник К.К. Телегин продолжает рассказ о том, как плачущий Жуков встречал новый 1947 год: «Часа в два ночи неожиданно приехали В.В. Крюков и Л.А. Русланова, «сбежавшие», как объяснила Лидия Андреевна, с какого-то вечера, где она выступала. Человек редкостной чуткости, она сразу же уловила настроение присутствующих, развернула принесенный с собой большой пакет и кинула на стол двух подстреленных тетеревов.

— Я желаю, Георгий Константинович, — сказала она, — чтобы так выглядели все твои враги!» («Наш современник». 1993. № 5. С. 16).

Ах, какие смелые у Жукова друзья! И какие глупые. Нужно знать, что дача Жукова прослушивается. А если этого не знаешь, то нужно предполагать, что дело обстоит именно так. И трепать языком исходя из предположения, что твоя болтовня будет доложена куда следует.

На праздничном столе Жукова — два тетерева с простреленными головами. Лидия Андреевна Русланова желает Жукову, чтобы именно так, с простреленными головами, валялись его враги.

Кто же Жукову враг? Кто отстранил Жукова от германской кормушки? Кто товарища Жукова до слез довел?

Их, злодеев, двое. Как и убитых тетеревов. Один злодей — министр государственной безопасности СССР Абакумов Виктор Семенович. Он пытается разобраться с воровством Жукова, Телегина, Серова и их многотысячного окружения.

А второй злодей, отвадивший Жукова от германской халявы, — это некто Джугашвили по кличке Сталин.

И вот Русланова желает Жукову, чтобы его враги лежали с простреленными головами... Такие слова докладывали в первую очередь Абакумову. А Абакумов докладывал Сталину. Кроме того, те же слова докладывали по другим каналам в первую очередь лично Сталину. А Сталин потом слушал доклад Абакумова и проверял его: не перепутал ли чего, обо всем ли доложил?

Представьте себя товарищем Сталиным. Просыпаетесь вы к полудню 1 января 1947 года. Голова болит после вчерашнего. А вам докладывают, кто, что и кому вчера желал, указывая на величавых жирных птиц с длинными хвостами и простреленными головами.

Теперь запомним ближайший круг Жукова. Запомним тех, кто с ним встречает Новый год. Генерал-лейтенант К.Ф. Телегин с женой, генерал-лейтенант В.В. Крюков и его жена певица Русланова Лидия Андреевна.

5

Прошло несколько лет. Нет больше Сталина. Голову ему не прострелили, но умереть помогли. Ненавистному Абакумову, который пытался бороться с воровством в высших эшелонах власти, голову таки прострелили. Как тетереву.

А Жуков взобрался почти на самую вершину власти. Жуков — министр обороны СССР и один из двух самых главных лидеров страны. Он пока вынужден делить власть с Хрущевым. Он пока не получил возможности расстреливать неугодных. Но его жестокость уже выпирает и перехлестывает через все края и все пределы. Жуковские визиты в военные округа и на флоты были разгромными. Вот только две поездки Жукова в 1957 году. Одна — на Северный флот. Другая — на Балтику. Первая поездка пять дней. И вторая — пять. За десять рабочих дней Жуков лично разжаловал и выгнал из Вооруженных Сил 273 офицера, генерала и адмирала. Это — по 27 человек в день. Понятно, Жуков рвал погоны не с лейтенантов. Не его это уровень. Он гнал без пенсии из Вооруженных Сил командиров крейсеров, подводных лодок и эсминцев, командиров соединений кораблей и их заместителей, командиров полков, бригад и дивизий морской авиации и береговой обороны. Если Жуков все эти десять дней и ночей вообще не спал, тогда каждый час он срывал погоны с одного старшего офицера, с генерала или адмирала. А если он немного спал, значит, темпы срывания погон в оставшиеся часы были выше. Если предположить, что Жуков работал по десять часов в сутки без перерывов, значит, каждые 20 минут он сдирал с кого-то лампасы или погоны. При такой интенсивности труда мог ли он заниматься еще чем-нибудь? На все остальное уже и времени не оставалось. Впрочем, если он на разбор каждого дела тратил не все 20 минут, а минуты две-три, тогда ему времени оставалось и на пьянку, и на девок, до которых он был зело горазд.

Все, кого Жуков разжаловал и выгнал, прошли сквозь войну. За время войны сменилось руководство Наркомата обороны, Генерального штаба, всех фронтов и армий, но руководство флота Сталин не менял. Народный комиссар ВМФ Николай Герасимович Кузнецов находился на своем посту с первого до последнего дня войны. В его подчинении — четыре флота.

Командующие всех четырех флотов не были сменены на протяжении всей войны. Это показатель того, что у Сталина к флоту претензий не было.

Но вот появился Жуков. И косит всех подряд. Флотов было четыре. Он побывал на двух, готовился побывать и на двух других.

6

Разгром флота был начат с самого верха. Через много лет Адмирал Флота Советского Союза Н.Г. Кузнецов писал в ЦК: «15 февраля 1956 года я был вызван бывшим министром обороны, и в течение 5—7 минут, в исключительно грубой форме, мне было объявлено о решении понизить меня в воинском звании и уволить из армии без права на восстановление. После этого меня никто не вызывал для формального увольнения. Какой-то представитель управления кадров (даже без меня) принес и оставил на квартире увольнительные документы... Не будучи совершенно осведомленным в причинах своего наказания, я просил ознакомить меня с документами, меня касающимися, но так и не получил возможности» («Красная звезда», 21 мая 1988 г.).

Кузнецов продолжает: «Меня пытались буквально раздавить. Без вызова к руководству страны, без дачи объяснений и даже без предъявления документов о моем освобождении я был отлучен от Военно-Морского Флота. Маршал Жуков в грубой, присущей ему форме объявил, что я снят с должности, понижен в звании до вице-адмирала. На мой вопрос, на основании чего и почему это сделано без моего вызова, он, усмехнувшись, ответил, что это совсем не обязательно» («Красная звезда», 24 июля 1999 г.).

Николай Герасимович Кузнецов еще в 1939 году был назначен народным комиссаром Военно-Морского Флота. В это время Жуков был всего лишь комдивом. Кузнецов вступил в войну народным комиссаром ВМФ и завершил войну на этом же посту. В нашей истории только три человека имели звание Адмирала Флота Советского Союза. Кузнецов — первый из них. Адмирал Флота Советского Союза — это полная аналогия армейского звания Маршал Советского Союза.

Но сравнивать Кузнецова и Жукова даже неприлично. Кузнецов был образованным человеком. Он окончил военно-морское училище и военно-морскую академию. Достаточно сказать, что Николай Герасимович Кузнецов свободно владел английским, немецким, французским и испанским языками. Ну-ка по нашим современным генералам и адмиралам пройдемся: у кого из них четыре иностранных языка?

А образование Жукова — низшее. Так и записано в автобиографии. Четыре класса школы и кавалерийские курсы, где Жукова учили саблей махать. Русским языком Жуков владел слабо, умел обращаться на вы только к вышестоящим. Он свободно изъяснялся только на матерно-командирском наречии. «Жуков так улыбнулся, посмотрел на меня и реагировал русской словесностью довольно крепкого концентрата и резкого содержания» (Н.С. Хрущев // «Огонек». 1989. № 34. С. 10).

Жуков выгоняет из Вооруженных Сил Кузнецова, который равен ему по воинскому званию. Пусть каждый сам представит, что скрывается под термином «в исключительно грубой форме». Жуков выгоняет Кузнецова, сбросив в воинском звании на три ступени. Если на изгнание из Вооруженных Сил Адмирала Флота Советского Союза Жуков потратил «5—7 минут», тогда наше предположение подтверждается: на решение судьбы каких-нибудь генерал-майоров и контр-адмиралов он не мог тратить больше времени.

7

Дочь величайшего полководца XX века Элла Георгиевна повествует: «Папа был доверчивым и даже сентиментальным» («Магазин». 1999. 16 сентября. С. 37). Что
верно, то верно. Сентиментальности Жукову не занимать. Его сентиментальность всемирно известна. Люди
жуковского склада всегда сентиментальны. Ужасно сентиментальным, к примеру, был рейхсфюрер «СС» Гиммлер. Однажды при посещении концлагеря он даже упал
в обморок. Увиденное в лагере уязвило нежную душу
рейхсфюрера. После этого Гиммлер больше никогда не
посещал подобных учреждений. Он ими руководил из
кабинета.

Столь же трогательно сентиментальным был и Жуков
Георгий Константинович. Когда дело касалось собственной карьеры, великий стратег был не просто сентиментальным, он был плаксиво-слюнявым. И это роднит
Жукова с Гиммлером. Правда, было и отличие. Когда дело
касалось судьбы боевых товарищей, с которыми Жуков
прошел войну, сентиментальность сменялась грозным величием. Жуков не падал в обморок, когда рвал погоны и
лампасы с боевых генералов и адмиралов, когда рубил
шашкой русских мужиков в Тамбовской губернии, когда
сжигал деревни и топил заложников в болотах, когда подписывал приказы о массовых расстрелах и депортации
десятков миллионов людей.

Нас уверяют, что сила воли и садизм — это то же
самое. Вот, говорят, посмотрите на Жукова: как громко
он умел орать! Каким отборным матом крыл! С каким
смаком морды бил подчиненным. Вот где сила воли!

Может быть, это все и есть свидетельство силы воли.
Но посмотрите на Сталина. Он ни на кого не орал. Он
никому не хамил. Но и плачущим его никто не видел.
Вот это сила.

ГЛАВА 23

БЛИЖНИЙ КРУГ

> Жуков развел вокруг себя чересчур уж
> много дерьма.
>
> *А. Бушков.* Россия, которой не было. С. 560

1

Вернемся к тем, кто в трудную минуту Жукова не покинул.

Как мы помним, на даче у безутешно плачущего полководца новый 1947 год встречали генерал-лейтенант Телегин с женой. Чуть позже появился генерал-лейтенант Крюков с женой Лидией Руслановой.

Начнем с Телегина Константина Федоровича. На войне он был членом Военного совета 1-го Белорусского фронта, затем — членом Группы советских оккупационных войск в Германии. Чтобы было яснее: член Военного совета — это политический комиссар, который приставлен к командующему армией, военным округом, флотом или фронтом, чтобы следить за его поведением и докладывать куда следует о принимаемых командующим решениях. В данном случае командующим был Жуков, а Телегин был над ним надзирателем по линии коммунистической партии.

Случилось невероятное: командующий и надзиратель сдружились. Жили душа в душу. И все было прекрасно, но надзиратель попался.

Попался генерал-лейтенант Телегин на сущих пустяках. На мелочи. Гнал он из оккупированной Германии в Советский Союз эшелон с неким добром. Родом Константин Телегин был из города Татарска Новосибирской области. Вот туда эшелон и гнал. Эшелон перехватили. На следствии бравый генерал объяснил: не себе — землякам, земляки попросили, не мог отказать. И еще объяснение: проклятые гитлеровцы напали на нашу любимую Родину, разорили ее, теперь надо восстанавливать.

Телегин рассудил так: если скажу, что для себя, сочтут мародерством. А если скажу, что для земляков, то это будет смягчающим обстоятельством.

Понятно, каждый тащил из Германии сколько мог: чемоданами, мешками, ящиками. Кто рангом постарше — возами, машинами, самолетами, вагонами. Однако не было разрешения вывозить эшелонами.

Эшелонами из Германии гнали многое. Но только централизованным порядком и только в пользу государства. И еще: был приказ Сталина вывозить государственное трофейное имущество только в те районы Советского Союза, которые пострадали от войны и оккупации. Новосибирская область в разряде пострадавших от войны и оккупации не числилась.

Константин Телегин нарушил приказы и распоряжения Сталина сразу по всем пунктам. За это был арестован, разжалован и судим. Срок ему отписали увесистый — 25 лет. В «Военно-историческом журнале» (1989. № 6) об этом случае была помещена большая статья «Эшелон длиной в четверть века». Смысл статьи: вот гады сталинские! Ни за что человека посадили! За такую-то мелочь — и в тюрьму! Может быть, генерал Телегин воровал трофейное имущество эшелонами, но ведь это не доказано! Попался-то он не на многих эшелонах, а всего только на одном! Изверги сталинские не пожалели человека! Всего только за один украденный эшелон 25 лет дали!

Правда, в статье про несчастного генерала сообщается вскользь, что, кроме того эшелона «для земляков», он урвал немного трофейного имущества еще и для себя. При обыске у него нашли «большое количество ценностей», в том числе «свыше 16 килограммов изделий из серебра, 218 отрезов шерстяных и шелковых тканей, 21 охотничье ружье, много антикварных изделий из фарфора и фаянса, меха, гобелены работы французских и фламандских мастеров XVII и XVIII веков и другие дорогостоящие вещи».

Тут следует вспомнить показания на допросе генерал-майора Сиднева. Он тоже увлеченно коллекционировал гобелены тех же самых мастеров тех самых веков. Не из одного ли хранилища товарищи генералы те гобелены извлекали и по-братски делили? И еще: генерал-майор Сиднев рассказывал на допросе, что не простые охотничьи ружья товарищи генералы собирали в свои коллекции, а нашел генерал армии Серов старика Зауэра, владельца всемирно знаменитого завода, и вот на том заводе для товарищей победителей в индивидуальном порядке изготовляли ружья с особой отделкой.

У генерал-лейтенанта Телегина помимо тех гобеленов и ружей при обыске нашли еще много всего.

2

Воровал генерал-лейтенант Телегин так много, что деяния его стали как бы эталоном, точкой отсчета. Когда надо было чьи-то преступления с чем-то сопоставить и сравнить, то сравнивали с преступлениями Телегина. О ком-то следователи с уважением говорили: воровал почти как Телегин!

И когда дело дошло до Жукова, размах его воровства и непомерную жуковскую жадность сравнили именно с воровством и жадностью Телегина. Жукову было приказано писать объяснение. Дело по расследованию преступной деятельности Жукова вел секретарь ЦК Жданов Андрей Александрович. Объяснительная записка Жукова адресована Жданову. Он писал: «Обвинение меня в том, что я соревновался в барахольстве с Телегиным, является клеветой. Я ничего сказать о Телегине не могу. Я считаю, что он неправильно приобрел обстановку в Лейпциге. Об этом я ему лично говорил. Куда он ее дел, я не знаю» («Военные архивы России». 1993. № 1. С. 243).

Из письменного объяснения Жукова следует, что генерал-лейтенант Телегин незаконно приобрел «обстановку» в Лейпциге. Осмелюсь предположить, что речь идет не о солдатских табуретках. Жуков признает, что знал о воровстве Телегина. Жуков якобы выразил Телегину свое неудовольствие незаконными действиями. Мы не знаем, так ли это. Но даже если Жуков и выразил Телегину неудовольствие, дальше этого не пошло. Из письменного объяснения Жукова также видно, что мебель, приобретенная Телегиным, находится неизвестно где. Ясно, что Телегин незаконно приобретал «обстановку», но неясно, где она. Из этого, в свою очередь, следует, что помимо перехваченного эшелона, который Телегин отправлял «землякам», и помимо того, что найдено на его квартирах и дачах, были и другие весьма дорогие вещи, которые Телегин незаконно получал и неизвестно куда отправлял. С эти вопросом и пытался разобраться секретарь ЦК А.А. Жданов.

3

На языке блатных скупщик краденого назывался барыгой, содержательница публичного дома — бандершей. А в окружении Жукова подобралась парочка, в которой роли поменялись. Он был содержателем подпольного публичного дома, она — скупщицей краденого. Его звали Крюков Владимир Викторович, ее — Русланова Лидия Андреевна. Кроме содержания подпольного публичного дома, Крюков Владимир Викторович занимался мародерством и барыжничал с размахом. Для прикрытия своей бурной деятельности он имел смежную профессию — был генерал-лейтенантом, командиром 2-го гвардейского кавалерийского корпуса. Крюкова мы уже встречали в главе об орденах. Крюков командовал полком в дивизии Жукова еще в 1932 году. Потом Жуков тянул Крюкова за собой и обвешивал орденами, нарушая приказы Сталина и законы Советского Союза.

Крюков был уличен в воровстве, арестован и посажен. Из материалов дела следует, что он вывез из Германии огромный черный автомобиль «Хорьх 951А», два «мерседеса» и «ауди». Расскажу про «Хорьх 951А». Эту машину создавали как «фюрерваген», т. е. автомобиль для Гитлера. Это была восьмиместная машина с рабочим объемом двигателя 4944 куб. см. Машина была оборудована всеми мыслимыми и немыслимыми удобствами. Например, правое переднее крыло можно было поднять, под ним находился встроенный умывальник. На окнах имелись шторки-занавески. На стойках задних дверей были особые крепления для трех вазочек для цветов. Водительский отсек отделялся от отсека пассажиров звуконепроницаемой сдвижной перегородкой. Над пассажирским салоном — открывающийся солнечный люк. В то время радиаторы машин украшали миниатюрными статуэтками: гончими псами, бегущими оленями, ястребами. Символ фирмы «Хорьх» — летящее ядро. Чтобы подчеркнуть, что оно летит, а не лежит на капоте, ядро сделали с развернутыми орлиными крылышками. Этот символ содержал в себе скрытый смысл. Верхом на пушечном ядре барон Мюнхгаузен летал над Германией. Это и имелось в виду при выборе символа: мы выдумки претворили в жизнь, на нашей машине можем летать куда угодно, как на пушечном ядре. Этот мягкий юмор подходил кому угодно, но только не главе Германского государства. Гитлер не желал ни в коем случае связывать свое имя с именем знаменитого на весь свет барона, летавшего на ядре. «Хорьх 951А» — очень большая, мощная, удобная и запредельно дорогая машина. Она изготавливалась только по индивидуальным заказам. Единственный недостаток: на ее радиаторе не было трехлучевой звезды. «Мерседес» был символом Германии, потому Гитлер выбрал «мерседес». Однако ближайшее окружение Гитлера, например Геринг и Розенберг, выбрали именно «Хорьх 951». Такую машину Гитлер подарил маршалу Маннергейму в знак благодарности Германии за то, что тот не подпустил Красную Армию к залежам шведской руды и тем спас Германию от немедленного поражения в войне.

Вот такую машину и прихватил себе в Германии командир 2-го гвардейского кавалерийского корпуса, содержатель борделя, любимец Жукова Герой Советского Союза генерал-лейтенант Крюков. В русском языке для такой ситуации есть точное выражение: не по чину берешь. Машина, которая предназначалась для главы Третьего рейха, владеть которой могли только богатейшие и влиятельнейшие лица Германии, просто по своим габаритам была великовата для коммуниста Крюкова.

«Мерседесы», которые генерал-лейтенант Крюков по случаю прихватил в Германии, тоже были не абы какие, а подобранные с понятием и любовью. Один из них — кабриолет «540К». Это спортивная модель потрясающего изящества.

У кавалерийского генерала Крюкова, помимо машин, трех московских квартир и двух дач, конфисковали 700 тысяч рублей наличными. Это уже после денежной реформы 1947 года, когда рубль был стабилизирован, когда Сталин денежной реформой разорил многих подпольных миллионеров. Удачливый Крюков даже через сталинскую денежную реформу проскочил, сохранив больше полумиллиона наличными. Для сравнения: генерал МГБ в то время получал 5—6 тысяч рублей в месяц. (Письмо генерал-полковника И.А. Серова Сталину 8 февраля 1948 г. «Военные архивы России». 1993. № 1. С. 212).

Кроме всего этого, у доблестного генерала нашли 107 килограммов изделий из серебра, 35 старинных ковров, старинные гобелены, много антикварных сервизов, меха, скульптуры из бронзы и мрамора, декоративные вазы, огромную библиотеку старинных немецких книг с золотым обрезом, 312 пар модельной обуви, 87 костюмов, штабеля шелкового нательного и постельного белья и пр. и пр.

Все это было захвачено Крюковым и вывезено из Германии только благодаря покровительству Жукова. Потому на допросе 1 октября 1948 года генерал-лейтенанту Крюкову был задан вопрос: «Вы сказали, что, опускаясь все ниже и ниже, превратились по существу в мародера и грабителя. Можно ли считать, что таким же мародером и грабителем был Жуков, который получал от вас подарки, зная их происхождение?»

Что мог ответить Крюков на такой вопрос?

4

А жена героического генерала Крюкова, скупщица краденого Лидия Русланова была певицей. Крюков и Русланова — бандер и барыжница — состояли в законном браке. Они ближайшие друзья почти святого Георгия Жукова.

Главное в жизни Лидии Руслановой — обогащение. Стяжательство — ее страсть и цель жизни. Воровством, мародерством, скупкой и продажей краденого она сколотила баснословное состояние. Сколько бы она песен ни пела, в Советском Союзе она не смогла бы на все свои деньги купить даже раму от картины Айвазовского. А она имела картинную галерею. Поэтому ее подпольный бизнес надо считать основным занятием. Остальное — прикрытием.

Картинная галерея Лидии Руслановой — 132 картины великих русских мастеров: Шишкина, Репина, Серова, Сурикова, Васнецова, Верещагина, Левитана, Крамского, Брюллова, Тропинина, Врубеля, Маковского, Айвазовского и других. Просто интереса ради, я зашел в Национальную галерею на Трафальгарской площади и начал отсчитывать первые от входа 132 картины. Решил прикинуть, какую площадь стен надо иметь, чтобы развесить столько картин. Картины бывают разных размеров: малые, средние, большие. Так вот, какие картины ни бери, хоть самые малые, все равно требуется весьма большая площадь стен, чтобы развесить 132 картины. Всем желающим рекомендую мой опыт повторить. У Лидии Руслановой площади стен вполне хватило, чтобы все эти сокровища развесить на радость гостям и домочадцам.

Лидию Русланову «Красная звезда» ласково называет социалистической соловушкой. Где только эта соловушка денег столько нагребла?

Ларчик открывался просто. Деньги не требовались. Было много путей сбора сокровищ без денег. Огромные ценности были сосредоточены в Ленинграде. А в Ленинграде во время блокады — людоедство. Интересно, что сразу после войны существовал музей Блокады Ленинграда, и в нем несколько залов были отведены теме людоедства. Но вскоре после войны эта тема была закрыта, экспонаты спрятаны, а то и вовсе уничтожены. Оно и понятно: не мог же один советский человек съесть другого советского человека. Такого не должно было быть. А раз не должно, значит, и не было.

Деньги в блокадном Ленинграде, да и во всей стране цены не имели. Зачем вам деньги, если вы умираете от голода? Вам нужен хлеб, а его на деньги не продают. Хлеб выдают по карточкам. Так вот, в блокадном Ленинграде расцвел небывалым цветом черный рынок. Самая твердая валюта блокадного Ленинграда — американская тушенка. В осажденный город по льду Ладожского озера непрерывной вереницей шли машины. Они везли хлеб, сало, мясо, крупы, сахар. «В те времена за кружок «Краковской» можно было получить Левитана, Кандинского, Сомова... За кило шпика — рублевскую икону получить было можно» (Ю. Алешковский. Рука. Повествование палача. Нью-Йорк, 1980. С. 74).

Тысячи тонн продовольствия кто-то распределял. Если распределяющий мог повернуть налево машину ЗИС-5, груженную ящиками с тушенкой или копченой колбасой, то хороший предприниматель за такой груз мог рассчитаться не только полотнами Нестерова или изумрудами из царских коллекций, но и мог вам доставить, все что прикажете.

Однако, пожалуйста, не подумайте плохого. Я не говорил, что командующий Ленинградским фронтом, а впоследствии — заместитель Верховного Главнокомандующего генерал армии Жуков разворачивал машины с продовольствием налево. Я даже не намекаю на такое. Я просто говорю, что у Жукова на войне такая возможность была, а у подружки Жукова Лидии Руслановой в ходе той же войны вдруг появились несметные сокровища. И у самого Жукова — тоже. Ясное дело, нет и не могло быть никакой связи между сокровищами Руслановой, Крюкова, Жукова и тушенкой, которую поставлял добрый дядюшка Сэм и распределял добрый дядюшка Жуков. Четко установим: сокровища — отдельно, тушенка — отдельно.

Но неясность сохраняется: а откуда же тогда сокровища?

5

Объясняют, что Лидия Русланова концерты давала и на свои трудовые денежки покупала шедевры. Этому мы не поверим.

Причин много. Прежде всего свободного искусства и свободного творчества у нас не было. Все творческие работники были объединены в соответствующие союзы и коллективы. Над всеми творческими коллективами и союзами возвышались стройные государственные структуры. Во время войны (и во время мира — тоже) артисты выполняли государственную волю: отвлекали широкие народные массы от нехороших настроений. Артист был государственным служащим. А государство наше прижимистое. Вот, например, Олег Попов. Самый выдающийся клоун XX века. А Книга рекордов Гиннесса не делает даже и таких ограничений. В этой книге просто сказано: самый смешной клоун мира. Без указаний, в каком веке. Олег Попов обладал поистине планетарной популярностью. Его знали все. Он нес по миру славу своей Родины и приносил государству доходы в десятки миллионов долларов. На арене цирка он провел полностью всю вторую половину XX века начиная с 1950 года. Он много раз объехал всю планету, от Мельбурна до Торонто, от Рима до Пекина, от Каракаса до Сиднея. Он выступает и в новом тысячелетии. В благодарность за все это наше родное государство ограбило его до нитки и вышвырнуло, определив ему нищенскую пенсию. Впору идти просить милостыню.

Лидия Русланова не имела и сотой доли успеха Олега Попова. За рубежами нашей страны ее знали только в Монголии. Никаких долларов она в казну не несла. Тем более что во время войны ни солдаты на фронте, ни раненые в госпиталях, ни работяги на военных заводах, ни колхозники на полевых станах за концерты денег не платили. Для подъема боевого духа широких народных масс концерты в своем подавляющем большинстве были бесплатными. Их организовывало наше родное государство, потом скупой государственной рукой рассчитывалось с артистами хлебными карточками и деньгами, на которые все равно ничего купить было нельзя. Потому получить много денег артист не мог.

Но если бы и получил, то все равно во время войны народ в деньги не верил. Народ еще помнил Гражданскую войну: в ее начале на рубль гуляешь по полной программе, а очень скоро за миллион тех же рублей не купишь щепоть соли. Сегодня — деньги с орлами и коронами, а завтра — керенки, деньги Временного правительства. После них — первые коммунистические деньги еще без серпов и молотов.

Так вот, не верили люди в деньги. Сегодня они цену имеют, а завтра — инфляция. Или денежная реформа.

Потому во время войны шел по стране натуральный обмен. Тот, кто умирал с голоду, отдавал за хлеб все, что имел. Тот, кто распределял хлеб и сало, внезапно и стремительно богател. За деньги нельзя было купить даже корку хлеба. Потому путь Лидии Руслановой к сокровищам не мог быть вымощен ее трудовыми сбережениями. Но если предположить, что этот путь к сокровищам не был вымощен и банками с тушенкой, то тогда — чем?

Объясните мне, непонятливому, как огромные ценности из блокадного Ленинграда могли попасть во дворцы Лидии Руслановой, если за деньги они не продавались?

6

Было у Руслановой и ее покровителя Жукова много путей к сокровищам. Вот еще один. Гитлеровцы грабили наши музеи и награбленное добро вывозили в Германию. Потом в Германию пришли освободители и награбленные ценности присвоили. Один товарищ из «Литературной газеты» (5 августа 1992 г.) считает такую практику естественной: «В некоторое оправдание замечательной певицы Руслановой отмечу не только ее хороший вкус, но и то несомненное обстоятельство, что привезенные ею из Германии «132 подлинных живописных полотна» принадлежали в своем большинстве кисти выдающихся русских художников (Репина, Левитана, Айвазовского, Шишкина и других), которые, в свою очередь, вывезены нацистскими оккупантами из России и Украины».

Вот так. Если гитлеровцы увезли из наших музеев сокровища, следовательно, они — мародеры. А если после того Русланова присвоила украденное гитлеровцами достояние Украины и России, то эти ценности считаются уже «отмытыми» и потому как бы уже и не ворованными.

Меня только один вопрос интересует: за какие такие заслуги командующий 1-м Белорусским фронтом Маршал Советского Союза Г.К. Жуков незаконно награждал социалистическую соловушку боевыми орденами да еще и позволял ей рыскать по хранилищам трофейного имущества, забирать все, что нравится, и беспрепятственно вывозить на свои многочисленные квартиры, дворцы и дачи?

Георгий Константинович Жуков тоже не терялся. Он сам был большим знатоком и ценителем искусства. Он тоже был собирателем. В его коллекции были картины из собрания Дрезденской галереи. Тут уж, ясное дело, обошлось без тушенки. После войны Жуков — хозяин покоренной Восточной Германии. Посему: вон ту голую бабу в золоченой раме — в мои покои! И вот эту — тоже!

Между тем весной 1942 года, когда подружка Жукова отоваривалась в блокадном Ленинграде, во 2-й ударной армии генерал-лейтенанта А.А. Власова свирепствовал голод. Армия прорывалась к осажденному Ленинграду, но никто ей навстречу не прорвался, и соседи тоже отстали. 2-я ударная армия оказалась в одиночестве в глубоком тылу противника. Армию надо было отводить назад, но товарищам в Кремле жалко было оставлять территорию, которую 2-я ударная армия уже отвоевала. Потому был приказ держаться, хотя никаких возможностей снабжать 2-ю ударную армию не было. Тут повторился тот же сценарий весны 1942 года, когда Жуков загнал 33-ю армию в глубокий тыл противника и бросил на погибель: снабжать армию не могу, а отходить не разрешаю!

Заместителя командующего Волховским фронтом генерал-лейтенанта Власова бросили спасать 2-ю ударную армию. Ему предстояло расхлебывать чужие ошибки, промахи и преступления. На Власова возложили ответственность за 2-ю ударную армию, операцию которой он не планировал, не готовил, не начинал и не проводил. Его поставили командовать армией, которую было невозможно снабжать, в то же время не разрешалось ее и отводить назад. Когда приказ на выход из окружения наконец был получен, выходить из окружения было некому, а тот, кто и мог бы выйти, от истощения не стоял на ногах. Не Власов предал, а Власова предали.

В лесах под Любанью, где армия Власова держала оборону, кора на деревьях, почки и первые листья были ободраны на уровне человеческого роста. Солдат в день получал 50 граммов сухарных крошек. И это — все. Лошади во 2-й ударной армии были съедены и трупы падших лошадей — тоже. Были съедены кожаные сумки, ремни и сапоги. Потом веселая жизнь кончилась, солдатам и офицерам перестали давать и те 50 граммов хлебных крошек. Власов докладывал 21 июня 1942 года в штаб Волховского фронта: «Наблюдается групповая смертность от голода».

Самолеты бросали совсем немного сухарей и консервов. Все это требовалось искать по болотам, находить и сдавать. Утаил банку консервов — расстрел («Красная звезда», 28 февраля 1996 г.).

Вообще в Красной Армии к расхитителям и мародерам относились сурово. Солдат-фронтовик Н. Толочко свидетельствует: в июле 1944 года старшина артиллерийской батареи 179-й стрелковой дивизии забрал у литовского крестьянина лошадь для транспортировки пушки на огневую позицию. Действия старшины квалифицировали как мародерство. Приговор короткий — расстрел (ВИЖ. 1992. С. 49).

Военный врач Ольга Иваненко свидетельствует: 1942 год, 238-я стрелковая дивизия, война, сожженный город, разбитый брошенный дом, два солдата вытаскивают из-под развалин разбитую кровать. За этим занятием их застают. Их действия расценивают как мародерство.

Приговор в этом случае единственно возможный: расстрел. Приговор выносит начальник штаба полка старший лейтенант Капустянский. Ему даже трибунала не надо. Своей власти достаточно («Русская мысль», 21 июня 2001 г.).

Подобных случаев я могу рассказать тысячи со ссылками на конкретных свидетелей, на архивные документы, публикации и письма фронтовиков.

А социалистическая соловушка присвоила целую картинную галерею. И это не просто полотна — это национальное достояние России и Украины. Но ей простительно — она подруга почти святого Георгия, величайшего полководца XX века.

7

В 1948 году Телегина, Крюкова и Рубланову посадили.

Вскоре странная смерть постигла секретаря ЦК товарища Жданова Андрея Александровича, который пытался наводить порядок в стране. Был арестован министр государственной безопасности генерал-полковник Абакумов. Потом весьма странной смертью умер и Сталин. И сразу Телегина, Крюкова и Рубланову выпустили. Судьи, которые этих воров, мародеров и расхитителей судили, тут же их и оправдали.

А почему?

По вновь открывшимся обстоятельствам.

Что же это за обстоятельства такие открылись? Следственные дела друзей Жукова этого не уточняют. Открылись обстоятельства, и все тут — выходите, товарищи, из узилищ.

Но гадать о причинах быстрого освобождения долго не приходится. К самым вершинам власти прорвался товарищ Жуков. Это и было то самое вновь открывшееся обстоятельство. А посему вороватые друзья и соратники великого стратега были торжественно выпущены на волю.

Вот тут и выяснилось, что все-таки гнал товарищ Телегин эшелон ворованного добра не для любимых земляков, а для себя. Выйдя из тюрьмы, он потребовал, чтобы эшелон с добром вернули не землякам, а ему лично. Возникла странная ситуация. С одной стороны, генерал-лейтенант Телегин — вор, мародер, расхититель трофейного имущества. С другой — по приказу Жукова он выпущен из тюрьмы, судимость с него снята. Получается, что он вроде уже и не вор, и не мародер. Что же делать с конфискованным эшелоном трофейного имущества? Если признать, что Телегин не вор, значит, конфискованный эшелон с трофейным имуществом принадлежал ему, значит, надо Телегину эшелон с добром вернуть или возместить стоимость. Но всем ясно, что советский генерал-коммунист на свои трудовые сбережения не мог купить даже один 60-тонный вагон шелкового женского белья. А тут — эшелон.

В Главной военной прокуратуре и Генеральной прокуратуре СССР было найдено соломоново решение. Генерал-лейтенанту Телегину объявили: ты не вор, ты честный человек, живи на свободе, но эшелон с трофейным имуществом ты украл, поэтому мы его тебе вернуть не можем. Главный военный прокурор Советской Армии генерал-лейтенант А.А. Чепцов «от имени Генерального прокурора СССР Руденко недвусмысленно напомнил настойчивому жалобщику, что вещи, которые он требует возвратить, «приобретены незаконным путем», а потому возврату не подлежат» (ВИЖ. 1989. № 6. С. 82).

Свои сокровища потребовала назад и Лидия Русланова. За конфискованную шкатулку с бриллиантами ей предложили компенсацию в 100 тысяч рублей. «А она требовала миллион. По словам Л. Руслановой, среди украшений, изъятых у нее, были уникальные изделия, и стоимость шкатулки, где хранились эти ценности, составляла 2 миллиона!» («Русская мысль», 22 февраля 2001 г.)

Что такое два миллиона рублей по понятиям 1948 года, когда Русланову арестовали? После денежной реформы 1947 года и до 1953 года, когда Русланову выпустили из тюрьмы, инфляционных тенденций фактически не наблюдалось. Теперь вспомним приведенный выше отрывок из письма генерал-полковника И.А. Серова Сталину

8 февраля 1948 года: генерал МГБ в то время получал 5—6 тысяч рублей в месяц. Это — 60—72 тысячи в год. Из этого следует, что генералу-чекисту надо было от 28 до 33 лет арестовывать людей, допрашивать их и пытать, жечь деревни, расстреливать заложников и пленных офицеров, гнать своих и чужих эшелонами в лагеря и на расстрел, чтобы скопить денег на одну шкатулку Руслановой. Понятное дело, все эти годы генерал-чекист должен был бы все полученные деньги складывать и ни копейки не тратить.

По доброй коммунистической традиции армейский офицер и генерал получал ровно вдвое меньше, чем чекист, который имел равное количество звезд на погонах. Следовательно, армейскому генералу, чтобы скопить денег на одну такую шкатулку, надо было командовать дивизией или корпусом вдвое больше времени — от 56 до 66 лет. И ничего не тратить.

Дочь великой певицы и героического генерала Маргарита Владимировна Крюкова в той же статье, в которой сообщает о стоимости шкатулки с бриллиантами в два миллиона рублей, продолжает рассказ про своего честнейшего родителя: «В. Крюков за всю свою жизнь не мог отличить бриллиант от булыжника: круг его интересов лежал в иной плоскости. Он был умным, образованным человеком. И особой его слабостью была русская классическая литература, а на чем он сидел и спал, для него не представляло никакого интереса» («Русская мысль», 22 февраля 2001 г.).

Слабому на классическую литературу генералу Крюкову было все равно, из чего есть: из медного солдатского котелка или из алюминиевой миски. Потому он ел с серебряных блюд с золотым орнаментом, украденных в Потсдамском дворце. Ему было все равно на чем ездить: на разбитом советском автомобиле «Москвич» или на старом ржавом велосипеде. Потому он ездил на автомобиле, который создавали для фюрера Германского рейха. Он не отличал бриллиантов от булыжников. Но, поди ж ты, заветную шкатулку наполнял не булыжниками.

8

Ни Телегин, ни Русланова, ни Крюков никогда после освобождения не заявляли о своей невиновности.

Генеральная прокуратура СССР, повинуясь приказам Жукова, освободила его друзей из тюрьмы. Однако во всех официальных документах подчеркивалось, что им возвращается только часть имущества, ибо остальная часть приобретена путем грабежа, воровства и мародерства.

В своем объяснении в Центральный Комитет Коммунистической партии Жуков не отрицал, что генерал-лейтенант Телегин воровал.

И вот теперь проблема нашим агитаторам: как оправдать мародеров, грабителей и воров Телегина, Крюкова, Русланову? Уж слишком грязное окружение у кандидата в святые Георгии получается. Оправдание мародерам нашли быстро. И не одно.

Оправдание первое: они брали только хорошие вещи, у них художественный вкус. Это их оправдывает. Бриллианты меньше двух каратов они не брали. Это ли не свидетельство отменного вкуса? Это ли не оправдание несчастным жертвам сталинизма? Этот аргумент мне нравится.

Оправдание второе: Крюков, Телегин и Русланова — друзья Жукова. А друзьям почти святого прощается все. Как и самому почти святому Георгию.

Оправдание третье: Русланова объявила, что все добро принадлежит ее мужу Крюкову. И ее простили. А ее муж Крюков объявил, что все добро принадлежит его жене Руслановой. Тогда и его пришлось простить.

После ареста следователь майор Гришаев допрашивал Русланову:

«СЛЕДОВАТЕЛЬ: Материалами следствия вы изобличаетесь в том, что во время пребывания в Германии занимались грабежом и присвоением трофейного имущества в больших масштабах. Признаете ли вы это?

РУСЛАНОВА (резко): Не признаю.

СЛЕДОВАТЕЛЬ: Но при обыске на вашей даче изъято большое количество ценностей и имущества. Откуда?

РУСЛАНОВА: Это имущество принадлежит моему мужу. А ему его прислали в подарок из Германии. По всей вероятности, сослуживцы». (А. Бушков. Россия, которой не было. С. 560).

В 1951 году Крюков на суде во всем признался. Но вскоре, в 1953 году, Жуков оказался у самой вершины власти, он приказал всех своих друзей из тюрем выпустить, а их дела пересмотреть и провести «дополнительную проверку». Покорные прокуроры дела тут же пересмотрели. Вот результат пересмотра:

«Не отрицал Крюков в суде свою вину и в расхищении государственного имущества. В то же время, как указывается в заключении Главной военной прокуратуры, составленном по результатам проведенной в 1953 году дополнительной проверки, изъятые при аресте Крюкова ценности принадлежали его жене — Руслановой Л.А., приобретенные ею на личные деньги» (Н. Смирнов. Вплоть до высшей меры. М., 1997. С. 156—157).

Круг замкнулся. Получился старый еврейский анекдот на русский лад:

— Гражданин Крюков, где вы берете столько денег?
— В тумбочке.
— А кто их туда кладет?
— Жена Лидия Русланова.
— А где она их берет?
— Я ей даю.
— А вы где берете?
— Гражданин следователь, я же уже ответил: в тумбочке.

Мораль вот какая. Кому — война, а кому — мать родна. Не могли друзья Жукова содержать подпольный бордель в медсанбате 2-го гвардейского кавалерийского корпуса, не могли воровать на войне так открыто и нагло, если бы не имели над собой защитника в лице заместителя Верховного Главнокомандующего Маршала Советского Союза Жукова.

В современном русском языке для такой ситуации есть специальный термин — «крыша».

ГЛАВА 24

ОТРИЦАТЕЛЬНОЕ ЧУДО

> Жуков — одна из страшнейших фигур русской истории. И лучше всего ее суть передает портрет работы Константина Васильева. Изображенное на нем запредельное существо не имеет ничего общего с миром людей, потому что пришло из какого-то *другого*. Это не человек, это языческий бог войны с волчьим оскалом на синем лице. Шинель словно отлита из стали, холодным тусклым золотом светятся тарелки орденов, за спиной пляшут багрово-золотистые языки подземного огня и жутко белеет скелет какого-то здания.
>
> *А. Бушков*. Россия, которой не было. С. 559

1

Для того чтобы причислить Жукова к лику святых, требуется соблюсти некоторые формальности. Жуков должен удовлетворять определенным требованиям. Прежде всего — творил ли он чудеса?

Тут мы положим руку на сердце и ответим: творил. Чего-чего, а чудес он натворил в изобилии с избытком и перебором.

Вот одно чудо из многих. Совершено 14 сентября 1954 года в 9 часов 53 минуты на Тоцком полигоне Южно-Уральского военного округа. В память об этом событии в районе совершенного чуда установлена мемориальная доска с надписью: «В сентябре 1954 г. на территории полигона проводились тактические учения войск под руководством Маршала Советского Союза Г.К. Жукова».

На любом крупном полигоне учения проводятся практически непрерывно, но только в память об одних учениях установлена мемориальная доска.

Через три дня после учений, 17 сентября 1954 года, газета «Правда» опубликовала сообщение ТАСС об этом чуде: «В соответствии с планами научно-исследовательских и экспериментальных работ в последние дни в Советском Союзе было проведено испытание одного из видов атомного оружия».

В сообщении ТАСС не было сказано, чем эти испытания отличались от всех предыдущих, в чью голову ударила гениальная мысль, кто этот эксперимент организовал и кто его проведением руководил. Теперь мы это знаем: «Изучение местности и другие подготовительные работы начались еще зимой и в полную силу развернулись весной и летом. Большую роль в этом сыграл Маршал Советского Союза Г.К. Жуков. Он, возвратившись в Москву после смерти Сталина, занимал тогда пост первого заместителя министра обороны СССР» («Красная звезда», 29 сентября 1989 г.).

Испытания были весьма необычными. Приоритет Советского Союза в данной области научных изысканий неоспорим. Никто в мире до такого не додумался, никто в мире подобными свершениями гордиться не может. Да и в нашей стране не во всякую голову приходят такие идеи. Ни после Жукова, ни до него ничего равного и близкого не бывало.

Маршал бронетанковых войск Олег Лосик, Герой Советского Союза, профессор, председатель клуба кавалеров ордена Жукова, объявив своего кумира «великим полководцем», продолжает: «Он совершил по существу переворот в оперативной и боевой подготовке. Под его руководством в сентябре 1954 года на Тоцком полигоне впервые были проведены войсковые исследовательские учения с практическим применением ядерного оружия» («Красная звезда», 28 декабря 1996 г.).

2

Было вот что: бомбардировщик сбросил бомбу с высоты 13 километров. Тротиловый эквивалент — 40 килотонн, т. е. мощь взрывов в Хиросиме и Нагасаки, сложенная вместе. Взрыв — воздушный, на высоте 350 метров.

А для чего?

Идея была вот какая. Первая мировая война была позиционной. Такой она была не потому, что так кому-то нравилось или кто-то так решил. Нет, просто ни одна армия мира не могла прорвать оборону противника. Было одно исключение из правила — Брусиловский прорыв. Но это, повторяю, исключение.

Во Второй мировой войне стратегический фронт противника научились проламывать. Но это оставалось самой сложной задачей для любого командующего. За прорыв приходилось платить огромным расходом боеприпасов, титаническими потерями боевой техники и солдатской крови. И не всегда прорыв завершался успехом. Пример: бесполезные и бестолковые попытки Жукова прорвать фронт под Сычевкой с января по декабрь 1942 года.

Но вот после Второй мировой войны в руки советских маршалов попало ядерное оружие. И решили: если надо, проломаем фронт ядерным ударом, в пролом введем войска и пойдем гулять по вражьим тылам!

Только надо попробовать на учениях. Так и порешили.

К слову будет сказано: тот, кто готовится к войне оборонительной, тому такие учения вовсе не нужны. Если бы советское руководство было обеспокоено угрозой вражеского вторжения, то следовало объявить: мы такие слабые, такие пугливые, потому бьем один раз, но по голове. И мало не покажется ни Парижу, ни Лондону, ни Бонну, ни Нью-Йорку, ни Вашингтону.

При такой стратегической концепции не надо проводить учений. Достаточно взорвать бомбу в пустыне и прикинуть, что будет, если ее бросить на небоскребы.

Но нам не надо было разрушать вражеские города. Надо было их захватывать, а для этого необходимо проламывать фронт противника. И проводить соответствующие учения.

3

Итак, на Тоцком полигоне возвели оборону условного противника и оборону наших войск. «Красная звезда» (31 мая 1996 г.) рассказывает: «Бомба была сброшена над районом, где в оборонительных сооружениях находились животные. В отношении личного состава как обороняющейся, так и наступающей сторон были приняты все известные в то время меры безопасности. Учение дало богатейший научный материал. Его итоги были тщательно проанализированы и обобщены. На их основе была разработана теория новых видов боевых действий — наступления и обороны в условиях применения ядерного оружия, уточнены имевшиеся и созданы новые учебники и справочники».

Тут мы подошли к главному: кроме подопытных животных были на тех учениях еще и люди. Там были войска. Одни дивизии оборонялись в условиях реального применения ядерного оружия, другие наступали. Общее число участников — 45 000 душ. 45 000 молодых здоровых мужиков. Есть сведения, что только наступающих было 45 000. Еще и обороняющихся 15 000. Сведения о том, что общее количество участников было 60 000, встречаются неоднократно. Пример: газета «Час» (27 января 2001 г.). Официальные источники молчат. Сам я склоняюсь ко второй цифре, но пока она не подтверждена официально, остановимся на первой.

Обороняющимся предстояло в окопах, траншеях и блиндажах пережить ядерный взрыв в непосредственной от себя близости. Кроме того — «быть в готовности закрыть брешь в обороне «синих», образовавшуюся в результате ядерного удара, нанесенного «красными» («Красная звезда», 19 июля 1992 г.). А наступающим предстояло через эпицентр взрыва пройти сквозь оборону условного противника, как по проспекту.

Ход учений описан так: «Стоявшая вокруг тишина поражала. Светило солнце, чуть шевелились листья кустарника. А где-то высоко в небе уже шел самолет-носитель с атомной бомбой... У каждого были свои, индивидуальные ощущения, но сумма их укладывается в два слова: «Сильно качнуло»... И вот наконец — сигнал к атаке. Первое, что бросилось в глаза после пребывания под землей, — это огромное, в полнеба облако, его снизу как бы подталкивало вверх гудящее багровое пламя, оно менялось в цвете, становилось малиновым, менее ярким и все клубилось, поднималось выше, увлекая за собой, засасывая с земли столб пыли и всего, что там еще было. Поражало и другое: изменилась до неузнаваемости впереди лежащая местность... Земля была ровная, усыпанная камешками, будто вспаханная. Кое-где оплавлена. Местами курилась. Никакой растительности или чего-либо другого... И вот неожиданность: рентгенометр почти не реагирует на излучение. Командир танкового взвода с тревогой доносит по радио: прибор неисправен. Та же история с другими приборами... По пути поближе к эпицентру взрыва видели несколько танков, среди которых были и тяжелые. Некоторые из них оплавились и как бы просели в землю, другие отброшены с места на десятки метров, лежали вверх гусеницами. Попадались просто бугры. Какие объекты там похоронены взрывом — нельзя было даже догадаться. Потом видели обугленную овцу, которую извлекли из земли саперы...» («Красная звезда», 9 сентября 1989 г.).

Все, кто оставил воспоминания, рассказывали примерно то же самое: «Внезапно я почувствовал полоской шеи, не закрытой маской, легкое прикосновение тепла: примерно такое ощущение испытываешь на пляже, когда скрывшееся на время солнышко выходит из-за облака. Понял: взрыв состоялся. Через несколько мгновений последовало его звуковое выражение... Ударная волна пронеслась, и я с командой: «Расчеты, к орудиям!» выскочил из траншеи. Высоко над главной позицией обороны «противника», клубясь и переливаясь, разворачиваясь из огромного кипящего шара, в котором еще бушевало пламя, к небесам подымалось колоссальное фантастическое облако. Гриб был похож на тот, с картинок, но сколько он излучал злой силы. Какой ужас вселял в сознание очевидца!.. На учениях присутствовали министры обороны стран народной демократии, и они должны были хорошо слышать симфонию боя в глубине обороны «противника». Нагрузка на каждый ствол выходила за допустимые пределы, стреляные гильзы приваривались к казенникам, выбрасыватели не срабатывали. К концу учений приходилось выбивать гильзы ломом и снова собирать буквально рассыпавшиеся после каждого выстрела затворы. Конечно, после подобной «эксплуатации» пушки подлежали списанию... То, что мы увидели, не поддавалось описанию и не укладывалось в сознании, к этому невозможно привыкнуть и невозможно забыть... По пути к эпицентру можно было наблюдать картину беспощадной расправы атомного демона над природой во всей ее отвратительной полноте и обнаженности. Сначала лес (дуб, граб, вяз) встретил нас своей увядшей и сморщенной листвой, изломанными ветвями и кронами. Дальше следовал бурелом, где каждое дерево лежало в соответствии с направлением взрывной волны. Ближе к эпицентру весь лес был превращен в щепу и мелкие обломки, что сейчас можно видеть на некоторых лесозаготовительных делянках наших борцов с природой. И наконец —

пустынное и мрачное поле, утрамбованное, как строевой плац, с оплавленной поверхностью, с маленькими отверстиями от испепеленных или унесенных атомным ураганом деревьев... На оплавленном грунте валялись сорванные танковые башни, поставленные «на попа», подобно спичечным коробкам, корпуса боевых машин, покореженные орудийные лафеты, завязанные замысловатыми узлами пушечные стволы, смятые, как старые носовые платки, кузова бронетранспортеров и автомобилей. Мы посетили специально оборудованный в 1200 метрах от эпицентра ротный опорный пункт с развитой системой ходов сообщения, солидным накатом и укрытиями для орудий и личного состава. Он сохранился, но ударная волна, разрушив переборки, проникла во все его отсеки и забила песком помещения. Чехлы пушек были сорваны, артиллерийская оптика засвечена, а от пары лошадей, привязанных у коновязи у входа в сооружение, остались только уздечки — бедняги-кони улетели в небытие. Я видел обрывки этих уздечек, и они мне врезались в память на всю жизнь» (Г. Амбразевич. // Независимость, 23 апреля 1997 г.).

«В момент взрыва земля как бы сдвинулась, ушла из-под ног, раздался громовой раскат, треск, в небо взметнулся ослепительно яркий огненный гриб» («Красная звезда», 9 июля 1992 г.).

«Больно было смотреть на обезумевших, слепых и обугленных домашних животных, страшно вспоминать о выкорчеванных деревьях, об исчезнувшей дубовой роще-красавице, о пепелище нескольких деревень, о жалких остатках военной техники» («Литературная газета», 15 сентября 1999 г.).

«То и дело в траншеях и просто на открытых местах встречались обреченные на атомное заклание коровы, козы, овцы и другие домашние животные. Одни еще стояли и жевали травку, у других вытекли глаза и тлела шерсть, третьи (особенно лошади) уже лежали, обнажая страшные раны» («Независимость», 23 апреля 1997 г.).

«Как позже оказалось, солдаты, принимавшие участие в секретном мероприятии, а с ними и местные жители получили немалую дозу радиационного облучения» («Красная звезда», 19 июля 1996 г.).

Вот свидетель из Латвии Михаил Аренсбург. Он был младшим сержантом в инженерно-саперном батальоне Тоцкого полигона. Он описывает укрытие для командного состава: «Блиндаж, кстати, был очень красивым — словно станция метро. Наши ребята строили» («Час», 27 января 2001 г.). Тут же фотография автора — молодого солдатика. И фотография взвода — лейтенант и его солдаты и сержанты. Из 22 улыбающихся ребят выжил один. Тут же его просьба журналисту: «Прошу вас, не фотографируйте меня, я ужасно выгляжу». А вот его впечатления: «Хотя взрыв был надземным и мы были так далеко, все равно почувствовали, как через какое-то мгновенье земля под нами заходила, как волна на море... Наши приборы зашкалило, они вышли из строя... К месту взрыва рванули танки и солдаты, с криком «ура», разумеется... Башню одного из танков после взрыва отнесло на целых 150 метров. А дубовый лес с вековыми деревьями лег на землю, как трава под осенним ветром... Высокие чины разъехались сразу после завершения действа буквально за несколько минут. Никаких обедов и торжественных речей за мир во всем мире. А на полигоне остались валяться не только груды скота с оторванными конечностями и обуглившимися боками, но и трупы людей. Акция была настолько плохо спланирована, что нередко танки во время инсценированной атаки наезжали на палатки в кустах, где находились солдаты. Естественно, об этих потерях умолчали. Мне кажется, что в первую очередь хотели поставить опыт на людях и животных... Я, может быть, только сейчас понял, что все мы были в роли подопытных кроликов» («Час», 7 января 2001 г.).

«Офицерам показали этот район до и после взрыва. От лесного дубового массива осталось лишь черное пепелище — обгорелые колышки. Боевая техника — наша и наших вероятных противников — оплавлена, покорежена. Траншей и укрытий не стало — верхний слой земли как бы переместился. Все сровнялось. Зрелище было жутким» («Красная звезда», 9 июля 1992 г.).

К слову, о лесном массиве: Тоцкие дубравы сажали по указу Петра. Было там много тысяч могучих дубов. Возраст под 250 лет. Сжечь в мгновение такую уймищу дубов! Это ли не чудо! Вы бы сумели? И я бы — нет. При всем желании. Такое только Георгию Константиновичу под силу. Он у нас не только победоносец, но и чудотворец.

4

Итак, только в нашей стране проводились такие эксперименты! Только у нас и нигде больше! Мы снова впереди планеты всей!

Но вот учения успешно завершены, что же дальше? Дальше — повышение Жукову. На него радиация не повлияла. Он находился вдали от эпицентра. В бетонном бункере. В районе взрыва после учений он почему-то не побывал. Его ждали грандиозные свершения вдали от Тоцкого полигона.

Ну а как же 45 000 молодых мужиков? Они оборонялись и наступали в районе, в котором уровень радиации был столь высок, что приборы зашкалило. Приборы перестали реагировать на радиацию. Что же стало с людьми? О них Жуков не вспомнил НИКОГДА. «Красная звезда» вспомнила о них через 38 лет — 9 июля 1992 года: «Руководитель учений Г.К. Жуков поблагодарил всех участников за мастерство, стойкость и мужество... Такие элементарные меры предосторожности, как дезактивация техники, оружия и обмундирования, не применялись. В учениях принимала участие огромная масса людей. Никакого специального медицинского наблюдения за состоянием их здоровья установлено не было. Засекреченные и забытые, они жили, как могли, без всякого внимания со стороны государства... Каждый дал подписку, клятвенно обязавшись молчать об этом в течение 25 лет».

25 лет молчать?! Зачем? Давайте подумаем, что мог рассказать участник учений? Что они были? Это все знают. Через три дня после взрыва 17 сентября 1954 года было опубликовано сообщение ТАСС. Что еще мог рассказать участник учений? Что бомба имеет чудовищную разрушительную силу? А кто этого не знает? Допустим, один участник учений проболтался, рассказал кому-то, что при взрыве образуется огненный шар, что световое излучение сжигает дома и деревья, оплавляет танковую броню, что ударная волна дробит в щепы любые строения, плющит танковые корпуса и срывает башни. Допустим, услышавший это рассказал еще кому-то и в конце концов данная информация стала известна вражеским разведкам. Вопрос: да неужто врагам эти сведения в новинку?

Между тем сразу же после учений солдат и офицеров, которые принимали в них участие, начали спешно выбраковывать. Первая напасть — кровавый понос. Рассказать врачам о причинах нельзя. Секрет. Смотрит врач, удивляется: вроде не дизентерия и не холера... Тает человек на глазах, и ничем ему не поможешь. И в армии ему делать нечего. Таких домой отправляли: пусть гражданские врачи разбираются. Но ведь и гражданским врачам рассказать нельзя.

Еще напасть — импотенция. Вспомним описания участников: облако ядерного взрыва только поплыло в небеса, и тут же были поданы команды: «К орудиям!», «По машинам!», «В атаку — вперед!» Ядерный взрыв — это температура в миллионы градусов. В момент взрыва сгорает огромное количество кислорода, кроме того, ударная волна разгоняет во все стороны колоссальные массы воздуха. Поэтому в центре взрыва образуется пустота, безвоздушное пространство. И эта пустота, как пылесос, тянет в себя грунт и пыль, которые потом оседают и осыпаются по окрестностям. Десятки тысяч солдат и офицеров устремились в атаку через эпицентр взрыва, а сверху на них сыпалась радиоактивная гадость...

«Красная звезда» термин «импотенция» не применяет. Об участниках эксперимента рассказано проще: у того — разлад в семье, у этого ушла жена... Или вот: «Начались нелады в семье... Жена стала предъявлять надуманные упреки в неверности. Вскоре Алексей пришел к заключению, что она просто лукавит, маскируя собственную неудовлетворенность, а может быть, и неверность» («Красная звезда», 9 июля 1992 г.). Это рассказ про старшего лейтенанта А. Рожкова. Он находился в танке в 15 километрах от эпицентра взрыва. «В момент взрыва танкисты находились в своих зарытых на глубину около трех метров «тридцатичетверках». Средств защиты, кроме противогазов, не было».

Он в танке, на трехметровой глубине, в 15 километрах. А каково пехоте, которая не под броней, не под землей на трехметровой глубине, которая в траншеях в 8 километрах от эпицентра взрыва?

Превратить в считанные минуты тысячи здоровых мужиков в импотентов — это ли не чудо? Согласимся: чудо отрицательное, но все же ни мне, ни вам такого не повторить. Это только злому чудотворцу Георгию по силам.

За импотенцию из армии не гнали. Но были заболевания куда серьезнее. И в массовом порядке. Ради сохранения тайны всем участникам в их документах были сделаны фальшивые записи о том, что в сентябре 1954 года они находились на Дальнем Востоке, в Заполярье или Средней Азии. Последствия были вот какие: прибывает, допустим, списанный солдатик в свою родную деревню. Мается, бедный, неизвестной болезнью. Чем сельский эскулап ему может помочь, если солдату запрещено даже намекнуть на причины болезни? А если и намекнет, то никто ему не поверит, ибо в документах у него нечто совсем другое записано, соответствующими подписями и печатями заверено. И кто ж тебе поверит, если документ, выданный родной Советской властью, тебя изобличает с головой. Потому участники тех учений тихо, молча и быстро вымирали.

Официальные лубянские историки призывают меня писать историю, только опираясь на документы. Это очень даже правильно, дорогие товарищи. Только надо принимать во внимание и тот простой факт, что власть наша родная честностью не отличается. Ей, обожаемой, соврать, что воды выпить. Судьба участников учений на Тоцком полигоне — блистательный тому пример, образец массовой фальсификации документов. Власть отгородилась от последствий своего преступления двойной стеной: обязательствами участников молчать и фальшивыми документами.

Зачем же с десятков тысяч участников брали подписку о неразглашении и клятвенные обязательства молчать 25 лет? Чтобы Жукову инвалиды не досаждали. Чтобы Жуков спокойно жил и писал книжки о том, как он любит свой народ, свою прекрасную Родину и мудрую Коммунистическую партию и ее Центральный Комитет.

При Сталине в период массовых расстрелов была введена формула: «Десять лет без права переписки». Человека убивали, а родственникам сообщали: сидит. Если через десять лет о нем вспоминали, то на запросы следовал ответ: умер в заключении от насморка. И от фонаря лепили дату кончины.

«25 лет неразглашения» и «10 лет без права переписки» — одного поля ягода из породы клюквенных. Жуков точно рассчитал: пусть через 25 лет жалуются... Кто им поверит, если в документах их участие все равно не зафиксировано?

«Если чернобыльских «ликвидаторов» не снабдили справками из-за спешки, недосмотра, а то и разгильдяйства, то участникам ликвидации последствий аварии на «Маяке» в 1957 году, испытаний ядерного оружия на Тоцком, Новоземельском полигонах, жертвами радиационного облучения в других аварийных ситуациях просто приказали молчать под страхом привлечения к уголовной ответственности, о чем, кстати, каждый из них давал подписку. А когда разрешили обо всем говорить, то с этих несчастных потребовали справки. Но откуда они их возьмут, если даже в Подольском и других архивах не находится нужных документов. То ли они уничтожены, то ли не составлялись вообще. Сколько людей преждевременно ушло на тот свет только потому, что даже врачу человек не мог открыться, отчего у него на самом деле эта болезнь!.. Иногда в голову приходит крамольная мысль: а не государственная ли это политика?» («Красная звезда», 27 августа 1998 г.). Мысль и вправду крамольная. Но верная.

5

В России никто не занимается поиском жертв преступных экспериментов Жукова. Но Советский Союз, слава Богу, рухнул! В некоторых из отпавших от него государствах о людях заботятся. И вот латвийская газета «Час» начала поиски тех, кто выжил. По любезному приглашению редакции газеты весной 2001 года я побывал в Риге и встречался с теми, кого удалось разыскать. Рассказ об этих встречах требует отдельной книги. И не для слабонервных эти рассказы о том, как на третий день начались массовые заболевания. О том, как в степи в районе Чкалова были разбиты палаточные городки за многими рядами колючей проволоки и там тысячи участников доживали свои дни. О том, как возгорелся бунт, и о том, как его подавили. У нас умеют.

Я, грешным делом, думал, что если человек не умер через неделю, не умер через год и через десять, значит, находился далеко от взрыва или нечувствителен к радиации. Я ошибся. Передо мною сидели крепкие старики, те, кому, казалось бы, повезло, те, кто прожил после жуковских фокусов еще почти полвека. Но оказалось, что повезло одному только Жукову, который сидел далеко и глубоко. Всех остальных радиация не жалела. У вполне, казалось бы, здоровых людей вдруг рождались дети с неизвестными болезнями. Последствия Тоцких забав величайшего полководца вдруг со страшной силой обнаруживаются во втором и в последующих поколениях. Рождаются дети с огромными головами, с мягкими костями.

И горестный всхлип старика мне не забыть: почему не предупредили, что нам нельзя иметь детей? Почему нас не предупредили!

6

Принято считать, что на Тоцком полигоне было две категории подопытных: десятки тысяч лошадей, коров, овец, свиней, собак и кошек и 45 000 (или 60 000) солдат и офицеров. Но была и еще одна категория подопытных: заключенные.

Рассказывает бывший советский капитан Младлен Маркович. Имя у него какое-то не сибирское. Это требует пояснения. После Второй мировой войны в Советском Союзе готовили тысячи офицеров для армий «братских» стран: Польши, Чехословакии, Венгрии, Болгарии, Румынии, Югославии, Албании. Но вдруг — разрыв с Югославией. Молодым югославским ребятам выбор: возвращаться домой, где их посадят как сталинских шпионов, или оставаться в Советском Союзе. Выбор этот был чисто теоретическим. Всех, кто пожелал вернуться, по приказу товарища Сталина сажали у нас как югославских шпионов. Младлен Маркович в числе многих остался, принял советское гражданство и был зачислен в Вооруженные Силы СССР. В Тоцком эксперименте у него была особая роль. Выбор на него пал потому, что в случае гибели о нем никто бы не вспомнил.

Вот его рассказ: «Начальник химической службы Южно-Уральского военного округа полковник Чихладзе ввел меня в большой кабинет, где за столом сидели незнакомые мне гражданские люди, представил меня им, повернулся и ушел. Полагаю, что Чихладзе не полагалось знать о предстоящей задаче. Незнакомые люди не представились и не задали мне ни одного вопроса. Моего согласия ни на что не требовалось. Я выслушал приказ: «С завтрашнего дня вы назначаетесь начальником курсов по измерению радиации при практическом применении атомного оружия в Советской Армии. Вы должны обучить осужденных измерению радиации и с ними измерять радиацию после взрывов атомной бомбы. Все необходимое для работы получите». Далее последовали объяснения о моей ответственности и неограниченных правах: за любое проявление неповиновения подчиненных мне давали право расстреливать их на месте и ни перед кем не отвечать за это. В заключение дали подписать обязательство хранения военной тайны в течение 25 лет. Мне тогда было 27.

Итак: незнакомые лица устным приказом назначили меня на нештатную должность и без какого-либо письменного документа дали задание обучить отряд осужденных с неизвестными мне биографиями. Единственным следом на бумаге была моя подпись с обязательством молчать.

Контейнер и аппаратуру постоянно охраняли два часовых с автоматами. На территорию, где я жил и работал со своими курсантами, доступ был запрещен...

Вся наша защита состояла из общевойскового противогаза, проолифенных чулок и бумажной накидки. Воздушную волну атомного взрыва мы встретили в открытых траншеях. И пока «наступающая сторона» артиллерией и авиацией расправлялась с «противником» по флангам, я на танке двигался к эпицентру. Радиация в радиусе 10 километров была повышенной, а в эпицентре составляла 48 рентген. Вернувшись на КП и доложив начальству о радиационной обстановке, я уже со всеми вместе повторил путь до эпицентра, обозначив флажками степень заражения местности. На этом моя роль главного подопытного на Тоцком полигоне была закончена.

Я не мог стоять на ногах, когда увели заключенных, о судьбе которых я больше ничего не узнал. Меня положили на нары, где я пролежал несколько дней без всякой медицинской помощи. Освидетельствования степени заражения не проводилось. О том, что мое лечение не входило в планы Тоцкого сценария, я узнал доподлинно через 40 лет, когда по запросу получил ксерокопию архивного послужного списка, в котором черным по белому записано, что я с 7 августа, то есть за 37 дней до атомного взрыва, находился «в распоряжении командующего Северо-Кавказским военным округом». То есть очень далеко от места тех событий...

Немудрено, что следующие полвека мою судьбу, как и судьбу тысяч «подопытных», кроили по официальной дезинформации и лжи, скрепленным подписками «о неразглашении». Открой рот — тут же окажешься государственным преступником. А вся «гостайна» состоит в том, что до сегодняшнего дня у меня нет квартиры, что армия, в которой остались моя молодость и здоровье, не признавала за мной прав на лечение в своих госпиталях» («Литературная газета», 15 сентября 1999 г.).

Мне говорят: вот ты в «Аквариуме» про эксперименты на заключенных писал, а такое было только при Сталине. Нет, товарищи, — вот и при Жукове тоже. И после него.

7

В сообщении ТАСС сказано: «Целью испытаний было изучение действия атомного взрыва. При испытании получены ценные результаты, которые помогут советским ученым и инженерам успешно решить задачи по защите от атомного нападения».

Те, на ком Жуков ставил свой эксперимент, имеют на этот счет свое мнение: «Жизнь показала, что полученный дорого стоивший опыт потерял всякий смысл. Люди, оказавшиеся в зоне ядерного воздействия, даже если они остаются живы, теряют боеспособность и волю к вооруженной борьбе, какими бы высокими моральными и физическими качествами они ни обладали.

Наше участие в этом оригинальном атомном эксперименте долгие годы оставалось военной и государственной тайной, никто нас после учений не обследовал, а заболевших никто не лечил... 20 ноября 1954 года во время профилактического осмотра у меня в левом легком был обнаружен «инфильтрат величиной с грецкий орех» (Г. Амбразевич // Независимость, 23 апреля 1997 г.).

Далее — туберкулез, девять месяцев в госпитале, потом писавшего эти строки вышвырнули из Вооруженных Сил с пенсией. Потом — лишили пенсии. Но это опять же рассказ офицера, который был в танке.

Жителям окрестных сел и деревень товарищ Жуков благодарность не объявлял, но свою дозу они тоже схватили. И была разница: участники учений отвоевали свое — и их увезли. А жители тут и остались, в районе рукотворного Чернобыля. На период учений их выселяли, после учений они вернулись... Не буду утомлять читателей статистикой онкологических заболеваний в районе Тоцкого полигона. Эта статистика не веселит и не радует.

Все это к вопросу о том, как Жуков любил свой народ, своих солдат и офицеров.

Оценим теперь полученный опыт. Участники учений тысячами выброшены из армии и больше в нее никогда не вернутся. Зачем им нужен опыт прорыва через эпицентр, если в армии они никогда больше служить не будут? Ни с кем они знанием своим поделиться не могут, не могут рассказать то, что видели. Какой же толк от такого опыта? Если бы Жуков заразил десятки тысяч людей лучевой болезнью, белокровием и прочими мерзостями, а потом приказал бы их лечить, то это был бы опыт врачам. Но никто этим не занимался. Если бы людей после взрыва пропустили через медицинский, радиационный и химический контроль, то это был бы опыт военным медикам и специалистам радиационной и химической защиты. Но и этого не было. Если бы проводили после взрыва дезактивацию техники и вооружения, то это был бы опыт всяким прочим специалистам. Но не было дезактивации. Так кто же и какой опыт получил на тех учениях? Удивительная логика: научили десятки тысяч людей действовать в условиях реального применения ядерного оружия, а они все вымерли. Так какой же толк их учить?

Немедленно после учения на Тоцком полигоне нашим восточногерманским друзьям был заказан фильм. Назывался он «Белая кровь». Сюжет: проклятые западногерманские реваншисты тянут руки к ядерному оружию. Они посылают в США своих офицеров на учения. Но и американцы не лыком шиты. Десяток западногерманских офицеров американцы используют в качестве подопытных кроликов на учениях с реальным применением ядерного оружия. И вот ядерный взрыв в пустыне. Отделение немецких офицеров, облаченных в серебристые, почти космические скафандры, бросается в атаку. У одного порвана маска. Он вдохнул радиоактивной гадости... И вот он возвращается домой, его лечат лучшие светила, а он тает на глазах. В заключительном кадре умирающий поворачивает лицо в зал и призывает к чему-то хорошему, произносит фразы типа «Люди, я любил вас! Будьте бдительны!» В ответ — рыдания зрительного зала. Наши кулаки сжимались. Наши сердца переполнялись благородной яростью.

Теперь сравним фильм ядерных ужасов и нашу суровую действительность. В фильме «Белая кровь» действуют 7—8 человек. У нас — 45 000. Или больше. Там — офицеры-добровольцы. А у наших никто не спрашивал ни разрешения, ни согласия. В кино — в серебристых скафандрах. У нас — в бумажных накидках. У них лечат. У нас — нет.

8

Существуют два подхода в описании преступления на Тоцком полигоне.

Первый подход: ядерный взрыв — выдающееся достижение нашей военной мысли. Только мы и только под руководством величайшего стратегического гения товарища Жукова этот подвиг могли совершить.

Вот образцы такого подхода.

«Столь масштабное, столь приближенное к не освоенной еще войсками боевой действительности учение обошлось без потерь. Ни одного погибшего, ни одного раненого или травмированного, ни одной разбитой машины. Таким был уровень организации, насквозь пронизанной личным участием и влиянием Г.К. Жукова» («Красная звезда», 25 декабря 1998 г.).

45 000 импотентов, понятно, не в счет.

Вот еще образчик:

«Среди наиболее значимых мероприятий того периода следует отметить войсковое учение в сентябре 1954 года в Южно-Уральском военном округе на Тоцком полигоне. В ходе его впервые в практике оперативной подготовки отрабатывались действия войск в наступлении и обороне в условиях применения ядерного оружия. Замысел, план и подготовка этого не имевшего аналогов в отечественной войсковой практике учения разрабатывались и осуществлялись при непосредственном участии Маршала Советского Союза Г.К. Жукова, назначенного его руководителем. Учение носило опытно-экспериментальный, исследовательский характер. В ходе его изучалось воздействие атомной бомбы среднего калибра на вооружение, военную технику и личный состав» (Генерал-полковник В. Барынькин // «Красная звезда», 31 мая 1996 г.).

И есть другой подход: это преступление!

Вот как описывает те же события «Литературная газета» (15 сентября 1999 г.). Заголовок: ЯДЕРНЫЙ УДАР ПО РОССИИ. И подзаголовок, как продолжение заголовка: НАНЕСЛА СОВЕТСКАЯ АРМИЯ 45 ЛЕТ НАЗАД.

В статье сказано: «Выбор места испытания был не ошибочным — он был преступным. Трудно было на пространстве в одну шестую земной суши найти более населенный регион, чем область между Волгой и Уралом. Как и трудно выбрать для заражения более плодородную почву или такую красивую реку, как Самара, длина которой 600 километров и которая в самом городе Самаре с населением свыше миллиона жителей вливается в лучшую магистральную реку Европы — Волгу, реку, в которой с удовольствием купались «вожди» страны, приехавшие на учения. После взрыва никому из них не пришло в голову в ней освежиться.

Назовем поименно государственных деятелей, сыгравших решающую роль в определении места взрыва: Л.П. Берия, Н.А. Булганин, Л.М. Каганович, В.М. Молотов, Г.М. Маленков (по воспоминаниям генерал-лейтенанта А.А. Осина)».

Мы видим два подхода.

Первый: ядерный взрыв на Тоцком полигоне — великое достижение. Тогда Жуков — величайший военный гений. Это он выбирал самые живописные места России, самые плодородные почвы. Это в его голову пришла великая мысль испытывать радиацию на людях! И не было у него ни помощников, ни заместителей, ни начальников. Все сам сделал! Слава ему! И на Тоцком полигоне мемориальная доска привинчена: «Под личным руководством Жукова...»

Второй: ядерный взрыв на Тоцком полигоне — преступление. Но в этом случае имя Жукова почему-то не называют. В этом случае называют банду мерзавцев: Берия, Булганин, Маленков, Каганович, Молотов. Это они сотворили преступление. И сразу же находят какого-нибудь честнейшего генерал-лейтенанта А.А. Осина, который помнит Лаврентия Берию, а Жукова не припоминает. Хотя Жуков официально был руководителем испытаний. Хотя Берия Лаврентий Павлович имел железное алиби. Он был арестован 26 июня 1953 года, больше чем за год до взрыва, и расстрелян 23 декабря 1953 года в 19 часов 50 минут — почти за девять месяцев до взрыва. Но это наших генералов не волнует: все свершения — от Жукова, все преступления — от Берии!

И только однажды участник событий бывший младший сержант Михаил Аренсбург правильно связал два этих подхода вместе: это было преступление, а организовал его Жуков. Младший сержант служил в батальоне, который входил в боевой состав полигона, т. е. он был не в составе войск, прибывших на учения, а в составе персонала Тоцкого полигона. Поэтому его присутствие на учениях, в отличие от десятков тысяч других участников эксперимента, официально подтверждено справкой из Центрального архива Министерства обороны России. Вот что он рассказал: «На полигоне был клуб, где солдатам показывали кино, и я там подрабатывал киномехаником. Получалось так, что я из своего окошечка видел многое, например генеральские обеды. Видел маршала Жукова, он несколько раз к нам приезжал. Его страшно все боялись. Когда он подъезжал на машине, генералы, как курицы, разбегались врассыпную — лишь бы только на глаза ему не попадаться. Однажды Георгий Константинович прилюдно сорвал погоны с одного генерала и прогнал прочь».

Кстати, о срывании погон. Жуков Георгий Константинович на это был горазд. С чувством глубокого удовлетворения он рвал погоны с офицеров, генералов и адмиралов. Садист вспарывает жертве живот и осторожно извлекает внутренности так, чтобы несчастный видел весь процесс извлекания. Садист от этого удовольствие получает. Жуков животов не вспарывал, во всяком случае, свидетельств на этот счет у нас пока нет, но лично спарывал лампасы и золотые погоны. И упивался процессом. Свидетельств на этот счет у меня в избытке. Не цитирую потому, что однообразным чтение получается, слишком уж нудным. Но давайте на случаи срывания погон и лампасов посмотрим с несколько иной точки зрения. Из Центрального Комитета КПСС.

Присвоение генеральских и адмиральских званий, а равно и лишение этих званий, в компетенцию министра обороны и его заместителей не входит. Генеральские и адмиральские звания присваивались постановлениями Совета Министров СССР. И только Совет Министров имел право генералов и адмиралов в воинских званиях снижать или вообще лишать этих званий.

Но это видимая часть. Была и невидимая. Всеми кадровыми вопросами в Советском Союзе ведал Центральный Комитет КПСС. Каждый командир дивизии, будь он генерал-майор или еще только полковник, — это номенклатура ЦК. Поднимемся в должностях и званиях чуть выше — и это уже номенклатура Политбюро. В ЦК и Политбюро принимались негласные решения. Это называлось термином «решение инстанции состоялось». После этого Совет Министров как бы от своего имени принимал то же самое решение, которое до этого было предрешено на более высоких уровнях.

Жуков срывал погоны и сдирал генеральские лампасы. Но не о жестокости и садизме речь. Речь о глупости. Жуков не знал и не хотел знать границ своей власти. Он творил то, чего без согласия ЦК и Политбюро творить не разрешалось. По существу, Жуков явочным порядком присваивал себе власть так называемых директивных инстанций. И не надо спорить о том, готовил Жуков захват власти или не готовил. Он уже тянул одеяло власти на себя. Только слишком уж неуклюже и глупо.

Глупость Жукова вот в чем: подомни под себя ЦК и Политбюро, тогда твори то, что нравится, хоть вспарывай животы и выматывай генеральские кишки. А пока не подмял, держись в рамках установленных порядков и правил.

Коммунистические агитаторы в современной России внушают молодому поколению, что не следует стесняться Жукова. Коммунисты говорят: в семье не без урода, каждая нация рождала чудовищ, в Германии был урод Гитлер, у нас — Жуков.

На первый взгляд все правильно. Гитлеровцы проводили преступные эксперименты на людях, и Жуков проводил преступные эксперименты на людях. Казалось бы, это мерзавцы одного калибра.

Но обратим внимание на различия. Гитлеровцы проводили преступные эксперименты на людях, но не в таких масштабах, как Жуков. Нет сведений о том, что Гитлер лично присутствовал при проведении экспериментов на людях. А Жуков присутствовал. На месте этих экспериментов мраморные доски привинчены. И нас заставляют экспериментами над людьми гордиться.

И еще: гитлеровцы для экспериментов использовали людей, которых считали врагами.

А Жуков использовал своих.

Я обрываю свое повествование на полуслове, ибо мы подошли к самому интересному: последние годы Сталина и звериная грызня за власть на самом верху. Вот где во всей полноте проявилась неиссякаемая энергия Жукова.

1952 год — заговор маршалов, чекистов и вождей партии против Сталина и загадочная смерть вождя в начале 1953 года.

1953 год — заговор против Берии.

1954 год — ядерный аттракцион на Тоцком полигоне. Это только с военной точки зрения войсковые учения с применением ядерного оружия представляются чистым сумасшествием, а в борьбе за власть это преступление имело смысл, да еще какой.

1955 год — свержение Маленкова и поворот государственного руля в сторону насильственного распространения коммунизма по всему миру и безумной гонки ядерных вооружений, поворот на путь, который привел богатейшую страну к обнищанию, распаду и краху.

1956 год — XX съезд КПСС. Вся вина за этот съезд потом пала на Хрущева, хотя вина Жукова и Серова в этом деле никак не меньшая. Нам рисовали XX съезд КПСС чуть ли не как поворот к либерализации режима. Нам не рекомендовали задумываться над вопросом, отчего Хрущева, залитого кровью по самые уши, вдруг потянуло на либерализацию. И что мог получить от либерализации Жуков? В свободной стране он мог рассчитывать только на суровый справедливый суд за все свои деяния, за 1941 год, за Ельню, за Сычевку, за Берлин, за войсковые учения на Тоцком полигоне. В свободной стране у Жукова потребовали бы ответа за происхождение скромных трудовых сбережений. Ему не позволили бы выпускать из тюрем воров и мародеров. С него потребовали бы ответа за преступления, которые совершил не только он сам, но и его подчиненные, например, мародер и военный преступник Серов. И кто бы в свободной стране позволил Жукову заниматься мордобоем, срывать генеральские погоны и лампасы? Так отчего же вдруг Жукову в 1956 году либерализации захотелось? А его другу Серову она зачем? Чего он от нее ждал?

Все трое, Хрущев, Жуков и Серов, в том же 1956 году продемонстрировали всему миру свою любовь к свободе и народовластию, когда топили в крови народные восстания в Венгрии и Польше.

1957 год. 22 июня. Государственный переворот. Победители — Хрущев, Жуков, Серов. Но на самом верху нет места троим, и даже двоим.

Но обо всем этом — в следующий раз.

СПИСОК ЛИТЕРАТУРЫ

Алешковский Ю. Рука. Повествование палача. — Нью-Йорк: Руссика, 1980.

Анненков Ю.П. Дневник моих встреч. Цикл трагедий. — М., 1991.

Анфилов В.А. Бессмертный подвиг. — М.: Воениздат, 1971.

Баграмян И.Х. Так шли мы к победе. — М.: Воениздат, 1988.

Бажанов Б. Воспоминания бывшего секретаря Сталина. — Париж: Третья волна, 1980.

Батехин Л. Воздушная мощь Родины. — М.: Воениздат, 1988.

Боевой и численный состав Вооруженных Сил СССР в период Великой Отечественной войны: Статистический сборник № 1 (22 июня 1941 года). — М.: Воениздат, 1994.

Бушков А.А. Россия, которой не было. — М.: ОЛМА-ПРЕСС, 1997.

Вестфаль З., Крейпе В., Блюментрит Н. и др. Роковые решения / Пер. с нем. — М.: Воениздат, 1958.

Военные парады на Красной площади. — М.: Воениздат, 1980.

Восьмой съезд РКП (б). Протоколы. — М., 1959.

Гальдер Ф. Военный дневник / Пер. с нем. — М.: Воениздат, 1969—1971.

Гот Г. Танковые операции / Пер. с нем. — М.: Воениздат, 1961.

Готовил ли Сталин наступательную войну против Гитлера? / Сост. В.А. Невежин. — М.: АИРО-ХХ, 1995.

Гудериан Г. Воспоминания солдата / Пер. с нем. — Смоленск: Русич, 1998.

Жуков Г.К. Воспоминания и размышления. — М.: АПН, 1969.

История Великой Отечественной войны Советского Союза. 1941—1945: В 6 т. — М.: Воениздат, 1960—1965.

История Второй мировой войны (1939—1945): В 12 т. — М.: Воениздат, 1973—1982.

Карпенко А.В. Обозрение отечественной бронетанковой техники. 1905—1995 гг. — СПб.: Невский бастион, 1996.

Краснознаменный Балтийский флот в битве за Ленинград. — М.: Наука, 1973.

Кузнецов А. Бабий яр. — Нью-Йорк: Посев, 1986.

Лиддел Гарт Б.Х. Стратегия непрямых действий / Пер. с англ. — М.: Иностранная литература, 1957.

Лиддел Гарт Б.Х. Стратегия непрямых действий / Пер. с англ. — М.: Воениздат, 1976.

Манштейн Э. фон. Утерянные победы / Пер. с нем. — М.: АСТ, 1999.

Маршалы Советского Союза. — М.: Любимая книга, 1996.

Миддельдорф Э. Тактика в русской компании / Пер. с нем. — М.: Воениздат, 1958.

Мюллер-Гиллебранд Б. Сухопутная армия Германии 1933—1945 гг.: В 3 т. / Пер. с нем. — М.: Иностранная литература, 1956—1958.

Накануне войны: Материалы совещания высшего руководящего состава РККА. 23—31 декабря 1940 года. — М.: Терра, 1993.

Невежин В.А. Синдром наступательной войны: Советская пропаганда в преддверии «священных боев» 1939—1941. — М.: АИРО-ХХ, 1997.

Нюрнбергский процесс над главными немецкими военными преступниками: Сборник материалов. В 7 т. — М.: Юриздат, 1960.

Октябрьский пленум ЦК КПСС: Стенографический отчет. — М., 1957.

Ордена Ленина Московский военный округ. — М.: Воениздат, 1985.

Петров Н.В., Сорокин К.В. Кто руководил НКВД. 1934—1941. — М.: Звенья, 1999.

Пикер Г. Застольные разговоры Гитлера / Пер. с нем. — Смоленск: Русич, 1993.

Проэктор Д.М. Война в Европе. — М.: Воениздат, 1993.

Рендулич Л. Управление войсками / Пер. с нем. — М.: Воениздат, 1974.

Риббентроп И. фон. Между Лондоном и Москвой / Пер. с нем. — М.: Мысль, 1996.

Рокоссовский К.К. Солдатский долг. — М.: Воениздат, 1968.

Руге Ф. Война на море 1939—1945 гг. / Пер. с нем. — М.: Воениздат, 1957.

Рыбин А.Т. Сталин и Жуков. — М.: Гудок, 1994.

Самсонов А.М. Знать и помнить. — М.: Политиздат, 1989.

Сандалов Л.М. Боевые действия войск 4-й армии Западного фронта в начальный период Великой Отечественной войны. — М.: Воениздат, 1961.

Сандалов Л.М. На московском направлении. — М.: Наука, 1970.

Сандалов Л.М. Трудные рубежи. — М.: Воениздат, 1965.

Сандалов Л.М. Пережитое. — М.: Воениздат, 1966.

Смирнов Н.Г. Вплоть до высшей меры. — М.: Московский рабочий, 1997.

Совершенно секретно! Только для командования. — М.: Наука, 1967.

Соколов Б. Неизвестный Жуков: портрет без ретуши. — Минск: Родиола-Плюс, 2000.

Солоневич И.Л. Народная монархия. — Минск: Лучи Софии, 1997.

Сообщения Советского Информбюро. — М.: Изд-во Совинформбюро, 1945—1947.

СССР — Германия. 1939—1941 / Сост. Ю.Г. Фельштинский. — Нью-Йорк, 1983.

Стефановский П.М. Триста неизвестных. — М.: Воениздат, 1968.

Триандафиллов В.К. Размах операций современных армий. — М.; Л.: ОГИЗ, 1926.

Триандафиллов В.К. Характер операций современных армий. — М.; Л.: Госиздат, 1929.

Устинов Д.Ф. Во имя победы. — М.: Воениздат, 1988.

Шапошников Б.М. Мозг армии: В 3 кн. — М.; Л.: Госиздат, 1927—1929.

Шпеер А. Воспоминания / Пер. с нем. — Смоленск: Русич, 1997.

XVII съезд партии: Стенографический отчет. — М.: Партиздат, 1934.

Эйдус Я.Т. Жидкое топливо в войне. — М.: Академиздат, 1943.

Советская военная энциклопедия: В 8 т. — М.: Воениздат, 1976—1980.

Газеты: «Вести», «Известия», «Красная звезда», «Российская газета», «Литературная газета», «Московские новости», «Московский комсомолец», «Независимая газета», «Независимость», «Независимое военное обозрение», «Новое русское слово», «Правда», «Русская мысль», «Час».

Журналы: «Бюллетень оппозиции», «Военно-исторический журнал», «Военные архивы России», «Вопросы истории», «22», «Знамя», «Магазин», «Наш современник», «Новая и новейшая история», «Огонек», «Российское возрождение», «Родина».

Beer H. Moskaus As im Kampf der Geheimdienste. — München: Hohe Warte: 1983.

Briekhill P. The Dam Busters. — London, 1951.

British and American Tanks of World War II. — New York: ARGO, 1969.

Dietrich O. 12 Jahre mit Hitler. — München, 1955.

Encyclopedia of German Tanks of World War Two. — London: AAP, 1978.

Gregory J., Batchelor D. Airborne Warfare 1918—1941. — Leeds: Phoebus, 1978.

Hitler A. Mein Kampf. — München: Zentralverlag der NSDAP. Eger, 1933.

Mellenthin F.W. von. Panzer Battles. — London, 1955.

Reinhardt K. Die Wende vor Moskau. — Stuttgart, 1978.

Rosenberg A. Der Zukunftweg einer deutschen Aussenpolitik. — München, 1927.

ОГЛАВЛЕНИЕ

Литературно-художественное издание

Суворов Виктор

ТЕНЬ ПОБЕДЫ

Издательство «Сталкер»
83048, Украина, г. Донецк, ул. Артема, 147а

При участии ООО «Харвест». Лицензия ЛВ № 32
от 27.08.2002. РБ, 220013, Минск, ул. Кульман,
д. 1, корп. 3, эт. 4, к. 42.

Открытое акционерное общество
«Полиграфкомбинат им. Я. Коласа».
220600, Минск, ул. Красная, 23.

Суворов В.

С89   Тень Победы / В. Суворов. — Донецк: «Сталкер», 2003. —
379, [5] с.: 8 л. ил.

ISBN 966-696-022-2 .

Маршал Жуков. Вы знаете его по книгам и фильмам, по кинохронике и
фотографиям. Его имя навсегда вписано в историю XX столетия. В новой
книге Виктора Суворова читатели увидят портрет совсем другого Жукова.

УДК 821.161.1
ББК 84 (2Рос=Р